THÉATRE COMPLET
Tome I

MOLIÈRE

Théâtre complet

Tome I

PRÉSENTÉ PAR MARCEL JOUHANDEAU
NOTES DE MAURICE RAT

LE LIVRE DE POCHE

PRÉFACE

Pour commencer, je me pose cette question : quel écrivain du XVIIe siècle laisserait le vide le plus regrettable, si son œuvre était perdue ou s'il n'avait pas vu le jour ? Eh bien ! à mon avis ce ne serait ni Corneille, ni Racine, ni Bossuet, ni Fénelon, pas même Pascal ou Descartes. Chez tous ceux-là entrait une large part de contingence, des partis pris, une compromission trop grave avec les préjugés de leur époque au préjudice de la vérité. Parce qu'il est sans feinte, le plus typiquement français et le plus authentiquement humain, pour moi c'est le fils du tapissier de la rue Saint-Honoré, Jean-Baptiste Poquelin, dit Molière, qui me semble seul irremplaçable.

**

Je sais bien qu'à force de solliciter des points de détail qui ont fini par les aveugler, certains érudits, amateurs de problèmes superflus, lui ont dénié toute existence littéraire. Sous prétexte que certains vers de Corneille sont frappés au même coin que les siens, pourquoi ne pas admettre une fois pour toutes que Molière se contentait d'endosser ce que lui soufflait Corneille. Rien de plus dangereux et de moins honnête que ce genre d'amplifications abusives qui permettent de disposer des réputations les mieux établies et de les réduire à néant sans scrupule d'un trait de plume. Ainsi sacrifie-t-on à une constatation sans importance de ressemblances accidentelles et anodines des différences qui n'intéressent pas seulement la qualité, mais l'essence de deux œuvres sans commune mesure. Je ne parviens pas à admettre qu'on puisse avoir quelque bon sens, le moindre sens critique, et considérer l'auteur du *Menteur* comme l'auteur possible aussi du *Misanthrope*. Ce n'est ici et là ni le même métier, ni le même vocabulaire, ni le même univers moral. L'optique est tout autre. Dans la comédie, Corneille n'est pas sans charme, mais demeure aussi empêtré et superficiel que Molière y est à l'aise et profond dans les études de caractères et les tableaux de mœurs qu'il propose.

Pierre Louÿs, il y a à peu près un demi-siècle, avait lancé une hypothèse dangereuse, sans la pousser aussi loin que de nos jours Henri Poulaille, mais personne ne les a suivis.

Pour moi, par gageure, je serais volontiers disposé à voir dans ce genre d'outrage posthume un hommage. Il n'arrive qu'aux êtres d'exception entourés d'un certain mystère, de jeter les hommes devant eux dans un tel délire des négations. C'est ainsi que Dieu est exposé à nous entendre lui refuser toute existence métaphysique, Jésus-Christ toute existence proprement historique et il n'arrive qu'à Shakespeare de disposer de plusieurs personnalités interchangeables, selon l'humeur de ses exégètes ou de ses biographes.

Quand on songe à ce que Molière eut à souffrir pour devenir ce qu'il fut, pour produire ce qu'il nous a laissé, on ne peut que l'aimer davantage en raison de toutes les sortes de martyres qu'il a subis. N'est-il pas évident qu'il a passé toute sa vie à la peine dans la préparation des plaisirs d'un Roi inconstant, d'une cour distraite, d'une postérité ingrate? Quels droits lui ont acquis ses travaux? celui de mourir publiquement dans le ridicule accoutrement de son *Malade imaginaire*, avant de se voir disputer des obsèques décentes et une tombe qui ne fût pas anonyme. Bien plus, deux cents ans et plus après sa mort, on essaie de lui retirer la paternité de son œuvre. Un critique disait récemment de quelqu'un que la gloire ne l'aimait pas. Ce qui importe, c'est d'être. D'être reconnu pour ce bue l'on est laisse indifférents les meilleurs esprits. Si, du vivant de Corneille et de Molière, on avait soupçonné qu'il y eût eu entre eux une collaboration plus intime et plus active que celle très rare qu'ils ont avouée, on devine avec quelle hâte et quelle satisfaction elle aurait été dénoncée.

Non, aucun bruit ne courut dont l'abbé Cotin pût être informé, aucune indiscrétion n'a été commise qui autorise personne à dépouiller l'un de ces deux poètes majeurs de sa gloire pour inutilement redoubler les titres de l'autre à une admiration déjà accablante.

*

Veut-on maintenant doser avec justesse l'estime qu'ils
inspirent, il me semble bon de ne pas confondre les auteurs
qui alertent notre attention et la retiennent un moment
avec ceux qui méritent un respect universel et éternel.
Rien d'imprudent comme de galvauder certaines expres-
sions, celle par exemple de « grand écrivain ». Les écrivains de qualité pullulent, les écrivains de talent se multi-
plient à vue d'œil, mais de grands écrivains, il n'y en a pas
plus de deux ou trois par siècle. Parvenu à un âge avancé,
quand je me retourne et promène mon regard sur les
années, lointaines déjà, de ma jeunesse, je suis bien
obligé de constater que les noms qui jouissaient d'un
immense crédit, quand j'avais vingt ans, sont oubliés
aujourd'hui : qui relit Paul Bourget (mis à part *le Disciple*
et *les Essais de Psychologie contemporaine*) ? qui relit
Jules Lemaitre, Brieux, Loti, de Régnier, René Bazin,
François de Curel, même Anatole France (les Bergeret
exceptés) ? Nous n'écrivons guère, la plupart, que pour
un nombre plus ou moins réduit de nos contemporains
immédiats. Le grand écrivain, au contraire, est appelé à
jouir d'une sorte de pérennité, pérennité toute relative
sans doute, comme en ce monde caduc toutes choses et
toutes gens.

Si l'on veut savoir maintenant à quels signes reconnaître un grand écrivain, j'en avancerai deux :

l'importance du monde qu'il a ressuscité ou créé,
comme Saint-Simon, Balzac, Stendhal et Proust, ou
bien l'originalité de son style, du moment qu'on ne
peut lire une phrase de lui, sans la reconnaître pour
sienne, comme il arrive en présence d'une ligne de
Montesquieu, de Pascal, de Chateaubriand, de Chamfort
ou de Jules Renard.

La grandeur de Molière, c'est qu'il répond à ces deux
exigences. Une réplique de l'une de ses pièces, prise n'importe où isolément, crie son origine, en même temps que
l'ensemble de ses personnages compose dans la mémoire
des hommes une mythologie aussi cohérente et indélébile
que celle des dieux antiques. Il n'est pas un homme
cultivé en France, en Europe, par toute la terre qui ne
sache qui est Célimène, qui sont Tartuffe, Orgon, Elmire,
Dorine, Arnolphe et Agnès, Philaminte et Trissotin. C'est
aussi bien que Molière, en leur insufflant une vie indivi-
duelle qui les assimile aux êtres que nous rencontrons tous
les jours, a élevé ses créatures à la hauteur de types

humains, tout propres à figurer dans un musée physiognomonique.

Pour donner une idée de la variété de l'œuvre de notre poète, qu'on me permette de citer ce passage de la littérature de Petit de Julleville dû à la plume de M. André Le Breton : « Molière a écrit des pièces en vers, vers alexandrins, vers libres, il en a écrit en prose, au mépris de la mode et au scandale des beaux esprits qui s'écriaient : « Molière est-il fou de nous faire essuyer cinq actes de « prose ? » Il en a écrit qui sont de la comédie toute pure, d'autres qui confinent à la farce, quelques-unes au drame. Il en a écrit d'héroïques, de pastorales, de modernes et de bourgeoises. *L'Etourdi, Le Dépit amoureux* sont des imbroglios ; l'action se réduit à peu près à rien dans *les Fâcheux*, dans *La Critique de l'Ecole des Femmes, L'Impromptu de Versailles, La Comtesse d'Escarbagnas.* Pas de pièce où « les machines » aient un rôle plus important que dans *Amphitryon* : au prologue, Mercure à demi couché sur un nuage s'entretient avec la Nuit, dont le char aérien chemine ; au dénouement, Jupiter apparaît dans les nues, armé de « son foudre », assis sur un aigle ; pas de pièce qui se passe mieux de « machiniste » que *Le Misanthrope* dont la mise en scène n'exige que « six chaises, trois lettres, des bottes » ou *l'Ecole des Femmes* pour laquelle il ne faut, au dire du décorateur, qu' « une chaise, une bourse et des jetons » en même temps, pas de pièces plus régulières que ces deux dernières, si ce n'est *Tartuffe* et *Les Femmes savantes.* Les unités y sont rigoureusement observées, non pas même à la façon de Corneille qui rusait un peu avec elles, mais à la façon de Racine, qui s'y soumettait sans discussion et sans efforts.

J'ajouterai que, sans la moindre notion de ce qu'avait pu être le théâtre anglais au XVIe siècle, Molière semble en avoir imité la technique dans son *Dom Juan* ; c'est dire qu'il l'a spontanément inventée.

Il se trouve dans les *Segraisiana* (VIII) un passage très suggestif, où il est dit que Molière a tiré de fort bonnes choses des *Italiens* et en particulier de *Trivelin.* Puis Segrais nous fait part d'une réflexion de Molière, après le succès obtenu par ses *Précieuses*, devant la Cour en 1659 : « Maintenant, je n'ai plus que faire de lire Plaute et Térence, ni d'éplucher les fragments de Ménandre. *Je n'ai qu'à étudier le monde.* » Nous avons là, après le catalogue de toutes les sources où Molière puisait à toutes mains la confidence la plus grave qu'il ait jamais faite : « *Je n'ai qu'à étudier le monde.* » Voilà l'origine et le secret de son génie. C'est à l'observation minutieuse des mœurs de son temps et de l'Homme de tous les temps que l'œuvre de Molière doit le rayonnement qu'elle exerce encore sur nous.

Dans les *Bolocana*, un des livres les plus curieux qui soient et les moins connus, on relève aussi divers propos qui ne sont pas inutiles pour parfaire notre connaissance de Molière. Voici par exemple les réflexions que lui inspira au début de sa carrière la comédie de Desmarest, *les Visionnaires*, à savoir :

« qu'il était ridicule de mettre en scène des Fous dignes des Petites-Maisons mais qu'il se proposait pour son compte de peindre plusieurs fous de société, qui tous auraient des manies pour lesquelles on n'enferme pas les gens, mais qui ne laisseraient pas de se faire des procès les uns aux autres, comme s'ils étaient moins fous pour avoir des folies différentes. »

Après avoir constaté, à la fin de la vie de Molière, que celui-ci avait parfaitement réalisé cette collection de « démences », Despréaux éprouve le besoin de conclure que leur auteur avait aussi la sienne. Comme il l'engageait en effet à laisser là son métier d'acteur qui excédait ses forces, pour se consacrer exclusivement à la rédaction de ses chefs-d'œuvre, Boileau se serait attiré de la part de Molière cette riposte, que « c'était un point d'honneur pour lui de ne pas quitter les planches ». « Et c'est ainsi, s'écrie Despréaux, que cet homme, le premier de son temps par l'esprit et pour les sentiments, qu'il avait d'un vrai philosophe, c'est ainsi que cet ingénieux censeur de toutes les Folies humaines en avait une plus extraordinaire encore que celles dont il se moquait tous les jours. Plaisant point d'honneur à se noircir chaque soir le visage pour se faire une moustache de Sganarelle et à donner son dos à toutes les bastonnades prévues par la Comédie. »

* *

« On ne connaît vraiment quelqu'un, prétendait Roger Martin du Gard, qu'après l'avoir vu mourir. » Or, le vendredi 17 février 1673 qui fut le dernier jour de Molière, il se trouva une plume naïve, pour nous rapporter avec cette sorte de simplicité évangélique si étrangère aux écrivains professionnels les circonstances les plus intimes de l'agonie de Molière : « Durant la représentation du *Malade*, note Grimarest, la moitié des spectateurs s'aperçurent qu'en prononçant *Juro* au cours de la cérémonie, il prit à Molière une convulsion. Quand la pièce fut achevée, Molière passa une robe de chambre et se rendit dans la loge de Baron qui lui dit : « Vous me paraissez plus mal que tantôt ? — Cela est vrai, répondit Molière. J'ai un froid qui me tue. » Baron voulut lui faire prendre un bouillon. « Eh bien ! non, dit-il. Les bouillons de ma femme sont de vraie eau-forte. Donnez-moi plutôt un morceau de fromage de Parmesan. » La Forest lui en apporta. Puis, comme il crachait le sang : « Allez dire à ma femme qu'elle monte », demanda-t-il, et il resta assisté de deux petites sœurs religieuses auxquelles il donnait l'hospitalité ». C'est dans cette société ou plutôt dans cette solitude qu'il expira, mais ce qui présente, pour juger Molière, un intérêt capital, ce sont les dernières paroles qu'il prononça en ce monde. Nous en retiendrons deux, l'une le concerne seul ; elle nous révèle l'état de déréliction absolue qui fut le sien, avant sa fin. Il s'adressait à Baron devant sa femme, en ces termes : « Tant que ma vie a été mêlée également de douleur et de plaisir, je me suis cru heureux. Aujourd'hui, je suis accablé de peines, sans pouvoir compter sur un moment de satisfaction et de douceur. » L'autre propos nous fait connaître la sympathie qu'il éprouvait à l'égard des malheureux. Comme on le voyait exténué de plus en plus, on lui demanda, la veille de sa mort, de ne pas jouer : « Comment voulez-vous que je fasse ? répondit-il. Il y a là cinquante pauvres ouvriers qui n'ont que le prix de leur journée pour vivre : que feraient-ils, si l'on ne joue pas ? Je me reprocherais d'avoir négligé de leur donner du pain un seul jour, le pouvant faire absolument. » Et c'est sur cette mort qui ressemble à une immolation de soi-même par charité que Bossuet osa répandre sa colère, dont l'éloquence répugne : « La postérité saura peut-être la fin de ce Poète Comique, qui, en jouant son *Malade imaginaire* passa des plaisanteries du théâtre, parmi lesquelles il rendit presque le dernier soupir, au tribunal de celui qui a dit : Malheur à vous qui riez, parce que vous pleurerez » *(Maximes et Réflexions sur la Comédie)*.

Quand on songe à la conduite dépourvue de tact, de discrétion et presque d'honnêteté de ce Prince de l'Église dans la querelle du quiétisme, on peut se demander lequel des deux comédiens qu'ils furent, l'un mitré et crossant, l'autre enveloppé d'une souquenille et coiffé d'un bonnet de nuit peut comparaître avec le moins de gêne devant le tribunal de la Loyauté humaine?

Quatre ans plus tard, dans son épître à Racine, Boileau en des vers inoubliables faisait justice d'une sévérité au moins déplacée :

Avant qu'un peu de terre, obtenu par prière
Pour jamais sous la tombe eut enfoui Molière
Mille de ses bons mots, aujourd'hui si vantés
Furent de sots esprits à nos yeux rebutés
. . . .
L'un, défenseur zélé des bigots mis en jeu
Pour prix de ses bons mots le condamnait au feu.

Déjà dans sa première satire, dès 1660, Boileau avait prévu à quelles embûches s'exposait son ami et en 1666 dans son Épître au Roi il prophétisait :

Ce sont eux que l'on voit
Publier dans Paris que tout est renversé,
Au moindre bruit qui court qu'un auteur le menace
De jouer des Bigots la trompeuse grimace.
Pour ceux un tel outrage est un monstre odieux
C'est offenser les lois, c'est s'attaquer aux cieux
Leur cœur qui se connaît,
S'il se moque de Dieu, craint Tartuffe et Molière.

* *

Mais c'est Fénelon qui me semble avoir rendu avec le plus d'élégance et de magnanimité à Molière le témoignage que lui devait son siècle, en ne lui ménageant pas l'épithète de *grand* dans sa lettre sur les occupations de l'Académie parue en 1714, Bossuet mort depuis dix ans.

« Il faut avouer, y écrit-il, que Molière est un grand poète comique. Je ne crains pas de dire qu'il a renfoncé plus avant que Térence dans certains caractères; il a embrassé une grande variété de sujets; il a peint par des traits forts presque tout ce que nous voyons de déréglé et de ridicule. Térence se borne à présenter des vieillards avares et ombrageux, de jeunes hommes prodigues et étourdis, des courtisanes avides et impudentes, des parasites flatteurs, des esclaves imposteurs et scélérats.

Molière a ouvert un chemin tout nouveau. Encore une fois, je le trouve grand. »

Nous sommes loin de la lettre au père Caffaro et des *Maximes et Réflexions sur la Comédie*.

*

Pour finir, il me semble bon de rappeler qu'on a songé en 1792 à exhumer Molière, dont les cendres passaient pour reposer au cimetière Saint-Joseph. Une erreur propagée par l'abbé d'Olivet fit admettre que les cendres de La Fontaine se trouvaient non loin, alors que le registre de l'église Saint-Eustache indique le cimetière des Innocents comme celui où fut enterré le fabuliste.

Les restes mal identifiés recueillis alors et déposés depuis au Père-Lachaise n'ont certainement rien de commun avec ceux de Molière et de La Fontaine, mais qu'un concours de circonstances ait permis à la piété populaire de réunir en un même cénotaphe le souvenir de ces deux hommes dont le génie et le cœur avaient tant d'affinités me semble heureux et significatif.

MARCEL   JOUHANDEAU.

AVERTISSEMENT DE L'ÉDITEUR

Le *Théâtre* de Molière que nous publions n'omet aucune des pièces du plus grand de nos auteurs comiques. Non seulement il comprend tous les textes rassemblés dans la célèbre édition de Vinot et La Grange de 1682, mais encore les deux farces mises au jour pour la première fois en 1819 : *La Jalousie du Barbouillé* et *Le Médecin volant* et qui sont vraisemblablement authentiques, et, dans son corps total, *L'Ile enchantée* dont *La Princesse d'Elide* forme la majeure partie. C'est donc bien un Molière scénique intégral que l'on trouvera dans ces quatre volumes.

Pour en faciliter la lecture nous avons ajouté au texte de 1682 les principaux jeux de scène rapportés par l'édition Joly de 1734 et qui étaient dans la tradition certaine de la troupe de Molière.

A cette même fin, nous avons substitué à la *ponctuation* ancienne, différente de la nôtre, celle qui est aujourd'hui en usage, et à la vieille *orthographe*, qui pourrait arrêter maint lecteur, celle qui a cours maintenant, sauf toutefois sur deux points : nous avons conservé les graphies qui, conformément à l'étymologie, modifient l'aspect du mot, comme *convent* pour *couvent*, *vuider* pour *vider*, etc., et nous avons unifié celles qui permettent la rime pour l'œil et qui sont également conformes à l'étymologie, comme je *reçoi*, rimant avec *moi*, etc.

Toutes les préfaces de Molière ont été insérées à leur place dans le texte. Nous avons donné, au début de chaque pièce, la liste des personnages qui la composent et indiqué, en regard, le nom des acteurs qui ont créé chaque rôle. Quand ce nom d'aventure manque, c'est que nous ignorons à qui fut distribué tel ou tel rôle lors de la première représentation, ou qu'un doute subsiste à cet égard, qui ne nous permet point d'affirmer avec vraisemblance ou de choisir à coup sûr entre deux assertions contradictoires.

On trouvera à la fin de chaque tome des annotations qui indiquent pour chaque pièce : 1º la date (si possible) et les circonstances de sa première représentation comme de sa première édition, avec un bref résumé de la pièce et ses principales sources ; 2º une suite de notes précisant les indications ou allusions du texte, dont le sens pourrait échapper au lecteur d'aujourd'hui.

Un lexique, placé à la fin du dernier volume, indique le sens des quelques termes ou locutions qui pourraient paraître difficiles ou obscurs.

Nous y avons joint une table alphabétique des noms donnés par Molière à ses personnages et dont certains, comme celui de Sganarelle par exemple, désignent dans diverses pièces des types très différents.

Nous croyons ainsi n'avoir rien négligé pour que cette édition soit commode à l'usage, claire et succincte en étant complète, bref pour qu'elle plaise à tous ceux qui aiment Molière comme on aime la France.

M. R.

PRÉFACE
DE L'ÉDITION DE 1682[1]

Voici une nouvelle édition des Œuvres de feu M. de Molière, augmentée de sept comédies[2], et plus correcte que les précédentes, dans lesquelles la négligence des imprimeurs avait laissé quantité de fautes considérables, jusqu'à omettre ou changer des vers en beaucoup d'endroits. On les trouvera rétablis dans celle-ci; et ce n'est pas un petit service rendu au public par ceux qui ont pris ce soin, puisque les nombreuses assemblées qu'on voit encore tous les jours aux représentations des comédies de ce fameux auteur font assez connaître le plaisir qu'on se fera de les avoir dans leur pureté. On peut dire que jamais homme n'a mieux su que lui remplir le précepte qui veut que la comédie instruise en divertissant. Lorsqu'il a raillé les hommes sur leurs défauts, il leur a appris à s'en corriger, et nous verrions peut-être encore aujourd'hui régner les mêmes sottises qu'il a condamnées, si les portraits qu'il a faits d'après nature n'avaient été autant de miroirs dans lesquels ceux qu'il a joués se sont reconnus. Sa raillerie était délicate, et il la tournait d'une manière si fine que, quelque satire qu'il fît, les intéressés, bien loin de s'en offenser, riaient eux-mêmes du ridicule qu'il leur faisait remarquer en eux. Son nom fut Jean-Baptiste Poquelin. Il était Parisien, fils d'un valet de chambre, tapissier du Roi[3], et avait été reçu dès son bas âge en survivance de cette charge, qu'il a depuis exercée dans son quartier jusques à sa mort. Il fit ses humanités au collège de Clermont[4]; et, comme il eut l'avantage de suivre feu M. le prince de Conty[5], dans toutes ses classes, la vivacité d'esprit qui le distinguait de tous les autres

lui fit acquérir l'estime et les bonnes grâces de ce prince
qui l'a toujours honoré de sa bienveillance et de sa protection. Le succès de ses études fut tel qu'on pouvait
l'attendre d'un génie aussi heureux que le sien. S'il fut
fort bon humaniste, il devint encore plus grand philosophe[6]. L'inclination qu'il avait pour la poésie le fit
s'appliquer à lire les poètes avec un soin tout particulier.
Il les possédait parfaitement, et surtout Térence : il
l'avait choisi comme le plus excellent modèle qu'il eût à
se proposer, et jamais personne ne l'imita si bien qu'il a
fait. Ceux qui conçoivent toutes les beautés de son
Avare et de son *Amphitryon* soutiennent qu'il a surpassé
Plaute dans l'un et dans l'autre. Au sortir des écoles de
droit, il choisit la profession de comédien par l'invincible
penchant qu'il se sentait pour la comédie. Toute son étude
et son application ne furent que pour le théâtre. On sait
de quelle manière il a excellé, non seulement comme
acteur par des talents extraordinaires, mais comme
auteur par le grand nombre d'ouvrages qu'il nous a
laissés, et qui ont tous leurs beautés proportionnées aux
sujets qu'il a choisis.

Il tâcha dans ses premières années de s'établir à Paris
avec plusieurs enfants de famille, qui, par son exemple,
s'engagèrent comme lui dans le parti de la comédie sous
le titre de *L'Illustre Théâtre*[7]. Mais ce dessein ayant manqué
de succès[8] (ce qui arrive à beaucoup de nouveautés), il
fut obligé de courir par les provinces du Royaume[9], où
il commença de s'acquérir une fort grande réputation.

Il vint à Lyon en 1653, et ce fut là qu'il exposa au
public sa première comédie; c'est celle de *L'Étourdi*.
S'étant trouvé quelque temps après en Languedoc, il
alla offrir ses services à feu M. le prince de Conty, gouverneur de cette province et vice-roi de Catalogne. Ce prince
qui l'estimait et qui alors n'aimait rien tant que la comédie,
le reçut avec des marques de bonté très obligeantes, donna
des appointements à sa troupe et l'engagea à son service
tant auprès de sa personne[10] que pour les États de Languedoc.

La seconde comédie de M. de Molière fut représentée
aux États de Béziers, sous le titre de *Dépit amoureux*[11].
En 1658, ses amis lui conseillèrent de s'approcher de
Paris en faisant venir sa troupe dans une ville voisine;
c'était le moyen de profiter du crédit que son mérite lui
avait acquis auprès de plusieurs personnes de considé-

ration, qui, s'intéressant à sa gloire, lui avaient promis
de l'introduire à la Cour. Il avait passé le carnaval à
Grenoble, d'où il partit après Pâques, et vint s'établir
à Rouen. Il y séjourna pendant l'été; et après quelques
voyages qu'il fit à Paris secrètement, il eut l'avantage de
faire agréer ses services et ceux de ses camarades à MON-
SIEUR, frère unique de Sa Majesté, qui, lui ayant accordé
sa protection et le titre de sa troupe, le présenta en cette
qualité au Roi et à la Reine mère.

Ses compagnons [12], qu'il avait laissés à Rouen, en par-
tirent aussitôt; et le 24e octobre 1658, cette troupe commença de paraître devant Leurs Majestés et toute la Cour,
sur un théâtre que le Roi avait fait dresser dans la salle
des Gardes du vieux Louvre. *Nicomède*, tragédie de M. de
Corneille l'aîné, fut la pièce qu'elle choisit pour cet
éclatant début. Ces nouveaux acteurs ne déplurent
point, et on fut surtout fort satisfait de l'agrément et du
jeu des femmes. Les fameux comédiens [13] qui faisaient
alors si bien valoir l'Hôtel de Bourgogne étaient présents
à cette représentation. La pièce étant achevée, M. de
Molière vint sur le théâtre; et, après avoir remercié
Sa Majesté en des termes très modestes de la bonté
qu'Elle avait eue d'excuser ses défauts et ceux de toute
sa troupe, qui n'avait paru qu'en tremblant devant une
assemblée si auguste, il lui dit que l'envie qu'ils avaient
eue d'avoir l'honneur de divertir le plus grand Roi du
monde, leur avait fait oublier que Sa Majesté avait à son
service d'excellents originaux, dont ils n'étaient que de
très faibles copies; mais que puisqu'Elle avait bien voulu
souffrir leurs manières de campagne, il la suppliait très
humblement d'avoir agréable qu'il lui donnât un de ces
petits divertissements [14] qui lui avaient acquis quelque
réputation, et dont il régalait les provinces.

Ce compliment, dont on ne rapporte que la substance,
fut si agréablement tourné et si favorablement reçu, que
toute la Cour y applaudit, et encore plus à la petite comédie, qui fut celle du *Docteur amoureux*. Cette comédie, qui
ne contenait qu'un acte, et quelques autres de cette nature
n'ont point été imprimées. Il les avait faites sur quelques
idées plaisantes sans y avoir mis la dernière main; et il
trouva à propos de les supprimer, lorsqu'il se fut proposé
pour but dans toutes ses pièces d'obliger les hommes à
se corriger de leurs défauts. Comme il y avait longtemps
qu'on ne parlait plus de petites comédies, l'invention en

parut nouvelle, et celle qui fut représentée ce jour-là
divertit autant qu'elle surprit tout le monde. M. de
Molière faisait le Docteur; et la manière dont il s'acquitta
de ce personnage le mit dans une si grande estime, que
Sa Majesté donna ses ordres pour établir sa troupe à Paris.
La salle du Petit-Bourbon[15] lui fut accordée pour y
représenter la comédie alternativement avec les comédiens
italiens[16]. Cette troupe dont M. de Molière était le chef,
et qui, comme je l'ai déjà dit, prit le titre de la troupe de
MONSIEUR, commença à représenter en public le
3e nopembre 1658 et donna pour nouveautés *L'Étourdi* et
Le Dépit amoureux, qui n'avaient jamais été joués à Paris.

En 1659, M. de Molière fit la comédie des *Précieuses
ridicules*. Elle eut un succès qui passa ses espérances.
Comme ce n'était qu'une pièce d'un seul acte, qu'on
représentait après une autre de cinq, il la fit jouer le
premier jour au prix ordinaire[17], mais le peuple y vint
en telle affluence, et les applaudissements qu'on lui donna
furent si extraordinaires, qu'on redoubla le prix dans la
suite : ce qui réussit parfaitement à la gloire de l'auteur
et au profit de la troupe.

L'année suivante, il fit *Le Cocu imaginaire*, qui eut un
succès pareil à celui des *Précieuses*.

Au mois d'octobre de la même année, la salle du Petit-
Bourbon fut démolie pour ce grand et magnifique portail
du Louvre que tout le monde admire aujourd'hui. Ce
fut pour M. de Molière une occasion nouvelle d'avoir
recours aux bontés du Roi, qui lui accorda la salle du
Palais-Royal, où M. le cardinal de Richelieu avait donné
autrefois des spectacles dignes de sa magnificence[18].
L'estime dont Sa Majesté l'honorait augmentait de jour
en jour, aussi bien que celle des courtisans les plus éclairés,
le mérite et les bonnes qualités de M. de Molière faisant
de très grands progrès dans tous les esprits. Son exercice
de la comédie ne l'empêchait pas de servir le Roi dans
sa charge de valet de chambre, où il se rendait très
assidu. Ainsi il se fit remarquer à la Cour pour un homme
civil et honnête, ne se prévalant point de son mérite
et de son crédit, s'accommodant à l'humeur de ceux avec
qui il était obligé de vivre, ayant l'âme belle, libérale,
en un mot, possédant et exerçant toutes les qualités
d'un parfaitement honnête homme.

Quoiqu'il fût très agréable en conversation lorsque les
gens lui plaisaient, il ne parlait guère en compagnie, à

moins qu'il ne se trouvât avec des personnes pour qui il eût une estime particulière; cela faisait dire à ceux qui ne le connaissaient pas qu'il était rêveur et mélancolique. Mais s'il parlait peu, il parlait juste; et d'ailleurs il observait les manières et les mœurs de tout le monde. Il trouvait moyen ensuite d'en faire des applications admirables dans les comédies, où l'on peut dire qu'il a joué tout le monde, puisqu'il s'y est joué le premier en plusieurs endroits sur des affaires de sa famille et qui regardaient ce qui se passait dans son domestique. C'est ce que ses plus particuliers amis ont remarqué bien des fois.

En 1661, il donna la comédie de *L'École des Maris* et celle des *Fâcheux*; en 1662, celle de *L'Ecole des Femmes* et *La Critique*; et ensuite plusieurs pièces de théâtre qui lui acquirent une si grande réputation, que Sa Majesté ayant établi en 1663 des gratifications pour un certain nombre de gens de lettres, Elle voulut qu'il y fût compris sur le pied de mille francs.

La troupe qui représentait ses comédies était si souvent employée pour les divertissements du Roi, qu'au mois d'août 1665 Sa Majesté trouva à propos de l'arrêter tout à fait à son service, en lui donnant une pension de sept mille livres[19].M. de Molière et les principaux de ses compagnons allèrent prendre congé de MONSIEUR et lui faire leurs très humbles remerciements de la protection qu'il avait eu la bonté de leur donner.

Son Altesse Royale s'applaudit du choix qu'il avait fait d'eux, puisque le Roi les trouvait capables de contribuer à ses plaisirs, et particulièrement à toutes les belles fêtes qui se faisaient à Versailles, à Saint-Germain, à Fontainebleau et à Chambord; et en même temps ce prince leur donna des marques obligeantes de la continuation de son estime.

La troupe changea de titre et prit celui de la troupe du Roi, qu'elle a toujours retenu jusques à la jonction qui a été faite en 1680.

Après qu'elle fut à Sa Majesté, M. de Molière continua de donner plusieurs pièces au théâtre, tant pour le plaisir du Roi que pour les divertissements du public, et s'acquit par là cette haute réputation qui doit éterniser sa mémoire.

Toutes ses pièces n'ont pas d'égales beautés; mais on peut dire que dans ses moindres il y a des traits qui n'ont pu partir que de la main d'un grand maître, et que celles qu'on estime les meilleures, comme *Le Misanthrope, Le Tartuffe, Les Femmes savantes,* etc., sont des chefs-d'œuvre qu'on ne saurait assez admirer.

Ce qui était cause de cette inégalité dans ses ouvrages, dont quelques-uns semblent négligés en comparaison des autres, c'est qu'il était obligé d'assujettir son génie à des sujets qu'on lui prescrivait, et de travailler avec une très grande précipitation, soit par les ordres du Roi, soit par la nécessité des affaires de la troupe, sans que son travail le détournât de l'extrême application et des études particulières qu'il faisait sur tous les grands rôles qu'il se donnait dans ses pièces. Jamais homme n'a si bien entré dans lui ce qui fait le jeu naïf du théâtre. Il a épuisé toutes les matières qui lui ont pu fournir quelque chose ; et, si les critiques n'ont pas été entièrement satisfaits du dénouement de quelques-unes de ses comédies, tant de beautés avaient prévenu pour lui l'esprit de ses auditeurs, qu'il était aisé de faire grâce à des taches si légères.

Enfin, en 1673, après avoir réussi dans toutes les pièces qu'il a fait représenter, il donna celle du *Malade imaginaire,* par laquelle il a fini sa carrière à l'âge de cinquante-deux ou cinquante-trois ans. Il y jouait la Faculté de médecine en corps, après avoir joué les médecins en particulier dans plusieurs autres où il a trouvé moyen de les placer ; ce qui a fait dire que les médecins étaient pour Molière ce que le vieux poète[20] était pour Térence.

Lorsqu'il commença les représentations de cette agréable comédie, il était malade en effet, d'une fluxion sur la poitrine qui l'incommodait beaucoup, et à laquelle il était sujet depuis quelques années. Il s'était joué lui-même sur cette incommodité dans la cinquième scène du second acte de *L'Avare,* lorsqu'Harpagon dit à Frosine : « Je n'ai pas de grandes incommodités, Dieu merci ; il n'y a que ma fluxion qui me prend de temps en temps » ; à quoi Frosine répond : « Votre fluxion ne vous sied point mal, et vous avez grâce à tousser. » Cependant c'est cette toux qui a abrégé sa vie de plus de vingt ans. Il était d'ailleurs d'une très bonne constitution ; et, sans l'accident qui laissa son mal sans aucun remède, il n'eût pas manqué de forces pour le surmonter.

Le 17e février, jour de la quatrième représentation du *Malade imaginaire,* il fut si fort travaillé de sa fluxion, qu'il eut de la peine à jouer son rôle ; il ne l'acheva qu'en souffrant beaucoup, et le public connut aisément qu'il n'était rien moins que ce qu'il avait voulu jouer. En effet, la comédie étant faite, il se retira promptement chez lui[21]; et à peine eut-il le temps de se mettre au lit, que la toux continuelle dont il était tourmenté redoubla sa violence.

Les efforts qu'il fit furent si grands, qu'une veine se rompit dans ses poumons. Aussitôt qu'il se sentit en cet état, il tourna toutes ses pensées du côté du Ciel; un moment après, il perdit la parole et fut suffoqué en demie heure par l'abondance du sang qu'il perdit par la bouche.

Tout le monde a regretté un homme si rare, et le regrette encore tous les jours, mais particulièrement les personnes qui ont du bon goût et de la délicatesse. On l'a nommé le Térence de son siècle; ce seul mot renferme toutes les louanges qu'on lui peut donner. Il n'était pas seulement inimitable dans la manière dont il soutenait tous les caractères de ses comédies; mais il leur donnait encore un agrément tout particulier par la justesse qui accompagnait le jeu des acteurs. Un coup d'œil, un pas, un geste, tout y était observé avec une exactitude qui avait été inconnue jusque-là sur les théâtres de Paris.

Sa mort, dont on a parlé diversement, fit incontinent paraître quantité de madrigaux ou épitaphes. La plupart étaient sur les médecins vengés, qu'on prétendait l'avoir laissé mourir sans secours, par ressentiment de ce qu'il les avait trop bien joués dans ses comédies. De tout ce qu'on fit sur cette mort, rien ne fut plus approuvé que ces quatre vers latins qu'on a trouvé à propos de conserver. Le lecteur observera que, sur la fin de la comédie, le Malade imaginaire, qui était représenté par cet excellent auteur, contrefait le mort.

> *Roscius hic situs est tristi Molierus in urna*
> *Cui genus humanum ludere ludus erat.*
> *Dum ludit Mortem, Mors indignata jocantem*
> *Corripit, et mimum fingere sæva negat*[22].

Après la mort de M. de Molière, le Roi eut dessein de ne faire qu'une troupe de celle qui venait de perdre son illustre chef et des acteurs qui occupaient l'Hôtel de Bourgogne; mais les divers intérêts des familles des comédiens n'ayant pu s'accommoder, ils supplièrent Sa Majesté d'avoir la bonté de laisser les troupes séparées comme elles étaient: ce qui leur fut accordé, à la réserve de la salle du Palais-Royal, qui fut destinée pour la re-

présentation des opéras en musique. Ce changement
obligea les compagnons de M. de Molière à chercher
un autre lieu, et ils s'établirent, avec permission et
sur les ordres de Sa Majesté, rue Mazarini[23], au bout de
la rue Guénégaud, toujours sous le même titre de la
troupe du Roi.

Les commencements de cet établissement ont été heureux, et les suites très avantageuses, les comédiens
compagnons de M. de Molière ayant suivi les maximes
de leur fameux fondateur et soutenu sa réputation d'une
manière si satisfaisante pour le public, qu'enfin il a plu
au Roi d'y joindre tous les acteurs et actrices des autres
troupes de comédiens qui étaient dans Paris, pour n'en
faire qu'une seule compagnie. Ceux du Marais y avaient
été incorporés en 1673, suivant les intentions de Sa
Majesté; et par ordonnance de M. de la Reynie, lieute-
nant général de la police, donnée le 25e juin de la même
année, ce théâtre fut supprimé pour toujours.

Les comédiens de l'Hôtel de Bourgogne, qui depuis
un si grand nombre d'années portaient le titre de la seule
troupe Royale, ont été réunis avec la troupe du Roi le
25e août 1680. Cela s'est fait suivant l'ordre de Sa Majesté,
donné à Charleville le 18e du même mois par M. le duc de
Créquy, gouverneur de Paris, premier gentilhomme de la
chambre en année, et confirmé par une lettre de cachet
en date du 21e octobre[24].

Cette réunion des deux troupes, qui a mis les comédiens
italiens en possession du théâtre de l'Hôtel de Bourgogne,
a été d'autant plus agréable à Sa Majesté qu'elle avait eu
dessein de la faire, comme on l'a déjà expliqué, incontinent après la mort de M. de Molière. Il n'y a plus présentement dans Paris que cette seule compagnie de comédiens
du Roi entretenus par Sa Majesté. Elle est établie en son
hôtel, rue Mazarini, et représente tous les jours sans interruption; ce qui a été une nouveauté utile aux plaisirs de
cette superbe ville, dans laquelle, avant la jonction, il
n'y avait comédie que trois fois chaque semaine, savoir
le mardi, le vendredi et le dimanche, ainsi qu'il s'était
toujours pratiqué[25].

Cette troupe est si nombreuse que fort souvent il y a
comédie à la Cour et à Paris en même jour, sans que la
Cour ni la Ville s'aperçoivent de cette division. La comédie en est beaucoup mieux jouée, tous les bons acteurs
étant ensemble pour le sérieux et pour le comique.

LA JALOUSIE
DU BARBOUILLÉ[1]

Farce

ACTEURS

LE BARBOUILLÉ, mari d'Angélique.
LE DOCTEUR.
ANGÉLIQUE, fille de Gorgibus.
VALÈRE, amant d'Angélique.
CATHAU, suivante d'Angélique.
GORGIBUS, père d'Angélique.
VILLEBREQUIN.
LA VALLÉE.

SCÈNE PREMIÈRE

LE BARBOUILLÉ

Il faut avouer que je suis le plus malheureux de tous les hommes. J'ai une femme qui me fait enrager. Au lieu de me donner du soulagement et de faire les choses à mon souhait, elle me fait donner au diable vingt fois le jour; au lieu de se tenir à la maison, elle aime la promenade, la bonne chère, et fréquente je ne sais quelle sorte de gens. Ah! pauvre Barbouillé, que tu es misérable! Il faut pourtant la punir. Si je la tuais?... L'invention ne vaut rien, car tu serais pendu. Si tu la faisais mettre en prison?... La carogne en sortirait avec son passe-partout. Que diable faire donc? Mais voilà M. le Docteur qui passe par ici; il faut que je lui demande un bon conseil sur ce que je dois faire.

SCÈNE II

LE DOCTEUR, LE BARBOUILLÉ

LE BARBOUILLÉ

Je m'en allais vous chercher pour vous faire une prière sur une chose qui m'est d'importance.

LE DOCTEUR

Il faut que tu sois bien mal appris, bien lourdaud et bien mal morigéné, mon ami, puisque tu m'abordes sans ôter ton chapeau, sans observer *rationem loci, temporis et personæ*[2]! Quoi! débuter d'abord par un discours mal digéré, au lieu de dire : *Salve*, vel *Salvus sis, Doctor, Doctorum eruditissime*[3]! Hé! pour qui me prends-tu, mon ami?

LE BARBOUILLÉ

Ma foi, excusez-moi; c'est que j'avais l'esprit en écharpe, et je ne songeais pas à ce que je faisais; mais je sais bien que vous êtes galant homme.

LE DOCTEUR

Sais-tu bien d'où vient le mot de *galant homme?*

LE BARBOUILLÉ

Qu'il vienne de Villejuif ou d'Aubervilliers, je ne m'en soucie guère.

LE DOCTEUR

Sache que le mot de *galant homme* vient d'*élégant* : prenant le *g* et l'*a* de la dernière syllabe, cela fait *ga*, et puis prenant *l*, ajoutant un *a* et les deux dernières lettres, cela fait *galant*, et puis ajoutant *homme*, cela fait *galant homme*. Mais encore pour qui me prends-tu?

LE BARBOUILLÉ

Je vous prends pour un docteur. Or çà, parlons un peu, de l'affaire que je vous veux proposer. Il faut que vous sachiez...

LE DOCTEUR

Sache auparavant que je ne suis pas seulement un docteur, mais que je suis une, deux, trois, quatre, cinq, six, sept, huit, neuf et dix fois docteur :
1º Parce que, comme l'unité est la base, le fondement et le premier de tous les nombres, aussi, moi, je suis le premier de tous les docteurs, le docte des doctes.
2º Parce qu'il y a deux facultés nécessaires pour la parfaite connaissance de toutes choses : le sens et l'entendement; et comme je suis tout sens et tout entendement, je suis deux fois docteur.

LE BARBOUILLÉ

D'accord. C'est que...

LE DOCTEUR

3º Parce que le nombre de trois est celui de la perfection, selon Aristote; et comme je suis parfait, et que toutes mes productions le sont aussi, je suis trois fois docteur.

LE BARBOUILLÉ

Hé bien! Monsieur le Docteur...

LE DOCTEUR

4° Parce que la philosophie a quatre parties : la logique,
morale, physique et métaphysique; et comme je les
possède toutes quatre, et que je suis parfaitement versé
en icelles, je suis quatre fois docteur.

LE BARBOUILLÉ

Que diable! je n'en doute pas. Écoutez-moi donc.

LE DOCTEUR

5° Parce qu'il y a cinq universelles : le genre, l'espèce,
la différence, le propre et l'accident, sans la connaissance
desquels il est impossible de faire aucun bon raisonnement;
et comme je m'en sers avec avantage, et que j'en connais
l'utilité, je suis cinq fois docteur.

LE BARBOUILLÉ

Il faut que j'aie bonne patience!

LE DOCTEUR

6° Parce que le nombre de six est le nombre du travail;
et comme je travaille incessamment pour ma gloire, je
suis six fois docteur.

LE BARBOUILLÉ

Ho! parle tant que tu voudras.

LE DOCTEUR

7° Parce que le nombre de sept est le nombre de la
félicité; et comme je possède une parfaite connaissance
de tout ce qui peut rendre heureux, et que je le suis en
effet par mes talents, je me sens obligé de dire de moi-
même : *O ter quatuorque beatum*[1]!
8° Parce que le nombre de huit est le nombre de la
justice à cause de l'égalité qui se rencontre en lui, et que
la justice et la prudence avec laquelle je mesure et pèse
toutes mes actions me rendent huit fois docteur.
9° Parce qu'il y a neuf Muses, et que je suis également
chéri d'elles.
10° Parce que, comme on ne peut passer le nombre de
dix sans faire une répétition des autres nombres, et qu'il
est le nombre universel, aussi, quand on m'a trouvé,

on a trouvé le docteur universel : je contiens en moi tous les autres docteurs. Ainsi tu vois par des raisons plausibles, vraies, démonstratives et convaincantes, que je suis une, deux, trois, quatre, cinq, six, sept, huit, neuf et dix fois docteur.

LE BARBOUILLÉ

Que diable est ceci ? Je croyais trouver un homme bien savant qui me donnerait un bon conseil, et je trouve un ramoneur de cheminée qui, au lieu de me parler, s'amuse à jouer à la mourre. Un, deux, trois, quatre, ha, ha, ha ! Oh bien ! ce n'est pas cela ! c'est que je vous prie de m'écouter, et croyez que je ne suis pas un homme à vous faire perdre vos peines, et que si vous me satisfaisiez sur ce que je veux de vous, je vous donnerai ce que vous voudrez : de l'argent, si vous en voulez.

LE DOCTEUR

Hé ! de l'argent ?

LE BARBOUILLÉ

Oui, de l'argent, et toute autre chose que vous pourriez demander.

LE DOCTEUR, *troussant sa robe derrière son cul.*

Tu me prends donc pour un homme à qui l'argent fait tout faire, pour un homme attaché à l'intérêt, pour une âme mercenaire ? Sache, mon ami, que, quand tu me donnerais une bourse pleine de pistoles, et que cette bourse serait dans une riche boîte, cette boîte dans un étui précieux, cet étui dans un coffret admirable, ce coffret dans un cabinet curieux, ce cabinet dans une chambre magnifique, cette chambre dans un appartement agréable, cet appartement dans un château pompeux, ce château dans une citadelle incomparable, cette citadelle dans une ville célèbre, cette ville dans une île fertile, cette île dans une province opulente, cette province dans une monarchie florissante, cette monarchie dans tout le monde ; et que tu me donnerais le monde où serait cette monarchie florissante, où serait cette province opulente, où serait cette île fertile, où serait cette ville célèbre, où serait cette citadelle incomparable, où serait ce château pompeux, où serait cet appartement agréable, où serait cette chambre magnifique, où serait ce cabinet curieux, où serait ce coffret admirable, où serait cet étui précieux, où serait cette riche boîte dans laquelle serait enfermée la bourse pleine de pistoles, que je me soucierais aussi peu de ton argent et de toi que de cela.

Il s'en va.

LE BARBOUILLÉ

Ma foi, je m'y suis mépris : à cause qu'il est vêtu comme un médecin, j'ai cru qu'il lui fallait parler d'argent; mais puisqu'il n'en veut point, il n'y a rien plus aisé que de le contenter. Je m'en vais courir après lui.

Il sort.

SCÈNE III

ANGÉLIQUE, VALÈRE, CATHAU

ANGÉLIQUE

Monsieur, je vous assure que vous m'obligez beaucoup de me tenir quelquefois compagnie; mon mari est si mal bâti, si débauché, si ivrogne, que ce m'est un supplice d'être avec lui, et je vous laisse à penser quelle satisfaction on peut avoir d'un rustre comme lui.

VALÈRE

Mademoiselle, vous me faites trop d'honneur de me vouloir souffrir; et je vous promets de contribuer de tout mon pouvoir à votre divertissement, et que puisque vous témoignez que ma compagnie ne vous est point désagréable, je vous ferai connaître combien j'ai de joie de la bonne nouvelle que vous m'apprenez, par mes empressements.

CATHAU

Ah! changez de discours : voyez porte-guignon qui arrive.

SCÈNE IV

LE BARBOUILLÉ, VALÈRE, ANGÉLIQUE, CATHAU

VALÈRE

Mademoiselle, je suis au désespoir de vous apporter de si méchantes nouvelles; mais aussi bien les auriez-vous apprises de quelque autre; et puisque votre frère est fort malade...

ANGÉLIQUE

Monsieur, ne m'en dites pas davantage; je suis votre servante, et vous rends grâces de la peine que vous avez prise.

LE BARBOUILLÉ

Ma foi, sans aller chez le notaire, voilà le certificat de mon cocuage. Ha! ha! Madame la carogne, je vous trouve avec un homme, après toutes les défenses que je vous ai faites, et vous me voulez envoyer de Gemini en Capricorne[5]!

ANGÉLIQUE

Hé bien! faut-il gronder pour cela? Ce Monsieur vient de m'apprendre que mon frère est bien malade; où est le sujet de querelles?

CATHAU

Ah! le voilà venu; je m'étonnais bien si nous aurions longtemps du repos.

LE BARBOUILLÉ

Vous vous gâteriez, par ma foi, toutes deux, Mesdames les carognes; et toi, Cathau, tu corromps ma femme; depuis que tu la sers, elle ne vaut pas la moitié de ce qu'elle valait.

CATHAU

Vraiment oui, vous nous la baillez bonne.

ANGÉLIQUE

Laisse là cet ivrogne; ne vois-tu pas qu'il est si saoul qu'il ne sait ce qu'il dit?

SCÈNE V

GORGIBUS, VILLEBREQUIN, ANGÉLIQUE, CATHAU
LE BARBOUILLÉ

GORGIBUS

Ne voilà pas encore mon maudit gendre qui querelle
ma fille?

VILLEBREQUIN

Il faut savoir ce que c'est.

GORGIBUS

Hé quoi! toujours se quereller! vous n'aurez point
la paix dans votre ménage?

LE BARBOUILLÉ

Cette coquine-là m'appelle ivrogne. (*A Angélique.*)
Tiens, je suis bien tenté de te bailler une quinte major en
présence de tes parents.

GORGIBUS

Je dédonne au diable l'escarcelle, si vous l'aviez fait.

ANGÉLIQUE

Mais aussi c'est lui qui commence toujours à...

CATHAU

Que maudite soit l'heure que vous avez choisi ce grigou!

VILLEBREQUIN

Allons, taisez-vous; la paix!

SCÈNE VI

LE DOCTEUR, VILLEBREQUIN, GORGIBUS, CATHAU,
ANGÉLIQUE, LE BARBOUILLÉ

LE DOCTEUR

Qu'est ceci? quel désordre! quelle querelle! quel grabuge! quel vacarme! quel bruit! quel différend! quelle combustion! Qu'y a-t-il, Messieurs? Qu'y a-t-il? Qu'y a-t-il? Çà, çà, voyons un peu s'il n'y a pas moyen de vous mettre d'accord, que je sois votre pacificateur, que j'apporte l'union chez vous.

GORGIBUS

C'est mon gendre et ma fille qui ont eu bruit ensemble.

LE DOCTEUR

Et qu'est-ce que c'est? Voyons, dites-moi un peu la cause de leur différend.

GORGIBUS

Monsieur...

LE DOCTEUR

Mais en peu de paroles.

GORGIBUS

Oui-da; mettez donc votre bonnet.

LE DOCTEUR

Savez-vous d'où vient le mot *bonnet?*

GORGIBUS

Nenni.

LE DOCTEUR

Cela vient de *bonum est* (bon est, voilà qui est bon), parce qu'il garantit des catarrhes et fluxions.

GORGIBUS

Ma foi, je ne savais pas cela.

LE DOCTEUR

Dites donc vite cette querelle.

GORGIBUS

Voici ce qui est arrivé...

LE DOCTEUR

Je ne crois pas que vous soyez homme à me tenir
longtemps, puisque je vous en prie. J'ai quelques affaires
pressantes qui m'appellent à la ville; mais pour remettre
la paix dans votre famille, je veux bien m'arrêter un
moment.

GORGIBUS

J'aurai fait en un moment.

LE DOCTEUR

Soyez donc bref.

GORGIBUS

Voilà qui est fait incontinent.

LE DOCTEUR

Il faut avouer, Monsieur Gorgibus, que c'est une belle
qualité que de dire les choses en peu de paroles, et que les
grands parleurs, au lieu de se faire écouter, se rendent le
plus souvent si importuns, qu'on ne les entend point :
Virtutem primam esse puta compescere linguam[6]. Oui, la
plus belle qualité d'un honnête homme, c'est de parler
peu.

GORGIBUS

Vous saurez donc...

LE DOCTEUR

Socratès recommandait trois choses fort soigneusement à ses disciples : la retenue dans les actions, la sobriété
dans le manger, et de dire les choses en peu de paroles.
Commencez donc, Monsieur Gorgibus.

GORGIBUS

C'est ce que je veux faire.

LE DOCTEUR

En peu de mots, sans façon, sans vous amuser à beaucoup de discours, tranchez-moi d'un apophtegme, vite, vite, Monsieur Gorgibus, dépêchons, évitez la prolixité.

GORGIBUS

Laissez-moi donc parler.

LE DOCTEUR

Monsieur Gorgibus, touchez là! vous parlez trop; il faut que quelque autre me dise la cause de leur querelle.

VILLEBREQUIN

Monsieur le Docteur, vous saurez que...

LE DOCTEUR

Vous êtes un ignorant, un indocte, un homme ignare de toutes les bonnes disciplines, un âne en bon français. Hé quoi! vous commencez la narration sans avoir fait un mot d'exorde! Il faut que quelque autre me conte le désordre. Mademoiselle, contez-moi un peu le détail de ce vacarme.

ANGÉLIQUE

Voyez-vous bien là mon gros coquin, mon sac à vin de mari?

LE DOCTEUR

Doucement, s'il vous plaît; parlez avec respect de votre époux, quand vous êtes devant la moustache d'un Docteur comme moi.

ANGÉLIQUE

Ha! vraiment oui, Docteur! Je me moque bien de vous et de votre doctrine, et je suis Docteur quand je veux.

LE DOCTEUR

Tu es Docteur quand tu veux, mais je pense que tu es un plaisant Docteur. Tu as la mine de suivre fort ton caprice : des parties d'oraison, tu n'aimes que la conjonction; des genres, le masculin; des déclinaisons, le génétif; de la syntaxe, *mobile cum fixo*[7]; et enfin, de la quantité, tu n'aimes que le dactyle, *quia constat ex una longa et duabus brevibus*[8]. Venez çà, vous, dites-moi un peu quelle est la cause, le sujet de votre combustion.

LE BARBOUILLÉ

Monsieur le Docteur...

LE DOCTEUR

Voilà qui est bien commencé; « Monsieur le Docteur ! » Ce mot de *Docteur* a quelque chose de doux à l'oreille, quelque chose plein d'emphase : « Monsieur le Docteur ! »

LE BARBOUILLÉ

A la mienne volonté...

LE DOCTEUR

Voilà qui est bien : « à la mienne volonté! » La volonté présuppose le souhait, le souhait présuppose des moyens pour arriver à ses fins, et la fin présuppose un objet; voilà qui est bien : « à la mienne volonté! »

LE BARBOUILLÉ

J'enrage.

LE DOCTEUR

Otez-moi ce mot *j'enrage;* voilà un terme bas et populaire.

LE BARBOUILLÉ

Hé! Monsieur le Docteur, écoutez-moi, de grâce.

LE DOCTEUR

Audi, quæso[9], aurait dit Ciceron.

LE BARBOUILLÉ

Oh! ma foi, si se rompt[10], si se casse, ou si se brise, je ne m'en mets guère en peine; mais tu m'écouteras, ou je te vais casser ton museau doctoral; et que diable donc est ceci?

> *Le Barbouillé, Angélique, Gorgibus, Cathau, Villebrequin, voulant dire la cause de la querelle, et le Docteur disant que la paix est une belle chose, parlent tous à la fois. Au milieu de tout ce bruit, le Barbouillé attache le Docteur par le pied et le fait tomber; le Docteur se doit laisser tomber sur le dos; le Barbouillé l'entraîne par la corde qu'il lui a attachée au pied, et, pendant qu'il l'entraîne, le Docteur doit toujours parler et compter par ses doigts toutes ses raisons, comme s'il n'était point à terre. Le Barbouillé et le Docteur disparaissent.*

GORGIBUS

Allons, ma fille, retirez-vous chez vous, et vivez bien avec votre mari.

VILLEBREQUIN

Adieu, serviteur et bonsoir.

> *Villebrequin, Gorgibus et Angélique s'en vont.*

SCÈNE VII

VALÈRE, LA VALLÉE

VALÈRE

Monsieur, je vous suis obligé du soin que vous avez pris, et je vous promets de me rendre à l'assignation que vous me donnez, dans une heure.

LA VALLÉE

Cela ne peut se différer; et si vous tardez un quart d'heure, le bal sera fini dans un moment; et vous n'aurez pas le bien d'y voir celle que vous aimez, si vous n'y venez tout présentement.

VALÈRE

Allons donc ensemble de ce pas.

> *Ils s'en vont.*

SCÈNE VIII

ANGÉLIQUE

Cependant que mon mari n'y est pas, je vais faire un tour à un bal que donne une de mes voisines. Je serai revenue auparavant lui, car il est quelque part au cabaret : il ne s'apercevra pas que je suis sortie. Ce maroufle-là me laisse toute seule à la maison, comme si j'étais son chien.

Elle s'en va.

SCÈNE IX

LE BARBOUILLÉ

Je savais bien que j'aurais raison de ce diable de Docteur et de toute sa fichue doctrine. Au diable l'ignorant ! J'ai bien renvoyé toute la science par terre. Il faut pourtant que j'aille un peu voir si notre bonne ménagère m'aura fait à souper.

Il sort.

SCÈNE X

ANGÉLIQUE

Que je suis malheureuse ! J'ai été trop tard, l'assemblée est finie : je suis arrivée justement comme tout le monde sortait; mais il n'importe, ce sera pour une autre fois. Je m'en vais cependant au logis comme si de rien n'était. Mais la porte est fermée. Cathau ! Cathau !

SCÈNE XI

LE BARBOUILLÉ *à la fenêtre*, ANGÉLIQUE

LE BARBOUILLÉ

Cathau! Cathau! Eh bien! qu'a-t-elle fait, Cathau? et d'où venez-vous, Madame la carogne, à l'heure qu'il est, et par le temps qu'il fait?

ANGÉLIQUE

D'où je viens? Ouvre-moi seulement, et je te le dirai après.

LE BARBOUILLÉ

Oui? Ah! ma foi, tu peux aller coucher d'où tu viens ou, si tu l'aimes mieux, dans la rue; je n'ouvre point à une coureuse comme toi. Comment, diable! être toute seule à l'heure qu'il est! Je ne sais si c'est imagination, mais mon front m'en paraît plus rude de moitié.

ANGÉLIQUE

Hé bien! pour être toute seule, qu'en veux-tu dire? Tu me querelles quand je suis en compagnie : comment faut-il donc faire?

LE BARBOUILLÉ

Il faut être retirée à la maison, donner ordre au souper, avoir soin du ménage, des enfants; mais sans tant de discours inutiles, adieu, bonsoir, va-t'en au diable, et me laisse en repos.

ANGÉLIQUE

Tu ne veux pas m'ouvrir?

LE BARBOUILLÉ

Non, je n'ouvrirai pas.

ANGÉLIQUE

Hé! mon pauvre petit mari, je t'en prie, ouvre-moi, mon cher petit cœur.

LE BARBOUILLÉ

Ah! crocodile! ah! serpent dangereux! tu me caresses pour me trahir.

ANGÉLIQUE

Ouvre, ouvre donc!

LE BARBOUILLÉ

Adieu! *Vade retro, Satanas*[11]!

ANGÉLIQUE

Quoi! tu ne m'ouvriras point?

LE BARBOUILLÉ

Non.

ANGÉLIQUE

Tu n'as point de pitié de ta femme qui t'aime tant?

LE BARBOUILLÉ

Non, je suis inflexible; tu m'as offensé, je suis vindicatif comme tous les diables, c'est-à-dire, bien fort; je suis inexorable.

ANGÉLIQUE

Sais-tu bien que si tu me pousses à bout, et que tu me mettes en colère, je ferai quelque chose dont tu te repentiras?

LE BARBOUILLÉ

Et que feras-tu, bonne chienne?

ANGÉLIQUE

Tiens, si tu ne m'ouvres, je m'en vais me tuer devant la porte; mes parents, qui sans doute viendront ici auparavant de se coucher, pour savoir si nous sommes bien ensemble, me trouveront morte, et tu seras pendu.

LE BARBOUILLÉ

Ah, ah, Ah, ah, la bonne bête! et qui y perdra le plus de nous deux? Va, va, tu n'es pas si sotte que de faire ce coup-là.

ANGÉLIQUE

Tu ne le crois donc pas? Tiens, tiens, voilà mon couteau tout prêt; si tu ne m'ouvres, je m'en vais tout à cette heure m'en donner dans le cœur.

LE BARBOUILLÉ

Prends garde, voilà qui est bien pointu.

ANGÉLIQUE

Tu ne veux donc pas m'ouvrir?

LE BARBOUILLÉ

Je t'ai déjà dit vingt fois que je n'ouvrirai point; tue-toi, crève, va-t'en au diable, je ne m'en soucie pas.

ANGÉLIQUE, *faisant semblant de se frapper.*

Adieu donc!... Ay! je suis morte.

LE BARBOUILLÉ

Serait-elle bien assez sotte pour avoir fait ce coup-là? Il faut que je descende avec la chandelle pour aller voir.

ANGÉLIQUE

Il faut que je t'attrape. Si je peux entrer dans la maison subtilement, cependant que tu me chercheras, chacun aura bien son tour.

LE BARBOUILLÉ

Hé bien, ne savais-je pas bien qu'elle n'était pas si sotte? Elle est morte, et si, elle court comme le cheval de Pacolet[12]. Ma foi, elle m'avait fait peur tout de bon. Elle a bien fait de gagner au pied; car si je l'eusse trouvée en vie, après m'avoir fait cette frayeur-là, je lui aurais apostrophé cinq ou six clystères de coups de pied dans le cul, pour lui apprendre à faire la bête. Je m'en vais me coucher cependant. Oh! oh! je pense que le vent a fermé la porte. Hé! Cathau! Cathau! ouvre-moi.

ANGÉLIQUE

Cathau! Cathau! Hé bien, qu'a-t-elle fait, Cathau?
Et d'où venez-vous, Monsieur l'ivrogne? Ah! vraiment,
va, mes parents, qui vont venir dans un moment, sauront
tes vérités. Sac à vin infâme, tu ne bouges du cabaret,
et tu laisses une pauvre femme avec des petits enfants,
sans savoir s'ils ont besoin de quelque chose, à croquer le
marmot tout le long du jour.

LE BARBOUILLÉ

Ouvre vite, diablesse que tu es, ou je te casserai la
tête.

SCÈNE XII

GORGIBUS, VILLEBREQUIN, ANGÉLIQUE,
LE BARBOUILLÉ

GORGIBUS

Qu'est ceci? toujours de la dispute, de la querelle et
de la dissension!

VILLEBREQUIN

Hé quoi! vous ne serez jamais d'accord?

ANGÉLIQUE

Mais voyez un peu, le voilà qui est saoul, et revient, à
l'heure qu'il est, faire un vacarme horrible; il me menace.

GORGIBUS

Mais aussi ce n'est pas là l'heure de revenir. Ne devriez-
vous pas, comme un bon père de famille, vous retirer de
bonne heure, et bien vivre avec votre femme?

LE BARBOUILLÉ

Je me donne au diable, si j'ai sorti de la maison; et
demandez plutôt à ces Messieurs qui sont là-bas dans le
parterre; c'est elle qui ne fait que de revenir. Ah! que
l'innocence est opprimée!

VILLEBREQUIN

Çà, çà, allons, accordez-vous; demandez-lui pardon.

LE BARBOUILLÉ

Moi pardon! J'aimerais mieux que le diable l'eût emportée. Je suis dans une colère que je ne me sens pas.

GORGIBUS

Allons, ma fille, embrassez votre mari, et soyez bons amis.

SCÈNE XIII
ET DERNIÈRE

LE DOCTEUR, *à la fenêtre, en bonnet de nuit et en camisole;*
LE BARBOUILLÉ, VILLEBREQUIN,
GORGIBUS, ANGÉLIQUE

LE DOCTEUR

Hé quoi! toujours du bruit, du désordre, de la dissension, des querelles, des débats, des différends, des combustions, des altercations éternelles. Qu'est-ce? qu'y a-t-il donc? On ne saurait avoir du repos.

VILLEBREQUIN

Ce n'est rien, Monsieur le Docteur; tout le monde est d'accord.

LE DOCTEUR

A propos d'accord, voulez-vous que je vous lise un chapitre d'Aristote, où il prouve que toutes les parties de l'univers ne subsistent que par l'accord qui est entre elles?

VILLEBREQUIN

Cela est-ce bien long?

LE DOCTEUR

Non, cela n'est pas long; cela contient environ soixante ou quatre-vingts pages.

VILLEBREQUIN

Adieu, bonsoir, nous vous remercions.

GORGIBUS

Il n'en est pas de besoin.

LE DOCTEUR

Vous ne le voulez pas?

GORGIBUS

Non.

LE DOCTEUR

Adieu donc! puisqu'ainsi est: bonsoir! *Latine, bona nox*[13]!

VILLEBREQUIN

Allons-nous-en souper ensemble, nous autres.

LE MÉDECIN VOLANT

VOLANT

Farce

ACTEURS

VALÈRE, amant de Lucile.
SABINE, cousine de Lucile.
SGANARELLE, valet de Valère.
GORGIBUS, père de Lucile.
GROS-RENÉ, valet de Gorgibus.
LUCILE, fille de Gorgibus.
UN AVOCAT.

VALÈRE, SABINE

VALÈRE

Hé bien! Sabine, quel conseil me donneras-tu?

SABINE

Vraiment, il y a bien des nouvelles. Mon oncle veut
résolument que ma cousine épouse Villebrequin, et les
affaires sont tellement avancées, que je crois qu'ils eussent
été mariés dès aujourd'hui si vous n'étiez aimé; mais
comme ma cousine m'a confié le secret de l'amour qu'elle
vous porte, et que nous nous sommes vues à l'extrémité
par l'avarice de mon vilain oncle, nous nous sommes
avisées d'une bonne invention pour différer le mariage.
C'est que ma cousine, dès l'heure que je vous parle,
contrefait la malade; et le bon vieillard, qui est assez
crédule, m'envoie querir un médecin. Si vous en pouviez
envoyer quelqu'un qui fût de vos bons amis, et qui fût
de notre intelligence, il conseillerait à la malade de prendre
l'air à la campagne. Le bonhomme ne manquera pas de
faire loger ma cousine à ce pavillon qui est au bout de
notre jardin, et, par ce moyen, vous pourriez l'entretenir
à l'insu de notre vieillard, l'épouser, et le laisser pester
tout son soûl avec Villebrequin.

VALÈRE

Mais le moyen de trouver sitôt un médecin, à ma
poste, et qui voulût tant hasarder pour mon service? Je te
le dis franchement, je n'en connais pas un.

SABINE

Je songe une chose : si vous faisiez habiller votre valet
en médecin? Il n'y a rien de si facile à duper que le bonhomme.

VALÈRE

C'est un lourdaud qui gâtera tout; mais il faut s'en
servir faute d'autre. Adieu, je le vais chercher. Où diable
trouver ce maroufle à présent? Mais le voici tout à propos.

SCÈNE II

VALÈRE, SGANARELLE

VALÈRE

Ah! mon pauvre Sganarelle, que j'ai de joie de te voir!
J'ai besoin de toi dans une affaire de conséquence; mais,
comme je ne sais pas ce que tu sais faire...

SGANARELLE

. Ce que je sais faire, Monsieur? Employez-moi seulement
en vos affaires de conséquence, en quelque chose d'importance; par exemple, envoyez-moi voir quelle heure il est
à une horloge, voir combien le beurre vaut au marché,
abreuver un cheval; c'est alors que vous connaîtrez ce que
je sais faire.

VALÈRE

Ce n'est pas cela; c'est qu'il faut que tu contrefasses
le médecin.

SGANARELLE

Moi, médecin, Monsieur! Je suis prêt à faire tout ce
qu'il vous plaira; mais pour faire le médecin, je suis assez
votre serviteur pour n'en rien faire du tout; et par quel
bout m'y prendre, bon Dieu? Ma foi, Monsieur, vous vous
moquez de moi.

VALÈRE

Si tu veux entreprendre cela, va, je te donnerai dix
pistoles.

SGANARELLE

Ah! pour dix pistoles, je ne dis pas que je ne sois
médecin; car, voyez-vous bien, Monsieur, je n'ai pas
l'esprit tant, tant subtil, pour vous dire la vérité. Mais,
quand je serai médecin, où irai-je?

VALÈRE

Chez le bonhomme Gorgibus, voir sa fille, qui est malade; mais tu es un lourdaud qui, au lieu de bien faire, pourrais bien...

SGANARELLE

Hé! mon Dieu, Monsieur, ne soyez point en peine; je vous réponds que je ferai aussi bien mourir une personne qu'aucun médecin qui soit dans la ville. On dit un proverbe d'ordinaire : « Après la mort le médecin »; mais vous verrez que si je m'en mêle, on dira : « Après le médecin, gare la mort! » Mais néanmoins, quand je songe, cela est bien difficile de faire le médecin; et si je ne fais rien qui vaille?

VALÈRE

Il n'y a rien de si facile en cette rencontre : Gorgibus est un homme simple, grossier, qui se laissera étourdir de ton discours, pourvu que tu parles d'Hippocrate et de Galien[1], et que tu sois un peu effronté.

SGANARELLE

C'est-à-dire qu'il lui faudra parler philosophie, mathématique. Laissez-moi faire; s'il est un homme facile comme vous le dites, je vous réponds de tout. Venez seulement me faire avoir un habit de médecin, et m'instruire de ce qu'il faut faire, et me donner mes licences qui sont les dix pistoles promises.

Valère et Sganarelle s'en vont.

SCÈNE III

GORGIBUS, GROS-RENÉ

GORGIBUS

Allez vitement chercher un médecin; car ma fille est bien malade, et dépêchez-vous.

GROS-RENÉ

Que diable aussi! pourquoi vouloir donner votre fille
à un vieillard? Croyez-vous que ce ne soit pas le désir
qu'elle a d'avoir un jeune homme qui la travaille? Voyez-
vous la connexité qu'il y a, etc. *(Galimatias.)*

GORGIBUS

Va-t'en vite; je vois bien que cette maladie-là reculera
bien les noces.

GROS-RENÉ

Et c'est ce qui me fait enrager; je croyais refaire mon
ventre d'une bonne carbure[2], et m'en voilà sevré. Je m'en
vais chercher un médecin pour moi, aussi bien que pour
votre fille; je suis désespéré.

Il sort.

SCÈNE IV

SABINE, GORGIBUS, SGANARELLE

SABINE

Je vous trouve à propos, mon oncle, pour vous apprendre
une bonne nouvelle. Je vous amène le plus habile médecin
du monde, un homme qui vient des pays étrangers, qui
sait les plus beaux secrets, et qui sans doute guérira ma
cousine. On me l'a indiqué par bonheur, et je vous l'amène.
Il est si savant, que je voudrais de bon cœur être malade
afin qu'il me guérît.

GORGIBUS

Où est-il donc?

SABINE

Le voilà qui me suit; tenez, le voilà.

GORGIBUS

Très humble serviteur à Monsieur le Médecin! Je vous
envoie quérir pour voir ma fille qui est malade; je mets
toute mon espérance en vous.

SGANARELLE

Hippocrate dit, et Galien, par vives raisons, persuade qu'une personne ne se porte pas bien quand elle est malade. Vous avez raison de mettre votre espérance en moi; car je suis le plus grand, le plus habile, le plus docte médecin qui soit dans la faculté végétale, sensitive et minérale.

GORGIBUS

J'en suis fort ravi.

SGANARELLE

Ne vous imaginez pas que je sois un médecin ordinaire, un médecin du commun. Tous les autres médecins ne sont, à mon égard, que des avortons de médecine. J'ai des talents particuliers, j'ai des secrets. *Salamalec, salamalec. Rodrigue, as-tu du cœur? Signor, si; signor, non, Per omnia sœcula sœculorum*[3]. Mais encore voyons un peu.

SABINE

Eh! ce n'est pas lui qui est malade, c'est sa fille.

SGANARELLE

Il n'importe : le sang du père et de la fille ne sont qu'une même chose, et par l'altération de celui du père, je puis connaître la maladie de la fille. Monsieur Gorgibus, y aurait-il moyen de voir l'urine de l'égrotante?

GORGIBUS

Oui-da; Sabine, vite allez querir de l'urine de ma fille. *(Sabine sort.)* Monsieur le Médecin j'ai grand-peur qu'elle ne meure.

SGANARELLE

Ah! qu'elle s'en garde bien! Il ne faut pas qu'elle s'amuse à se laisser mourir sans l'ordonnance du médecin. *(Sabine rentre.)* Voilà de l'urine qui marque grande chaleur, grande inflammation dans les intestins; elle n'est pas tant mauvaise pourtant.

GORGIBUS

Hé quoi! Monsieur, vous l'avalez?

SGANARELLE

Ne vous étonnez pas de cela : les médecins, d'ordinaire, se contentent de la regarder; mais moi, qui suis un médecin hors du commun, je l'avale, parce qu'avec le goût je discerne bien mieux la cause et les suites de la maladie. Mais, à vous dire la vérité, il y en avait trop peu pour asseoir un bon jugement; qu'on la fasse encore pisser.

SABINE, *sort et revient*.

J'ai bien eu de la peine à la faire pisser.

SGANARELLE

Que cela! voilà bien de quoi! Faites-la pisser copieusement, copieusement. Si tous les malades pissent de la sorte, je veux être médecin toute ma vie.

SABINE, *sort et revient*.

Voilà tout ce qu'on peut avoir; elle ne peut pas pisser davantage.

SGANARELLE

Quoi! Monsieur Gorgibus, votre fille ne pisse que des gouttes? Voilà une pauvre pisseuse que votre fille; je vois bien qu'il faudra que je lui ordonne une potion pissative. N'y aurait-il pas moyen de voir la malade?

SABINE

Elle est levée; si vous voulez, je la ferai venir.

SCÈNE V

LUCILE, SABINE, GORGIBUS, SGANARELLE

SGANARELLE

Hé bien! Mademoiselle, vous êtes malade?

LUCILE

Oui, Monsieur.

SGANARELLE

Tant pis! c'est une marque que vous ne vous portez pas bien. Sentez-vous de grandes douleurs à la tête, aux reins?

LUCILE

Oui, Monsieur.

SGANARELLE

C'est fort bien fait. Ovide, ce grand médecin, au chapitre qu'il a fait de la nature des animaux, dit... cent belles choses; et comme les humeurs qui ont de la connexité ont beaucoup de rapport; car, par exemple, comme la mélancolie est ennemie de la joie, et que la bile qui se répand par le corps nous fait devenir jaunes, et qu'il n'est rien plus contraire à la santé que la maladie, nous pouvons dire, avec ce grand homme, que votre fille est fort malade. Il faut que je vous fasse une ordonnance.

GORGIBUS

Vite une table, du papier, de l'encre.

SGANARELLE

Y a-t-il ici quelqu'un qui sache écrire?

GORGIBUS

Est-ce que vous ne le savez point?

SGANARELLE

Ah! je ne m'en souvenais pas; j'ai tant d'affaires dans la tête, que j'oublie la moitié... Je crois qu'il serait nécessaire que votre fille prît un peu l'air, qu'elle se divertît à la campagne.

GORGIBUS

Nous avons un fort beau jardin, et quelques chambres qui y répondent; si vous le trouvez à propos, je l'y ferai loger.

SGANARELLE

Allons, allons visiter les lieux.

Ils sortent tous.

SCÈNE VI

L'AVOCAT

J'ai ouï dire que la fille de M. Gorgibus était malade;
il faut que je m'informe de sa santé, et que je lui offre mes
services comme ami de toute sa famille. Holà! holà!
M. Gorgibus y est-il?

SCÈNE VII

GORGIBUS, L'AVOCAT

GORGIBUS

Monsieur, votre très humble, etc.

L'AVOCAT

Ayant appris la maladie de Mademoiselle votre fille,
je vous suis venu témoigner la part que j'y prends, et vous
faire offre de tout ce qui dépend de moi.

GORGIBUS

J'étais là dedans avec le plus savant des hommes.

L'AVOCAT

N'y aurait-il pas moyen de l'entretenir un moment?

SCÈNE VIII

GORGIBUS, L'AVOCAT, SGANARELLE

GORGIBUS

Monsieur, voilà un fort habile homme de mes amis qui
souhaiterait de vous parler et vous entretenir.

SGANARELLE

Je n'ai pas de loisir, Monsieur Gorgibus : il faut aller
à mes malades. Je ne prendrai pas la droite avec vous,
Monsieur.

L'AVOCAT

Monsieur, après ce que m'a dit M. Gorgibus de votre
mérite et de votre savoir, j'ai eu la plus grande passion
du monde d'avoir l'honneur de votre connaissance, et j'ai
pris la liberté de vous saluer à ce dessein ; je crois que vous
ne le trouverez pas mauvais. Il faut avouer que tous ceux
qui excellent en quelque science sont dignes de grande
louange, et particulièrement ceux qui font profession de
la médecine, tant à cause de son utilité que parce qu'elle
contient en elle plusieurs autres sciences, ce qui rend sa
parfaite connaissance fort difficile ; et c'est fort à propos
qu'Hippocrate dit dans son premier aphorisme : *Vita
brevis, ars vero longa, occasio autem præceps, experimentum
periculosum, judicium difficile*[4].

SGANARELLE, *à Gorgibus.*

Ficile tantina pota baril cambustibus[5].

L'AVOCAT

Vous n'êtes pas de ces médecins qui ne vous appliquez
qu'à la médecine qu'on appelle rationale ou dogmatique,
et je crois que vous l'exercez tous les jours avec beaucoup
de succès : *experientia magistra rerum*[6]. Les premiers
hommes qui firent profession de la médecine furent
tellement estimés d'avoir cette belle science, qu'on les
mit au nombre des dieux pour les belles cures qu'ils
faisaient tous les jours. Ce n'est pas qu'on doive mépriser
un médecin qui n'aurait pas rendu la santé à son malade,
parce qu'elle ne dépend pas absolument de ses remèdes,
ni de son savoir : *Interdum docta plus valet arte malum*[7].
Monsieur, j'ai peur de vous être importun ; je prends
congé de vous, dans l'espérance que j'ai qu'à la première
vue j'aurai l'honneur de converser avec vous avec plus
de loisir. Vos heures vous sont précieuses, etc.

L'avocat sort.

GORGIBUS

Que vous semble de cet homme là ?

SGANARELLE

Il sait quelque petite chose. S'il fût demeuré tant soit peu davantage, je l'allais mettre sur une matière sublime et relevée. Cependant, je prends congé de vous. (*Gorgibus lui donne de l'argent.*) Hé! que voulez-vous faire?

GORGIBUS

Je sais bien ce que je vous dois.

SGANARELLE

Vous vous moquez, Monsieur Gorgibus. Je n'en prendrai pas, je ne suis pas un homme mercenaire. *(Il prend l'argent.)* Votre très humble serviteur.

> *Sganarelle sort et Gorgibus rentre dans sa maison.*

SCÈNE IX

VALÈRE

Je ne sais ce qu'aura fait Sganarelle; je n'ai point eu de ses nouvelles, et je suis fort en peine où je le pourrais rencontrer. (*(Sganarelle revient en habit de valet.)* Mais bon, le voici. Hé bien! Sganarelle, qu'as-tu fait depuis que je ne t'ai point vu?

SCÈNE X

SGANARELLE, VALÈRE

SGANARELLE

Merveille sur merveille! j'ai si bien fait que Gorgibus me prend pour un habile médecin. Je me suis introduit chez lui et lui ai conseillé de faire prendre l'air à sa fille, laquelle est à présent dans un appartement qui est au bout de leur jardin, tellement qu'elle est fort éloignée du vieillard, et que vous pouvez l'aller voir commodément.

VALÈRE

Ah! que tu me donnes de joie! Sans perdre de temps, je vais la trouver de ce pas.

Il sort.

SGANARELLE

Il faut avouer que ce bonhomme Gorgibus est un vrai lourdaud de se laisser tromper de la sorte. *(Apercevant Gorgibus.)* Ah! ma foi, tout est perdu; c'est à ce coup que voilà la médecine renversée. Mais il faut que je le trompe.

SCÈNE XI

SGANARELLE, GORGIBUS

GORGIBUS

Bonjour, Monsieur.

SGANARELLE

Monsieur, votre serviteur. Vous voyez un pauvre garçon au désespoir : ne connaissez-vous pas un médecin qui est arrivé depuis peu en cette ville, qui fait des cures admirables?

GORGIBUS

Oui, je le connais; il vient de sortir de chez moi.

SGANARELLE

Je suis son frère, Monsieur; nous sommes gémeaux, et, comme nous nous ressemblons fort, on nous prend quelquefois l'un pour l'autre.

GORGIBUS

Je dédonne au diable si je n'y ai été trompé. Et comme vous nommez-vous?

SGANARELLE

Narcisse, Monsieur, pour vous rendre service. Il faut
que vous sachiez qu'étant dans son cabinet, j'ai répandu
deux fioles d'essence qui étaient sur le bout de sa table;
aussitôt il s'est mis dans une colère si étrange contre moi,
qu'il m'a mis hors du logis et ne me veut plus jamais voir,
tellement que je suis un pauvre garçon à présent, sans
appui, sans support, sans aucune connaissance.

GORGIBUS

Allez, je ferai votre paix; je suis de ses amis, et je
vous promets de vous remettre avec lui. Je lui parlerai
d'abord que je le verrai.

SGANARELLE

Je vous serai bien obligé, Monsieur Gorgibus.

Sganarelle sort et rentre aussitôt avec sa robe de médecin.

SCÈNE XII

SGANARELLE, GORGIBUS

SGANARELLE

Il faut avouer que quand les malades ne veulent pas
suivre l'avis du médecin, et qu'ils s'abandonnent à la
débauche que...

GORGIBUS

Monsieur le Médecin, votre très humble serviteur.
Je vous demande une grâce.

SGANARELLE

Qu'y a-t-il, Monsieur? Est-il question de vous rendre
service?

GORGIBUS

Monsieur, je viens de rencontrer Monsieur votre frère,
qui est tout à fait fâché de...

SGANARELLE

C'est un coquin, Monsieur Gorgibus.

GORGIBUS

Je vous réponds qu'il est tellement contrit de vous avoir mis en colère...

SGANARELLE

C'est un ivrogne, Monsieur Gorgibus.

GORGIBUS

Hé! Monsieur, vous voulez désespérer ce pauvre garçon?

SGANARELLE

Qu'on ne m'en parle plus; mais voyez l'impudence de ce coquin-là, de vous aller trouver pour faire son accord; je vous prie de ne m'en pas parler.

GORGIBUS

Au nom de Dieu! Monsieur le Médecin, et faites cela pour l'amour de moi. Si je suis capable de vous obliger en autre chose, je le ferai de bon cœur. Je m'y suis engagé, et...

SGANARELLE

Vous m'en priez avec tant d'instance que, quoique j'eusse fait serment de ne lui pardonner jamais, allez, touchez là, je lui pardonne. Je vous assure que je me fais grande violence, et qu'il faut que j'aie bien de la complaisance pour vous. Adieu, Monsieur Gorgibus.

GORGIBUS

Monsieur, votre très humble serviteur; je m'en vais chercher ce pauvre garçon pour lui apprendre cette bonne nouvelle.

Gorgibus entre dans sa maison et Sganarelle s'en va.

SCÈNE XIII

VALÈRE, SGANARELLE

VALÈRE

Il faut que j'avoue que je n'eusse jamais cru que Sganarelle se fût si bien acquitté de son devoir. *(Sganarelle rentre avec ses habits de valet.)* Ah! mon pauvre garçon, que je t'ai d'obligation! que j'ai de joie! et que...

SGANARELLE

Ma foi, vous parlez fort à votre aise. Gorgibus m'a rencontré; et, sans une invention que j'ai trouvée, toute la mèche était découverte. *(Apercevant Gorgibus.)* Mais fuyez-vous-en, le voici.

Valère sort.

SCÈNE XIV

GORGIBUS, SGANARELLE

GORGIBUS

Je vous cherchais partout pour vous dire que j'ai parlé à votre frère. Il m'a assuré qu'il vous pardonnait; mais, pour en être plus assuré, je veux qu'il vous embrasse en ma présence. Entrez dans mon logis, et je l'irai chercher.

SGANARELLE

Ah! Monsieur Gorgibus; je ne crois pas que vous le trouviez à présent; et puis je ne resterai pas chez vous : je crains trop sa colère.

GORGIBUS

Ah! vous demeurerez, car je vous enfermerai. Je m'en vais à présent chercher votre frère; ne craignez rien, je vous réponds qu'il n'est plus fâché.

Gorgibus sort.

SGANARELLE, *de la fenêtre.*

Ma foi, me voilà attrapé ce coup-là; il n'y a plus moyen de m'en échapper. Le nuage est fort épais, et j'ai bien peur que, s'il vient à crever, il ne grêle sur mon dos force coups de bâton ou que, par quelque ordonnance plus forte que toutes celles des médecins, on m'applique tout au moins un cautère royal[8] sur les épaules. Mes affaires vont mal; mais pourquoi se désespérer? Puisque j'ai tant fait, poussons la fourbe jusques au bout. Oui, oui, il en faut encore sortir, et faire voir que Sganarelle est le roi des fourbes.

Sganarelle saute par la fenêtre et s'en va.

SCÈNE XV

GROS-RENÉ, GORGIBUS, SGANARELLE

GROS-RENÉ

Ah! ma foi, voilà qui est drôle! comme diable on saute ici par les fenêtres! Il faut que je demeure ici, et que je voie à quoi tout cela aboutira.

GORGIBUS

Je ne saurais trouver ce médecin; je ne sais où diable il s'est caché. *(Apercevant Sganarelle qui revient en habit de médecin.)* Mais le voici. Monsieur, ce n'est pas assez d'avoir pardonné à votre frère; je vous prie, pour ma satisfaction, de l'embrasser : il est chez moi, je vous cherchais partout pour vous prier de faire cet accord en ma présence.

SGANARELLE

Vous vous moquez, Monsieur Gorgibus; n'est-ce pas assez que je lui pardonne? je ne le veux jamais voir.

GORGIBUS

Mais, Monsieur, pour l'amour de moi.

SGANARELLE

Je ne vous saurais rien refuser : dites-lui qu'il descende.

*Pendant que Gorgibus entre dans sa maison par la porte,
Sganarelle y entre par la fenêtre.*

GORGIBUS, *à la fenêtre*

Voilà votre frère qui vous attend là-bas : il m'a promis
qu'il fera tout ce que je voudrai.

SGANARELLE, *à la fenêtre*

Monsieur Gorgibus, je vous prie de le faire venir ici;
je vous conjure que ce soit en particulier que je lui demande pardon, parce que sans doute il me ferait cent
hontes et cent opprobres devant tout le monde.

*Gorgibus sort de sa maison par la porte et Sganarelle par
la fenêtre.*

GORGIBUS

Oui-da, je m'en vais lui dire. Monsieur, il dit qu'il est
honteux et qu'il vous prie d'entrer, afin qu'il vous demande
pardon en particulier. Voilà la clef, vous pouvez entrer;
je vous supplie de ne me pas refuser et de me donner ce
contentement.

SGANARELLE

Il n'y a rien que je ne fasse pour votre satisfaction :
vous allez entendre de quelle manière je le vais traiter.
(A la fenêtre.) Ah! te voilà, coquin. — Monsieur mon
frère, je vous demande pardon, je vous promets qu'il n'y
a point de ma faute. — Il n'y a point de ta faute, pilier
de débauche, coquin? Va, je t'apprendrai à vivre. Avoir
la hardiesse d'importuner M. Gorgibus, de lui rompre
la tête de tes sottises! — Monsieur mon frère... — Tais-
toi, te dis-je. — Je ne vous désoblig... — Tais-toi, coquin!

GROS-RENÉ

Qui diable pensez-vous qui soit chez vous à présent?

GORGIBUS

C'est le médecin et Narcisse son frère; ils avaient quelque différend et ils font leur accord.

GROS-RENÉ

Le diable emporte! ils ne sont qu'un.

SGANARELLE, *à la fenêtre.*

Ivrogne que tu es, je t'apprendrai à vivre! Comme il baisse la vue! Il voit bien qu'il a failli le pendard. Ah! l'hypocrite, comme il fait le bon apôtre.

GROS-RENÉ

Monsieur, dites-lui un peu par plaisir qu'il fasse mettre son frère à la fenêtre.

GORGIBUS

Oui-da, Monsieur le Médecin, je vous prie de faire paraître votre frère à la fenêtre.

SGANARELLE, *de la fenêtre*

Il est indigne de la vue des gens d'honneur, et puis je ne le saurais souffrir auprès de moi.

GORGIBUS

Monsieur, ne me refusez pas cette grâce, après toutes cclles que vous m'avez faites.

SGANARELLE, *de la fenêtre.*

En vérité, Monsieur Gorgibus, vous avez un tel pouvoir sur moi que je ne vous puis rien refuser. Montre, montre-toi, coquin! *(Après avoir disparu un moment, il se remontre en habit de valet.)* — Monsieur Gorgibus, je suis votre obligé. *(Il disparaît encore, et reparaît aussitôt en robe de médecin.)* — Hé bien! avez-vous vu cette image de la débauche?

GROS-RENÉ

Ma foi, ils ne sont qu'un; et pour vous le prouver, dites-lui un peu que vous les voulez voir ensemble.

GORGIBUS

Mais faites-moi la grâce de le faire paraître avec vous et de l'embrasser devant moi à la fenêtre.

SGANARELLE, *de la fenêtre*

C'est une chose que je refuserais à tout autre qu'à vous ; mais pour vous montrer que je veux tout faire pour l'amour de vous, je m'y résous, quoique avec peine, et veux auparavant qu'il vous demande pardon de toutes les peines qu'il vous a données. — Oui, Monsieur Gorgibus, je vous demande pardon de vous avoir tant importuné, et vous promets, mon frère, en présence de Monsieur Gorgibus que voilà, de faire si bien désormais, que vous n'aurez plus lieu de vous plaindre, vous priant de ne plus songer à ce qui s'est passé.

Il embrasse son chapeau et sa fraise[9], qu'il a mis au bout de son coude.

GORGIBUS

Hé bien ! ne les voilà pas tous deux ?

GROS-RENÉ

Ah ! par ma foi, il est sorcier.

SGANARELLE, *sortant de la maison, en médecin.*

Monsieur, voilà la clef de votre maison que je vous rends ; je n'ai pas voulu que ce coquin soit descendu avec moi, parce qu'il me fait honte : je ne voudrais pas qu'on le vît en ma compagnie dans la ville, où je suis en quelque réputation. Vous irez le faire sortir quand bon vous semblera. Je vous donne le bonjour, et suis votre, etc[10].

Il feint de s'en aller et, après avoir mis bas sa robe, rentre dans la maison par la fenêtre.

GORGIBUS

Il faut que j'aille délivrer ce pauvre garçon ; en vérité, s'il lui a pardonné, ce n'a pas été sans le bien maltraiter.

Il entre dans sa maison et en sort avec Sganarelle en habit de valet.

SGANARELLE

Monsieur, je vous remercie de la peine que vous avez prise et de la bonté que vous avez eue : je vous en serai obligé toute ma vie.

GROS-RENÉ

Où pensez-vous que soit à présent le médecin?

GORGIBUS

Il s'en est allé.

GROS-RENÉ, *qui a ramassé la robe de Sganarelle*

Je le tiens sous mon bras. Voilà le coquin qui faisait le médecin, et qui vous trompe. Cependant qu'il vous trompe et joue la farce chez vous, Valère et votre fille sont ensemble, qui s'en vont à tous les diables.

GORGIBUS

Ah! que je suis malheureux! mais tu seras pendu, fourbe, coquin!

SGANARELLE

Monsieur, qu'allez-vous faire de me pendre? Écoutez un mot, s'il vous plaît. Il est vrai que c'est par mon invention que mon maître est avec votre fille; mais en le servant, je ne vous ai point désobligé : c'est un parti sortable pour elle, tant pour la naissance que pour les biens. Croyez-moi, ne faites point un vacarme qui tournerait à votre confusion, et envoyez à tous les diables ce coquin-là, avec Villebrequin. Mais voici nos amants.

SCÈNE DERNIÈRE

VALÈRE, LUCILE, GORGIBUS, SGANARELLE

VALÈRE

Nous nous jetons à vos pieds.

GORGIBUS

Je vous pardonne, et suis heureusement trompé par Sganarelle, ayant un si brave gendre. Allons tous faire noces et boire à la santé de toute la compagnie.

L'ÉTOURDI

ou

LES CONTRETEMPS

Comédie

représentée pour la première fois à Paris, sur le théâtre du
Petit-Bourbon, au mois de novembre 1658, par la troupe
de Monsieur, frère unique du Roi.

PERSONNAGES

LÉLIE, fils de Pandolfe.
CÉLIE, esclave de Trufaldin.
MASCARILLE, valet de Lélie.
HIPPOLYTE, fille d'Anselme.
ANSELME, père d'Hippolyte.
TRUFALDIN, vieillard.
PANDOLFE, père de Lélie.
LÉANDRE, fils de famille.
ANDRÈS, cru Egyptien.
ERGASTE, ami de Mascarille.
UN COURRIER.
DEUX TROUPES DE MASQUES.

La Grange.
Mademoiselle de Brie.
Molière.
Mademoiselle du Parc.
Louis Béjart.

Béjart aîné.

La scène est à Messine.

ACTE PREMIER

SCÈNE PREMIÈRE

LÉLIE

Hé bien! Léandre, hé bien! il faudra contester;
Nous verrons de nous deux qui pourra l'emporter;
Qui, dans nos soins communs pour ce jeune miracle,
Aux vœux de son rival portera plus d'obstacle.
Préparez vos efforts, et vous défendez bien,
Sûr que de mon côté je n'épargnerai rien.

SCÈNE II

LÉLIE, MASCARILLE

LÉLIE

Ah! Mascarille.

MASCARILLE

Quoi!

LÉLIE

Voici bien des affaires;
J'ai dans ma passion toutes choses contraires :
Léandre aime Célie et, par un trait fatal,
Malgré mon changement, est encor mon rival.

MASCARILLE

Léandre aime Célie!

LÉLIE

Il l'adore, te dis-je.

MASCARILLE

Tant pis.

LÉLIE

Hé! oui, tant pis; c'est là ce qui m'afflige.
Toutefois j'aurais tort de me désespérer;
Puisque j'ai ton secours, je dois me rassurer :
Je sais que ton esprit, en intrigues fertile,
N'a jamais rien trouvé qui lui fût difficile,
Qu'on te peut appeler le roi des serviteurs,
Et qu'en toute la terre...

MASCARILLE

Hé! trêve de douceurs.
Quand nous faisons besoin, nous autres misérables,
Nous sommes les chéris et les incomparables;
Et dans un autre temps, dès le moindre courroux,
Nous sommes les coquins qu'il faut rouer de coups.

LÉLIE

Ma foi, tu me fais tort avec cette invective.
Mais enfin discourons de l'aimable captive;
Dis si les plus cruels et plus durs sentiments
Ont rien d'impénétrable à des traits si charmants.
Pour moi, dans ses discours, comme dans son visage,
Je vois pour sa naissance un noble témoignage,
Et je crois que le Ciel dedans un rang si bas
Cache son origine et ne l'en tire pas.

MASCARILLE

Vous êtes romanesque avecque vos chimères.
Mais que fera Pandolfe en toutes ces affaires?
C'est, Monsieur, votre père, au moins à ce qu'il dit;
Vous savez que sa bile assez souvent s'aigrit,
Qu'il peste contre vous d'une belle manière,
Quand vos déportements lui blessent la visière.
Il est avec Anselme en parole pour vous.
Que de son Hippolyte on vous fera l'époux,
S'imaginant que c'est dans le seul mariage
Qu'il pourra rencontrer de quoi vous faire sage;
Et s'il vient à savoir que, rebutant son choix,
D'un objet inconnu vous recevez les lois,
Que de ce fol amour la fatale puissance

Vous soustrait au devoir de votre obéissance,
Dieu sait quelle tempête alors éclatera,
Et de quels beaux sermons on vous régalera.

LÉLIE

Ah! trêve, je vous prie, à votre rhétorique!

MASCARILLE

Mais vous, trêve plutôt à votre politique!
Elle n'est pas fort bonne, et vous devriez tâcher...

LÉLIE

Sais-tu qu'on n'acquiert rien de bon à me fâcher,
Que chez moi les avis ont de tristes salaires,
Qu'un valet conseiller y fait mal ses affaires?

MASCARILLE

A part.

Il se met en courroux! Tout ce que j'en ai dit
N'était rien que pour rire et vous sonder l'esprit.
D'un censeur de plaisirs ai-je fort l'encolure?
Et Mascarille est-il ennemi de nature?
Vous savez le contraire, et qu'il est très certain
Qu'on ne peut me taxer que d'être trop humain.
Moquez-vous des sermons d'un vieux barbon de père;
Poussez votre bidet, vous dis-je, et laissez faire.
Ma foi, j'en suis d'avis, que ces penards chagrins
Nous viennent étourdir de leurs contes badins,
Et, vertueux par force, espèrent par envie
Oter aux jeunes gens les plaisirs de la vie!
Vous savez mon talent, je m'offre à vous servir.

LÉLIE

Ah! c'est par ces discours que tu peux me ravir.
Au reste, mon amour, quand je l'ai fait paraître,
N'a point été mal vu des yeux qui l'ont fait naître;
Mais Léandre, à l'instant vient de me déclarer
Qu'à me ravir Célie il se va préparer.
C'est pourquoi dépêchons, et cherche dans ta tête
Les moyens les plus prompts d'en faire une conquête;
Trouve ruses, détours, fourbes, inventions,
Pour frustrer mon rival de ses prétentions.

MASCARILLE

Laissez-moi quelque temps rêver à cette affaire.

A part.

Que pourrais-je inventer pour ce coup nécessaire?

LÉLIE

Hé bien! le stratagème?

MASCARILLE

Ah! comme vous courez!
Ma cervelle toujours marche à pas mesurés.
J'ai trouvé votre fait : il faut... Non, je m'abuse.
Mais si vous alliez...

LÉLIE

Où?

MASCARILLE

C'est une faible ruse.

J'en songeais une.

LÉLIE

Et quelle?

MASCARILLE

Elle n'irait pas bien.

Mais ne pourriez-vous pas?...

LÉLIE

Quoi?

MASCARILLE

Vous ne pourriez rien.

Parlez avec Anselme.

LÉLIE

Et que lui puis-je dire?

MASCARILLE

Il est vrai, c'est tomber d'un mal dedans un pire.
Il faut pourtant l'avoir. Allez chez Trufaldin.

LÉLIE

Que faire?

MASCARILLE

Je ne sais.

LÉLIE

C'en est trop à la fin,
Et tu me mets à bout par ces contes frivoles.

MASCARILLE

Monsieur, si vous aviez en main force pistoles,
Nous n'aurions pas besoin maintenant de rêver
A chercher les biais que nous devons trouver,
Et pourrions, par un prompt achat de cette esclave,
Empêcher qu'un rival vous prévienne et vous brave.
De ces Égyptiens qui la mirent ici
Trufaldin, qui la garde, est en quelque souci;
Et trouvant son argent, qu'ils lui font trop attendre,
Je sais bien qu'il serait très ravi de la vendre :
Car enfin en vrai ladre il a toujours vécu;
Il se ferait fesser pour moins d'un quart d'écu,
Et l'argent est le Dieu que sur tout il révère;
Mais le mal, c'est...

LÉLIE

Quoi? c'est?

MASCARILLE

Que Monsieur votre père
Est un autre vilain qui ne vous laisse pas,
Comme vous voudriez bien, manier ses ducats;
Qu'il n'est point de ressort qui pour votre ressource
Pût faire maintenant ouvrir la moindre bourse.
Mais tâchons de parler à Célie un moment,
Pour savoir là-dessus quel est son sentiment.
Sa fenêtre est ici.

LÉLIE

Mais Trufaldin, pour elle,
Fait de nuit et de jour exacte sentinelle.
Prends garde.

MASCARILLE

       Dans ce coin demeurez en repos.
O bonheur! la voilà qui sort tout à propos.

SCÈNE III

LÉLIE, CÉLIE, MASCARILLE

LÉLIE

Ah! que le Ciel m'oblige en offrant à ma vue
Les célestes attraits dont vous êtes pourvue!
Et quelque mal cuisant que m'aient causé vos yeux,
Que je prends de plaisir à les voir en ces lieux!

CÉLIE

Mon cœur, qu'avec raison votre discours étonne,
N'entend pas que mes yeux fassent mal à personne;
Et si dans quelque chose ils vous ont outragé,
Je puis vous assurer que c'est sans mon congé.

LÉLIE

Ah! leurs coups sont trop beaux pour me faire une injure!
Je mets toute ma gloire à chérir leur blessure,
Et...

MASCARILLE

       Vous le prenez là d'un ton un peu trop haut:
Ce style maintenant n'est pas ce qu'il nous faut.
Profitons mieux du temps, et sachons vite d'elle
Ce que...

TRUFALDIN, *dans la maison.*

     Célie!

MASCARILLE, *à* Lélie.

     Hé bien!

LÉLIE

         O rencontre cruelle!
Ce malheureux vieillard devait-il nous troubler?

MASCARILLE

Allez, retirez-vous; je saurai lui parler.

SCÈNE IV

TRUFALDIN, CÉLIE, MASCARILLE
ET LÉLIE, *retiré dans un coin.*

TRUFALDIN, *à Célie.*

Que faites-vous dehors? et quel soin vous talonne,
Vous à qui je défends de parler à personne?

CÉLIE

Autrefois j'ai connu cet honnête garçon,
Et vous n'avez pas lieu d'en prendre aucun soupçon.

MASCARILLE

Est-ce là le Seigneur Trufaldin?

CÉLIE

Oui, lui-même.

MASCARILLE

Monsieur, je suis tout vôtre, et ma joie est extrême
De pouvoir saluer en toute humilité
Un homme dont le nom est partout si vanté.

TRUFALDIN

Très humble serviteur.

MASCARILLE

J'incommode peut-être;
Mais je l'ai vue ailleurs, où, m'ayant fait connaître
Les grands talents qu'elle a pour savoir l'avenir,
Je voulais sur un point un peu l'entretenir.

TRUFALDIN

Quoi! te mêlerais-tu d'un peu de diablerie?

CÉLIE

Non, tout ce que je sais n'est que blanche magie.

MASCARILLE

Voici donc ce que c'est. Le maître que je sers,
Languit pour un objet qui le tient dans ses fers
Il aurait bien voulu du feu qui le dévore
Pouvoir entretenir la beauté qu'il adore;
Mais un dragon, veillant sur ce rare trésor,
N'a pu, quoi qu'il ait fait, le lui permettre encor,
Et, ce qui plus le gêne et le rend misérable,
Il vient de découvrir un rival redoutable;
Si bien que pour savoir si ses soins amoureux
Ont sujet d'espérer quelque succès heureux,
Je viens vous consulter, sûr que de votre bouche
Je puis apprendre au vrai le secret qui nous touche.

CÉLIE

Sous quel astre ton maître a-t-il reçu le jour?

MASCARILLE

Sous un astre à jamais ne changer son amour.

CÉLIE

Sans me nommer l'objet pour qui son cœur soupire,
La science que j'ai m'en peut assez instruire.
Cette fille a du cœur, et dans l'adversité
Elle sait conserver une noble fierté;
Elle n'est pas d'humeur à trop faire connaître
Les secrets sentiments qu'en son cœur on fait naître;
Mais je les sais comme elle, et d'un esprit plus doux.
Je vais en peu de mots te les découvrir tous.

MASCARILLE

O merveilleux pouvoir de la vertu magique!

CÉLIE

Si ton maître en ce point de constance se pique,
Et que la vertu seule anime son dessein,
Qu'il n'appréhende plus de soupirer en vain :
Il a lieu d'espérer, et le fort qu'il veut prendre
N'est pas sourd aux traités et voudra bien se rendre.

MASCARILLE

C'est beaucoup; mais ce fort dépend d'un gouverneur
Difficile à gagner.

CÉLIE

C'est là tout le malheur.

MASCARILLE, *à part, regardant Lélie.*

Au diable le fâcheux qui toujours nous éclaire!

CÉLIE

Je vais vous enseigner ce que vous devez faire.

LÉLIE, *les joignant.*

Cessez, ô Trufaldin, de vous inquiéter :
C'est par mon ordre seul qu'il vous vient visiter,
Et je vous l'envoyais, ce serviteur fidèle,
Vous offrir mon service et vous parler pour elle,
Dont je vous veux dans peu payer la liberté,
Pourvu qu'entre nous deux le prix soit arrêté.

MASCARILLE, *à part.*

La peste soit la bête!

TRUFALDIN

Ho! ho! qui des deux croire?
Ce discours au premier est fort contradictoire.

MASCARILLE

Monsieur, ce galant homme a le cerveau blessé;
Ne le savez-vous pas?

TRUFALDIN

Je sais ce que je sai.
J'ai crainte ici dessous de quelque manigance.

A Célie.

Rentrez, et ne prenez jamais cette licence.
Et vous, filous fieffés, ou je me trompe fort,
Mettez pour me jouer vos flûtes mieux d'accord.

MASCARILLE

C'est bien fait; je voudrais qu'encor, sans flatterie,
Il nous eût d'un bâton chargés de compagnie.

A quoi bon se montrer et, comme un Étourdi,
Me venir démentir de tout ce que je di?

LÉLIE

Je pensais faire bien.

MASCARILLE

                Oui, c'était fort l'entendre.
Mais quoi! cette action ne me doit point surprendre :
Vous êtes si fertile en pareils contretemps,
Que vos écarts d'esprit n'étonnent plus les gens.

LÉLIE

Ah! mon Dieu! pour un rien me voilà bien coupable!
Le mal est-il si grand qu'il soit irréparable?
Enfin, si tu ne mets Célie entre mes mains,
Songe au moins de Léandre à rompre les desseins,
Qu'il ne puisse acheter avant moi cette belle.
De peur que ma présence encor soit criminelle,
Je te laisse.

MASCARILLE, *seul.*

            Fort bien. A vrai dire, l'argent
Serait dans notre affaire un sûr et fort agent;
Mais, ce ressort manquant, il faut user d'un autre.

SCÈNE V

ANSELME, MASCARILLE

ANSELME

Par mon chef, c'est un siècle étrange que le nôtre!
J'en suis confus. Jamais tant d'amour pour le bien,
Et jamais tant de peine à retirer le sien!
Les dettes aujourd'hui, quelque soin qu'on emploie,
Sont comme les enfants que l'on conçoit en joie,
Et dont avecque peine on fait l'accouchement.
L'argent dans une bourse entre agréablement;
Mais le terme venu que nous devons le rendre,
C'est lors que les douleurs commencent à nous prendre.
Baste! ce n'est pas peu que deux mille francs, dus
Depuis deux ans entiers, me soient enfin rendus;
Encore est-ce un bonheur.

MASCARILLE, *à part les quatre premiers vers.*

> O Dieu! la belle proie
A tirer en volant! Chut; il faut que je voie
Si je pourrais un peu de près le caresser.
Je sais bien les discours dont il le faut bercer.
Je viens de voir, Anselme...

ANSELME

> Et qui?

MASCARILLE

> Votre Nérine.

ANSELME

Que dit-elle de moi, cette gente assassine?

MASCARILLE

Pour vous elle est de flamme.

ANSELME

> Elle?

MASCARILLE

> Et vous aime tant,
Que c'est grande pitié.

ANSELME

> Que tu me rends content!

MASCARILLE

Peu s'en faut que d'amour la pauvrette ne meure :
« Anselme, mon mignon, crie-t-elle à toute heure,
Quand est-ce que l'hymen unira nos deux cœurs,
Et que tu daigneras éteindre mes ardeurs? »

ANSELME

Mais pourquoi jusqu'ici me les avoir celées?
Les filles, par ma foi, sont bien dissimulées!
Mascarille, en effet, qu'en dis-tu? quoique vieux,
J'ai de la mine encore assez pour plaire aux yeux.

MASCARILLE

Oui, vraiment, ce visage est encor fort mettable;
S'il n'est pas des plus beaux, il est des agréable.

ANSELME

Si bien donc...

MASCARILLE, *veut prendre sa bourse.*

      Si bien donc qu'elle est sotte de vous,
Ne vous regarde plus...

ANSELME

     Quoi?

MASCARILLE

            Que comme un époux,

Et vous veut...

ANSELME

     Et me veut?...

MASCARILLE

         Et vous veut, quoi qu'il tienne,

Prendre la bourse.

ANSELME

    Là?...

MASCARILLE, *prend la bourse et la laisse tomber.*

       La bouche avec la sienne.

ANSELME

Ah! je t'entends. Viens çà; lorsque tu la verras,
Vante-lui mon mérite autant que tu pourras.

MASCARILLE

Laissez-moi faire.

ANSELME

     Adieu.

MASCARILLE

Que le Ciel vous conduise!

ANSELME, *revenant.*

Ah! vraiment, je faisais une étrange sottise,
Et tu pouvais pour toi m'accuser de froideur:
Je t'engage à servir mon amoureuse ardeur,
Je reçois par ta bouche une bonne nouvelle,
Sans du moindre présent récompenser ton zèle.
Tiens tu te souviendras...

MASCARILLE

Ah! non pas, s'il vous plaît.

ANSELME

Laisse-moi.

MASCARILLE

Point du tout. J'agis sans intérêt.

ANSELME

Je le sais; mais pourtant...

MASCARILLE

Non, Anselme, vous dis-je;
Je suis homme d'honneur, cela me désoblige.

ANSELME

Adieu donc, Mascarille.

MASCARILLE, *à part.*

O long discours!

ANSELME, *revenant.*

Je veux

Régaler par tes mains cet objet de mes vœux;
Et je vais te donner de quoi faire pour elle
L'achat de quelque bague, ou telle bagatelle
Que tu trouveras bon.

MASCARILLE

Non, laissez votre argent :
Sans vous mettre en souci, je ferai le présent;
Et l'on m'a mis en main une bague à la mode,
Qu'après vous payerez si cela l'accommode.

ANSELME

Soit, donne-la pour moi; mais surtout fais si bien,
Qu'elle garde toujours l'ardeur de me voir sien.

SCÈNE VI

LÉLIE, ANSELME, MASCARILLE

LÉLIE, *ramassant la bourse.*

A qui la bourse?

ANSELME

Ah! dieux! elle m'était tombée,
Et j'aurais après cru qu'on me l'eût dérobée.
Je vous suis bien tenu de ce soin obligeant,
Qui m'épargne un grand trouble et me rend mon argent;
Je vais m'en décharger au logis tout à l'heure.

MASCARILLE

C'est être officieux, et très fort, ou je meure!

LÉLIE

Ma foi, sans moi l'argent était perdu pour lui.

MASCARILLE

Certes, vous faites rage, et payez aujourd'hui
D'un jugement très rare et d'un bonheur extrême;
Nous avancerons fort, continuez de même.

LÉLIE

Qu'est-ce donc! Qu'ai-je fait?

MASCARILLE

Le sot, en bon françois,
Puisque je puis le dire, et qu'enfin je le dois,
Il sait bien l'impuissance où son père le laisse,
Qu'un rival qu'il doit craindre étrangement nous presse;
Cependant, quand je tente un coup pour l'obliger,
Dont je cours, moi tout seul, la honte et le danger...

LÉLIE

Quoi! c'était?...

MASCARILLE

Oui, bourreau, c'était pour la captive,
Que j'attrapais l'argent dont votre soin nous prive.

LÉLIE

S'il est ainsi, j'ai tort; mais qui l'eût deviné?

MASCARILLE

Il fallait, en effet, être bien raffiné.

LÉLIE

Tu me devais par signe avertir de l'affaire.

MASCARILLE

Oui, je devais au dos avoir mon luminaire.
Au nom de Jupiter, laissez-nous en repos,
Et ne nous chantez plus d'impertinents propos.
Un autre après cela quitterait tout peut-être;
Mais j'avais médité tantôt un coup de maître,
Dont tout présentement je veux voir les effets,
A la charge que si...

LÉLIE

Non, je te le promets,
De ne me mêler plus de rien dire ou rien faire.

MASCARILLE

Allez donc; votre vue excite ma colère.

LÉLIE

Mais surtout hâte-toi, de peur qu'en ce dessein...

MASCARILLE

Allez, encore un coup, j'y vais mettre la main.

Lélie sort.

Menons bien ce projet; la fourbe sera fine,
S'il faut qu'elle succède ainsi que j'imagine.
Allons voir... Bon, voici mon homme justement.

SCÈNE VII

PANDOLFE, MASCARILLE

PANDOLFE

Mascarille.

MASCARILLE

Monsieur?

PANDOLFE

A parler franchement,
Je suis mal satisfait de mon fils.

MASCARILLE

De mon maître?
Vous n'êtes pas le seul qui se plaigne de l'être;
Sa mauvaise conduite, insupportable en tout,
Met à chaque moment ma patience à bout.

PANDOLFE

Je vous croirais pourtant assez d'intelligence
Ensemble.

MASCARILLE

Moi? Monsieur, perdez cette croyance :
Toujours de son devoir je tâche à l'avertir,
Et l'on nous voit sans cesse avoir maille à partir.
A l'heure même encor nous avons eu querelle
Sur l'hymen d'Hippolyte, où je le vois rebelle,
Où, par l'indignité d'un refus criminel,
Je le vois offenser le respect paternel.

PANDOLFE

Querelle?

MASCARILLE

Oui, querelle, et bien avant poussée.

PANDOLFE

Je me trompais donc bien; car j'avais la pensée
Qu'à tout ce qu'il faisait tu donnais de l'appui.

MASCARILLE

Moi? Voyez ce que c'est que du monde aujourd'hui,
Et comme l'innocence est toujours opprimée!
Si mon intégrité vous était confirmée,
Je suis auprès de lui gagé pour serviteur,
Vous me voudriez encor payer pour précepteur.
Oui, vous ne pourriez pas lui dire davantage
Que ce que je lui dis pour le faire être sage.
« Monsieur, au nom de Dieu, lui fais-je assez souvent,
Cessez de vous laisser conduire au premier vent,
Réglez-vous; regardez l'honnête homme de père
Que vous avez du Ciel, comme on le considère!
Cessez de lui vouloir donner la mort au cœur,
Et, comme lui, vivez en personne d'honneur. »

PANDOLFE

C'est parler comme il faut. Et que peut-il répondre?

MASCARILLE

Répondre? Des chansons, dont il me vient confondre.
Ce n'est pas qu'en effet, dans le fond de son cœur,
Il ne tienne de vous des semences d'honneur;
Mais sa raison n'est pas maintenant la maîtresse
Si je pouvais parler avecque hardiesse.
Vous le verriez dans peu soumis sans nul effort.

PANDOLFE

Parle.

MASCARILLE

C'est un secret qui m'importerait fort,
S'il était découvert; mais à votre prudence
Je puis le confier avec toute assurance.

PANDOLFE

Tu dis bien.

MASCARILLE

      Sachez donc que vos vœux sont trahis
Par l'amour qu'une esclave imprime à votre fils.

PANDOLFE

On m'en avait parlé; mais l'action me touche
De voir que je l'apprenne encore par ta bouche.

MASCARILLE

Vous voyez si je suis le secret confident...

PANDOLFE

Vraiment, je suis ravi de cela.

MASCARILLE

            Cependant
A son devoir, sans bruit, désirez-vous le rendre?
Il faut... J'ai toujours peur qu'on nous vienne surprendre :
Ce serait fait de moi s'il savait ce discours.
Il faut, dis-je, pour rompre à toute chose cours,
Acheter sourdement l'esclave idolâtrée
Et la faire passer en une autre contrée.
Anselme a grand accès auprès de Trufaldin :
Qu'il aille l'acheter pour vous dès ce matin;
Après, si vous voulez en mes mains la remettre,
Je connais des marchands, et puis bien vous promettre
D'en retirer l'argent qu'elle pourra coûter
Et, malgré votre fils, de la faire écarter.
Car enfin, si l'on veut qu'à l'hymen il se range,
A cette amour naissante il faut donner le change;
Et de plus, quand bien même il serait résolu,
Qu'il aurait pris le joug que vous avez voulu,
Cet autre objet, pouvant réveiller son caprice,
Au mariage encor peut porter préjudice.

PANDOLFE

C'est très bien raisonné, ce conseil me plaît fort...
Je vois Anselme; va, je m'en vais faire effort

Pour avoir promptement cette esclave funeste,
Et la mettre en tes mains pour achever le reste.

MASCARILLE, *seul*.

Bon; allons avertir mon maître de ceci.
Vive la fourberie et les fourbes aussi!

SCÈNE VIII

HIPPOLYTE, MASCARILLE

HIPPOLYTE

Oui, traître, c'est ainsi que tu me rends service?
Je viens de tout entendre et voir ton artifice :
A moins que de cela, l'eussé-je soupçonné?
Tu payes d'imposture, et tu m'en as donné!
Tu m'avais promis, lâche, et j'avais lieu d'attendre
Qu'on te verrait servir mes ardeurs pour Léandre,
Que du choix de Lélie, où l'on veut m'obliger,
Ton adresse et tes soins sauraient me dégager,
Que tu m'affranchirais du projet de mon père;
Et cependant ici tu fais tout le contraire.
Mais tu t'abuseras; je sais un sûr moyen
Pour rompre cet achat où tu pousses si bien;
Et je vais de ce pas...

MASCARILLE

                    Ah! que vous êtes prompte!
La mouche tout d'un coup à la tête vous monte,
Et, sans considérer s'il a raison ou non,
Votre esprit contre moi fait le petit démon.
J'ai tort, et je devrais, sans finir mon ouvrage,
Vous faire dire vrai, puisqu'ainsi l'on m'outrage.

HIPPOLYTE

Par quelle illusion penses-tu m'éblouir?
Traître, peux-tu nier ce que je viens d'ouïr?

MASCARILLE

Non. Mais il faut savoir que tout cet artifice
Ne va directement qu'à vous rendre service;
Que ce conseil adroit, qui semble être sans fard,
Jette dans le panneau l'un et l'autre vieillard;
Que mon soin par leurs mains ne veut avoir Célie
Qu'à dessein de la mettre au pouvoir de Lélie,
Et faire que, l'effet de cette invention
Dans le dernier excès portant sa passion,
Anselme, rebuté de son prétendu gendre,
Puisse tourner son choix du côté de Léandre.

HIPPOLYTE

Quoi! tout ce grand projet qui m'a mise en courroux,
Tu l'as formé pour moi, Mascarille?

MASCARILLE

                     Oui, pour vous;
Mais puisqu'on reconnaît si mal mes bons offices,
Qu'il me faut de la sorte essuyer vos caprices,
Et que, pour récompense, on s'en vient de hauteur
Me traiter de faquin, de lâche, d'imposteur,
Je m'en vais réparer l'erreur que j'ai commise
Et, dès ce même pas, rompre mon entreprise.

HIPPOLYTE, *l'arrêtant.*

Hé! ne me traite pas si rigoureusement,
Et pardonne aux transports d'un premier mouvement.

MASCARILLE

Non, non, laissez-moi faire; il est en ma puissance
De détourner le coup qui si fort vous offense.
Vous ne vous plaindrez point de mes soins désormais;
Oui, vous aurez mon maître, et je vous le promets.

HIPPOLYTE

Hé! mon pauvre garçon, que ta colère cesse.
J'ai mal jugé de toi, j'ai tort, je le confesse;

Tirant sa bourse.

Mais je veux réparer ma faute avec ceci.
Pourrais-tu te résoudre à me quitter ainsi?

MASCARILLE

Non, je ne le saurais, quelque effort que je fasse,
Mais votre promptitude est de mauvaise grâce.
Apprenez qu'il n'est rien qui blesse un noble cœur
Comme quand il peut voir qu'on le touche en l'honneur.

HIPPOLYTE

Il est vrai; je t'ai dit de trop grosses injures;
Mais que ces deux louis guérissent tes blessures.

MASCARILLE

Hé! tout cela n'est rien. Je suis tendre à ces coups;
Mais déjà je commence à perdre mon courroux :
Il faut de ses amis endurer quelque chose.

HIPPOLYTE

Pourras-tu mettre à fin ce que je me propose?
Et crois-tu que l'effet de tes desseins hardis
Produise à mon amour le succès que tu dis?

MASCARILLE

N'ayez point pour ce fait l'esprit sur des épines.
J'ai des ressorts tout prêts pour diverses machines;
Et quand ce stratagème à nos vœux manquerait,
Ce qu'il ne ferait pas, un autre le ferait.

HIPPOLYTE

Crois qu'Hippolyte au moins ne sera pas ingrate.

MASCARILLE

L'espérance du gain n'est pas ce qui me flatte.

HIPPOLYTE

Ton maître te fait signe et veut parler à toi :
Je te quitte; mais songe à bien agir pour moi.

SCÈNE IX

MASCARILLE, LÉLIE

LÉLIE

Que diable fais-tu là? Tu me promets merveille;
Mais ta lenteur d'agir est pour moi sans pareille.
Sans que mon bon génie au-devant m'a poussé,
Déjà tout mon bonheur eût été renversé.
C'était fait de mon bien, c'était fait de ma joie,
D'un regret éternel je devenais la proie;
Bref, si je ne me fusse en ce lieu rencontré,
Anselme avait l'esclave, et j'en étais frustré :
Il l'emmenait chez lui. Mais j'ai paré l'atteinte.
J'ai détourné le coup, et tant fait que, par crainte,
Le pauvre Trufaldin l'a retenue.

MASCARILLE

                    Et trois :
Quand nous serons à dix, nous ferons une croix.
C'était par mon adresse, ô cervelle incurable!
Qu'Anselme entreprenait cet achat favorable;
Entre mes propres mains on la devait livrer,
Et vos soins endiablés nous en viennent sevrer.
Et puis pour votre amour je m'emploierais encore?
J'aimerais mieux cent fois être grosse pécore,
Devenir cruche, chou, lanterne, loup-garou,
Et que Monsieur Satan vous vînt tordre le cou.

LÉLIE, *seul.*

Il nous le faut mener en quelque hôtellerie,
Et faire sur les pots décharger sa furie.

ACTE II

SCÈNE PREMIÈRE

MASCARILLE, LÉLIE

MASCARILLE

A vos désirs enfin il a fallu se rendre :
Malgré tous mes serments je n'ai pu m'en défendre.
Et pour vos intérêts, que je voulais laisser,
En de nouveaux périls viens de m'embarrasser.
Je suis ainsi facile; et si de Mascarille
Madame la Nature avait fait une fille,
Je vous laisse à penser ce que ç'aurait été.
Toutefois n'allez pas, sur cette sûreté,
Donner de vos revers au projet que je tente,
Me faire une bévue et rompre mon attente.
Auprès d'Anselme encor nous vous excuserons,
Pour en pouvoir tirer ce que nous désirons;
Mais si dorénavant votre imprudence éclate,
Adieu vous dis mes soins pour l'objet qui vous flatte.

LÉLIE

Non, je serai prudent, te dis-je, ne crains rien :
Tu verras seulement...

MASCARILLE

Souvenez-vous-en bien;
J'ai commencé pour vous un hardi stratagème :
Votre père fait voir une paresse extrême
A rendre par sa mort tous vos désirs contents;
Je viens de le tuer (de parole, j'entends) :
Je fais courir le bruit que d'une apoplexie
Le bonhomme surpris a quitté cette vie.
Mais avant, pour pouvoir mieux feindre ce trépas,
J'ai fait que vers sa grange, il a porté ses pas.
On est venu lui dire, et par mon artifice,

Que les ouvriers qui sont après son édifice,
Parmi les fondements qu'ils en jettent encor,
Avaient fait par hasard rencontre d'un trésor;
Il a volé d'abord; et comme à la campagne
Tout son monde à présent, hors nous deux, l'accompagne,
Dans l'esprit d'un chacun je le tue aujourd'hui,
Et produis un fantôme enseveli pour lui.
Enfin je vous ai dit à quoi je vous engage.
Jouez bien votre rôle; et, pour mon personnage,
Si vous apercevez que j'y manque d'un mot,
Dites absolument que je ne suis qu'un sot.

LÉLIE, *seul*

Son esprit, il est vrai, trouve une étrange voie
Pour adresser mes vœux au comble de leur joie;
Mais quand d'un bel objet on est bien amoureux,
Que ne ferait-on pas pour devenir heureux?
Si l'amour est au crime une assez belle excuse,
Il en peut bien servir à la petite ruse
Que sa flamme aujourd'hui me force d'approuver
Par la douceur du bien qui m'en doit arriver.
Juste Ciel! qu'ils sont prompts! Je les vois en parole.
Allons nous préparer à jouer notre rôle.

SCÈNE II

MASCARILLE, ANSELME

MASCARILLE

La nouvelle a sujet de vous surprendre fort.

ANSELME

Etre mort de la sorte!

MASCARILLE

   Il a certes grand tort:
Je lui sais mauvais gré d'une telle incartade.

ANSELME

N'avoir pas seulement le temps d'être malade!

MASCARILLE

Non, jamais homme n'eut si hâte de mourir.

ANSELME

Et Lélie?

MASCARILLE

Il se bat, et ne peut rien souffrir;
Il s'est fait en maints lieux contusion et bosse,
Et veut accompagner son papa dans la fosse.
Enfin, pour achever, l'excès de son transport
M'a fait en grand hâte ensevelir le mort,
De peur que cet objet, qui le rend hypocondre,
A faire un vilain coup ne me l'allât semondre.

ANSELME

N'importe, tu devais attendre jusqu'au soir :
Outre qu'encore un coup j'aurais voulu le voir,
Qui tôt ensevelit bien souvent assassine;
Et tel est cru défunt, qui n'en a que la mine.

MASCARILLE

Je vous le garantis trépassé comme il faut.
Au reste, pour venir au discours de tantôt,
Lélie, et l'action lui sera salutaire,
D'un bel enterrement veut régaler son père,
Et consoler un peu ce défunt de son sort
Par le plaisir de voir faire honneur à sa mort.
Il hérite beaucoup; mais comme en ses affaires
Il se trouve assez neuf et ne voit encor guères,
Que son bien, la plupart, n'est point en ces quartiers,
Ou que ce qu'il y tient consiste en des papiers,
Il voudrait vous prier, ensuite de l'instance
D'excuser de tantôt son trop de violence,
De lui prêter au moins pour ce dernier devoir...

ANSELME

Tu me l'as déjà dit, et je m'en vais le voir.

MASCARILLE, *seul.*

Jusques ici du moins tout va le mieux du monde.
Tâchons à ce progrès que le reste réponde,
Et, de peur de trouver dans le port un écueil,
Conduisons le vaisseau de la main et de l'œil.

SCÈNE III

LÉLIE, ANSELME, MASCARILLE

ANSELME

Sortons; je ne saurais qu'avec douleur très forte
Le voir empaqueté de cette étrange sorte.
Las! en si peu de temps! il vivait ce matin!

MASCARILLE

En peu de temps parfois on fait bien du chemin.

LÉLIE, *pleurant.*

Ah!

ANSELME

Mais quoi! cher Lélie; enfin il était homme.
On n'a point pour la mort de dispense de Rome.

LÉLIE

Ah!

ANSELME

Sans leur dire gare elle abat les humains,
Et contre eux de tout temps a de mauvais desseins.

LÉLIE

Ah!

ANSELME

Ce fier animal, pour toutes les prières,
Ne perdrait pas un coup de ses dents meurtrières;
Tout le monde y passe.

LÉLIE

Ah!

MASCARILLE

                Vous avez beau prêcher,
Ce deuil enraciné ne se peut arracher.

ANSELME

Si malgré ces raisons votre ennui persévère,
Mon cher Lélie, au moins faites qu'il se modère.

LÉLIE

Ah!

MASCARILLE

   Il n'en fera rien, je connais son humeur.

ANSELME

Au reste, sur l'avis de votre serviteur,
J'apporte ici l'argent qui vous est nécessaire
Pour faire célébrer les obsèques d'un père...

LÉLIE

Ah! Ah!

MASCARILLE

         Comme à ce mot s'augmente sa douleur!
Il ne peut sans mourir songer à ce malheur.

ANSELME

Je sais que vous verrez aux papiers du bonhomme
Que je suis débiteur d'une plus grande somme;
Mais quand par ces raisons je ne vous devrais rien,
Vous pourriez librement disposer de mon bien.
Tenez, je suis tout vôtre, et le ferai paraître.

LÉLIE, *s'en allant.*

Ah!

MASCARILLE

   Le grand déplaisir que sent Monsieur mon maître!

ANSELME

Mascarille, je crois qu'il serait à propos
Qu'il me fît de sa main un reçu de deux mots.

MASCARILLE

Ah!

ANSELME

Des événements l'incertitude est grande.

MASCARILLE

Ah!

ANSELME

Faisons-lui signer le mot que je demande.

MASCARILLE

Las! en l'état qu'il est, comment vous contenter?
Donnez-lui le loisir de se désattrister;
Et quand ses déplaisirs prendront quelque allégeance,
J'aurais soin d'en tirer d'abord votre assurance.
Adieu; je sens mon cœur qui se gonfle d'ennui,
Et m'en vais tout mon soûl pleurer avecque lui.
Hi!

ANSELME, *seul.*

Le monde est rempli de beaucoup de traverses.
Chaque homme tous les jours en ressent de diverses,
Et jamais ici-bas...

SCÈNE IV

PANDOLFE, ANSELME

ANSELME

Ah! bon Dieu! je frémi!
Pandolfe qui revient! Fût-il bien endormi!
Comme depuis sa mort sa face est amaigrie!
Las! ne m'approchez pas de plus près, je vous prie;
J'ai trop de répugnance à coudoyer un mort.

PANDOLFE

D'où peut donc provenir ce bizarre transport?

ANSELME

Dites-moi de bien loin quel sujet vous amène.
Si pour me dire adieu, vous prenez tant de peine,
C'est trop de courtoisie, et véritablement
Je me serais passé de votre compliment.
Si votre âme est en peine[1] et cherche des prières,
Las! je vous en promets, et ne m'effrayez guères.
Foi d'homme épouvanté, je vais faire à l'instant
Prier tant Dieu pour vous que vous serez content.
    Disparaissez donc, je vous prie;
    Et que le Ciel par sa bonté
    Comble de joie et de santé
    Votre défunte seigneurie!

PANDOLFE, *riant.*

Malgré tout mon dépit, il m'y faut prendre part.

ANSELME

Las! pour un trépassé vous êtes bien gaillard!

PANDOLFE

Est-ce jeu, dites-nous, ou bien si c'est folie,
Qui traite de défunt une personne en vie?

ANSELME

Hélas! vous êtes mort, et je viens de vous voir.

PANDOLFE

Quoi! j'aurais trépassé sans m'en apercevoir?

ANSELME

Sitôt que Mascarille en a dit la nouvelle,
J'en ai senti dans l'âme une douleur mortelle.

PANDOLFE

Mais enfin, dormez-vous? Etes-vous éveillé?
Me connaissez-vous pas?

ANSELME

        Vous êtes habillé
D'un corps aérien qui contrefait le vôtre,

Mais qui dans un moment peut devenir tout autre.
Je crains fort de vous voir comme un géant grandir,
Et tout votre visage affreusement laidir.
Pour Dieu! ne prenez point de vilaine figure;
J'ai prou de ma frayeur en cette conjecture.

PANDOLFE

En une autre saison, cette naïveté
Dont vous accompagnez votre crédulité,
Anselme, me serait un charmant badinage,
Et j'en prolongerais le plaisir davantage;
Mais, avec cette mort, un trésor supposé
Dont parmi les chemins on m'a désabusé,
Fomente dans mon âme un soupçon légitime :
Mascarille est un fourbe, et fourbe fourbissime,
Sur qui ne peuvent rien la crainte et le remords,
Et qui pour ses desseins a d'étranges ressorts.

ANSELME

M'aurait-on joué pièce et fait supercherie?
Ah! vraiment, ma raison, vous seriez fort jolie!
Touchons un peu pour voir; en effet, c'est bien lui.
Malepeste du sot que je suis aujourd'hui!
De grâce, n'allez pas divulguer un tel conte :
On en ferait jouer quelque farce à ma honte;
Mais, Pandolfe, aidez-moi vous-même à retirer
L'argent que j'ai donné pour vous faire enterrer.

PANDOLFE

De l'argent, dites-vous? Ah! voilà l'enclouure!
C'est là le nœud secret de toute l'aventure!
A votre dam. Pour moi, sans m'en mettre en souci,
Je vais faire informer de cette affaire-ci
Contre ce Mascarille, et si l'on peut le prendre,
Quoi qu'il puisse coûter, je veux le faire pendre.

ANSELME, *seul*.

Et moi, la bonne dupe, à trop croire un vaurien,
Il faut donc qu'aujourd'hui je perdre et sens et bien?
Il me sied bien, ma foi, de porter tête grise,
Et d'être encor si prompt à faire une sottise,
D'examiner si peu sur un premier rapport!...
Mais je vois...

SCÈNE V

LÉLIE, ANSELME

LÉLIE

Maintenant, avec ce passeport,
Je puis à Trufaldin rendre aisément visite.

ANSELME

A ce que je puis voir, votre douleur vous quitte.

LÉLIE

Que dites-vous? Jamais elle ne quittera
Un cœur qui chèrement toujours la nourrira.

ANSELME

Je reviens sur mes pas vous dire avec franchise
Que tantôt avec vous j'ai fait une méprise;
Que parmi ces louis, quoiqu'ils semblent très beaux,
J'en ai, sans y penser, mêlé que je tiens faux;
Et j'apporte sur moi de quoi mettre en leur place.
De nos faux monnayeurs l'insupportable audace
Pullule en cet État d'une telle façon,
Qu'on ne reçoit plus rien qui soit hors de soupçon.
Mon Dieu! qu'on ferait bien de les faire tous pendre!

LÉLIE

Vous me faites plaisir de les vouloir reprendre;
Mais je n'en ai point vu de faux, comme je crois.

ANSELME

Je les connaîtrai bien; montrez, montrez-les-moi.
Est-ce tout?

LÉLIE

Oui.

ANSELME

        Tant mieux. Enfin, je vous raccroche,
Mon argent bien aimé; rentrez dedans ma poche.
Et vous, mon brave escroc, vous ne tenez plus rien.
Vous tuez donc des gens qui se portent fort bien?
Et qu'auriez-vous donc fait sur moi, chétif beau-père?
Ma foi, je m'engendrais d'une belle manière.
Et j'allais prendre en vous un beau-fils fort discret!
Allez, allez mourir de honte et de regret.

LÉLIE, *seul.*

Il faut dire : « J'en tiens. » Quelle surprise extrême!
D'où peut-il avoir su si tôt le stratagème?

SCÈNE VI

MASCARILLE, LÉLIE

MASCARILLE

Quoi! vous étiez sorti? Je vous cherchais partout.
Hé bien! en sommes-nous enfin venus à bout?
Je le donne en six coups au fourbe le plus brave.
Çà, donnez-moi que j'aille acheter notre esclave;
Votre rival après sera bien étonné.

LÉLIE

Ah! mon pauvre garçon, la chance a bien tourné!
Pourrais-tu de mon sort deviner l'injustice?

MASCARILLE

Quoi? que serait-ce?

LÉLIE

        Anselme, instruit de l'artifice,
M'a repris maintenant tout ce qu'il nous prêtait,
Sous couleur de changer de l'or que l'on doutait.

MASCARILLE

Vous vous moquez peut-être?

LÉLIE

Il est trop véritable.

MASCARILLE

Tout de bon?

LÉLIE

Tout de bon; j'en suis inconsolable.
Tu te vas emporter d'un courroux sans égal.

MASCARILLE

Moi, Monsieur? Quelque sot! La colère fait mal;
Et je veux me choyer quoi qu'enfin il arrive.
Que Célie après tout soit ou libre ou captive,
Que Léandre l'achète ou qu'elle reste là,
Pour moi, je m'en soucie autant que de cela.

LÉLIE

Ah! n'aye point pour moi si grande indifférence,
Et sois plus indulgent à ce peu d'imprudence!
Sans ce dernier malheur, ne m'avoueras-tu pas
Que j'avais fait merveille, et qu'en ce feint trépas
J'éludais un chacun d'un deuil si vraisemblable,
Que les plus clairvoyants l'auraient cru véritable?

MASCARILLE

Vous avez en effet sujet de vous louer.

LÉLIE

Eh bien! je suis coupable, et je veux l'avouer;
Mais si jamais mon bien te fut considérable,
Répare ce malheur, et me sois secourable.

MASCARILLE

Je vous baise les mains; je n'ai pas le loisir.

LÉLIE

Mascarille, mon fils.

MASCARILLE

Point.

LÉLIE

Fais-moi ce plaisir.

MASCARILLE

Non, je n'en ferai rien.

LÉLIE

Si tu m'es inflexible,
Je m'en vais me tuer.

MASCARILLE

Soit; il vous est loisible.

LÉLIE

Je ne te puis fléchir?

MASCARILLE

Non.

LÉLIE

Vois-tu le fer prêt?

MASCARILLE

Oui.

LÉLIE

Je vais le pousser.

MASCARILLE

Faites ce qu'il vous plaît.

LÉLIE

Tu n'auras pas regret de m'arracher la vie?

MASCARILLE

Non.

LÉLIE

Adieu, Mascarille.

MASCARILLE
Adieu, Monsieur Lélie.

LÉLIE

Quoi?

MASCARILLE
Tuez-vous donc vite. Ah! que de longs devis!

LÉLIE

Tu voudrais bien, ma foi, pour avoir mes habits,
Que je fisse le sot, et que je me tuasse.

MASCARILLE

Savais-je pas qu'enfin ce n'était que grimace,
Et, quoi que ces esprits jurent d'effectuer,
Qu'on n'est point aujourd'hui si prompt à se tuer?

SCÈNE VII

LÉANDRE, TRUFALDIN, LÉLIE, MASCARILLE
Trufaldin parle bas à Léandre, dans le fond du théâtre.

LÉLIE

Que vois-je? mon rival et Trufaldin ensèmble!
Il achète Célie! ah! de frayeur je tremble.

MASCARILLE

Il ne faut point douter qu'il fera ce qu'il peut,
Et, s'il a de l'argent, qu'il pourra ce qu'il veut.
Pour moi, j'en suis ravi. Voilà la récompense
De vos brusques erreurs, de votre impatience.

LÉLIE

Que dois-je faire? dis, veuille me conseiller.

MASCARILLE

Je ne sais.

LÉLIE

Laisse-moi, je vais le quereller.

MASCARILLE

Qu'en arrivera-t-il?

LÉLIE

Que veux-tu que je fasse
Pour empêcher ce coup?

MASCARILLE

Allez, je vous fais grâce.
Je jette encore un œil pitoyable sur vous.
Laissez-moi l'observer; par des moyens plus doux
Je vais, comme je crois, savoir ce qu'il projette.

Lélie sort.

TRUFALDIN, *à Léandre.*

Quand on viendra tantôt, c'est une affaire faite.

Trufaldin sort.

MASCARILLE, *à part, en s'en allant.*

Il faut que je l'attrape, et que de ses desseins
Je sois le confident, pour mieux les rendre vains.

LÉANDRE, *seul.*

Grâces au Ciel, voilà mon bonheur hors d'atteinte;
J'ai su me l'assurer, et je n'ai plus de crainte.
Quoi que désormais puisse entreprendre un rival,
Il n'est plus en pouvoir de me faire du mal.

MASCARILLE *dit ces deux vers dans la maison et entre.*

Ay! Ay! à l'aide! au meurtre! au secours! on m'assomme!
Ah! ah! ah! ah! ah! ah! ô traître! ô bourreau d'homme!

LÉANDRE

D'où procède cela? Qu'est-ce? que te fait-on?

MASCARILLE

On vient de me donner deux cents coups de bâton.

LÉANDRE

Qui?

MASCARILLE

Lélie.

LÉANDRE

Et pourquoi?

MASCARILLE

Pour une bagatelle,
Il me chasse et me bat d'une façon cruelle.

LÉANDRE

Ah! vraiment il a tort.

MASCARILLE

Mais, ou je ne pourrai,
Ou je jure bien fort que je m'en vengerai.
Oui, je te ferai voir, batteur que Dieu confonde,
Que ce n'est pas pour rien qu'il faut rouer le monde,
Que je suis un valet, mais fort homme d'honneur,
Et qu'après m'avoir eu quatre ans pour serviteur,
Il ne me fallait pas payer en coups de gaules,
Et me faire un affront si sensible aux épaules;
Je te le dis encor, je saurai m'en venger.
Une esclave te pla.t, tu voulais m'engager
A la mettre en tes mains, et je veux faire en sorte
Qu'un autre te l'enlève, ou le diable m'emporte!

LÉANDRE

Écoute, Mascarille, et quitte ce transport:
Tu m'as plu de tout temps, et je souhaitais fort
Qu'un garçon comme toi, plein d'esprit et fidèle,
A mon service un jour pût attacher son zèle;
Enfin, si le parti te semble bon pour toi,
Si tu veux me servir, je t'arrête avec moi.

MASCARILLE

Oui, Monsieur, d'autant mieux que le destin propice
M'offre à me bien venger en vous rendant service,

Et que dans mes efforts pour vos contentements
Je puis à mon brutal trouver des châtiments ;
De Célie, en un mot, par mon adresse extrême...

LÉANDRE

Mon amour s'est rendu cet office lui-même :
Enflammé d'un objet qui n'a point de défaut,
Je viens de l'acheter moins encor qu'il ne vaut.

MASCARILLE

Quoi! Célie est à vous?

LÉANDRE

    Tu la verrais paraître,
Si de mes actions j'étais tout à fait maître ;
Mais quoi! mon père l'est : comme il a volonté,
Ainsi que je l'apprends d'un paquet apporté,
De me déterminer à l'hymen d'Hippolyte,
J'empêche qu'un rapport de tout ceci l'irrite.
Donc avec Trufaldin, car je sors de chez lui,
J'ai voulu tout exprès agir au nom d'autrui ;
Et, l'achat fait, ma bague est la marque choisie
Sur laquelle au premier il doit livrer Célie.
Je songe auparavant à chercher les moyens
D'ôter aux yeux de tous ce qui charme les miens,
A trouver promptement un endroit favorable
Où puisse être en secret cette captive aimable.

MASCARILLE

Hors de la ville un peu, je puis avec raison
D'un vieux parent que j'ai vous offrir la maison ;
Là vous pourrez la mettre avec toute assurance,
Et de cette action nul n'aura connaissance.

LÉANDRE

Oui, ma foi, tu me fais un plaisir souhaité.
Tiens donc, et va pour moi prendre cette beauté.
Dès que par Trufaldin ma bague sera vue,
Aussitôt en tes mains elle sera rendue ;
Et dans cette maison tu me la conduiras
Quand... Mais chut! Hippolyte est ici sur nos pas.

SCÈNE VIII

HIPPOLYTE, LÉANDRE, MASCARILLE

HIPPOLYTE

Je dois vous annoncer, Léandre, une nouvelle;
Mais la trouverez-vous agréable ou cruelle?

LÉANDRE

Pour en pouvoir juger et répondre soudain,
Il faudrait la savoir.

HIPPOLYTE

Donnez-moi donc la main
Jusqu'au temple; en marchant je pourrai vous l'apprendre

LÉANDRE, *à Mascarille.*

Va, va-t'en me servir sans davantage attendre.

MASCARILLE, *seul.*

Oui, je te vais servir d'un plat de ma façon.
Fut-il jamais au monde un plus heureux garçon?
Oh! que dans un moment Lélie aura de joie!
Sa maîtresse en nos mains tomber par cette voie!
Recevoir tout son bien d'où l'on attend le mal,
Et devenir heureux par la main d'un rival!
Après ce rare exploit, je veux que l'on s'apprête
A me peindre en héros, un laurier sur la tête,
Et qu'au bas du portrait on mette en lettres d'or:
Vivat Mascarillus, fourbum imperator[2]!

SCÈNE IX

TRUFALDIN, MASCARILLE

MASCARILLE

Holà!

TRUFALDIN

Que voulez-vous?

MASCARILLE

Cette bague connue
Vous dira le sujet qui cause ma venue.

TRUFALDIN

Oui, je reconnais bien la bague que voilà.
Je vais querir l'esclave; arrêtez un peu là.

SCÈNE X

LE COURRIER, TRUFALDIN, MASCARILLE

LE COURRIER, *à Trufaldin.*

Seigneur, obligez-moi de m'enseigner un homme...

TRUFALDIN

Et qui?

LE COURRIER

Je crois que c'est Trufaldin qu'il se nomme.

TRUFALDIN

Et que lui voulez-vous? Vous le voyez ici.

LE COURRIER

Lui rendre seulement la lettre que voici.

TRUFALDIN *lit.*

Le Ciel, dont la bonté prend souci de ma vie,
Vient de me faire ouïr par un bruit assez doux
Que ma fille, à quatre ans par des voleurs ravie,
Sous le nom de Célie est esclave chez vous,

Si vous sûtes jamais ce que c'est qu'être père,
Et vous trouvez sensible aux tendresses du sang,
Conservez-moi chez vous cette fille si chère,
Comme si de la vôtre elle tenait le rang.

Pour l'aller retirer, je pars d'ici moi-même,
Et vous vais de vos soins récompenser si bien,
Que par votre bonheur, que je veux rendre extrême,
Vous bénirez le jour où vous causez le mien.
             de Madrid.

> DOM PEDRO DE GUSMAN,
> Marquis de MONTALCANE.

Il continue.

Quoiqu'à leur nation bien peu de foi soit due,
Ils me l'avaient bien dit, ceux qui me l'ont vendue,
Que je verrais dans peu quelqu'un la retirer,
Et que je n'aurais pas sujet d'en murmurer;
Et cependant j'allais, dans mon impatience,
Perdre aujourd'hui les fruits d'une haute espérance.

Au courrier.

Un seul moment plus tard, tous vos pas étaient vains :
J'allais mettre en l'instant cette fille en ses mains.
Mais suffit, j'en aurai tout le soin qu'on désire.

Le courrier sort.

A Mascarille.

Vous-même, vous voyez ce que je viens de lire.
Vous direz à celui qui vous a fait venir
Que je ne lui saurais ma parole tenir,
Qu'il vienne retirer son argent.

MASCARILLE

                    Mais l'outrage
Que vous lui faites...

TRUFALDIN

             Va, sans causer davantage.

MASCARILLE, *seul.*

Ah! le fâcheux paquet que nous venons d'avoir!
Le sort a bien donné la baye à mon espoir;
Et bien à la malheure est-il venu d'Espagne,
Ce courrier que la foudre ou la grêle accompagne!
Jamais, certes, jamais plus beau commencement
N'eut en si peu de temps plus triste événement.

SCÈNE XI

LÉLIE, *riant*, MASCARILLE

MASCARILLE

Quel beau transport de joie à présent vous inspire?

LÉLIE

Laisse-m'en rire encor avant que te le dire.

MASCARILLE

Çà, rions donc bien fort, nous en avons sujet.

LÉLIE

Ah! je ne serai plus de tes plaintes l'objet.
Tu ne me diras plus, toi qui toujours me cries,
Que je gâte en brouillon toutes tes fourberies :
J'ai bien joué moi-même un tour des plus adroits.
Il est vrai, je suis prompt, et m'emporte parfois;
Mais pourtant, quand je veux, j'ai l'imaginative
Aussi bonne en effet que personne qui vive;
Et toi-même avoueras que ce que j'ai fait, part
D'une pointe d'esprit où peu de monde a part.

MASCARILLE

Sachons donc ce qu'a fait cette imaginative.

LÉLIE

Tantôt, l'esprit ému d'une frayeur bien vive
D'avoir vu Trufaldin avecque mon rival,
Je songeais à trouver un remède à ce mal,
Lorsque, me ramassant tout entier en moi-même,
J'ai conçu, digéré, produit un stratagème
Devant qui tous les tiens, dont tu fais tant de cas,
Doivent, sans contredit, mettre pavillon bas.

MASCARILLE

Mais qu'est-ce?

LÉLIE

Ah! s'il te plaît, donne-toi patience.
J'ai donc feint une lettre avecque diligence,
Comme d'un grand Seigneur écrite à Trufaldin,
Qui mande qu'ayant su par un heureux destin
Qu'une esclave qu'il tient sous le nom de Célie
Est sa fille, autrefois par des voleurs ravie,
Il veut la venir prendre, et le conjure au moins
De la garder toujours, de lui rendre des soins;
Qu'à ce sujet il part d'Espagne, et doit pour elle
Par de si grands présents reconnaître son zèle,
Qu'il n'aura point regret de causer son bonheur.

MASCARILLE

Fort bien.

LÉLIE

Ecoute donc, voici bien le meilleur.
La lettre que je dis a donc été remise;
Mais sais-tu bien comment? en saison si bien prise,
Que le porteur m'a dit que, sans ce trait falot,
Un homme l'emmenait, qui s'est trouvé fort sot.

MASCARILLE

Vous avez fait ce coup sans vous donner au diable?

LÉLIE

Oui. D'un tour si subtil m'aurais-tu cru capable?
Loue au moins mon adresse, et la dextérité
Dont je romps d'un rival le dessein concerté.

MASCARILLE

A vous pouvoir louer selon votre mérite
Je manque d'éloquence, et ma force est petite.
Oui, pour bien étaler cet effort relevé,
Ce bel exploit de guerre à nos yeux achevé,
Ce grand et rare effet d'une imaginative
Qui ne cède en vigueur à personne qui vive,
Ma langue est impuissante, et je voudrais avoir
Celles de tous les gens du plus exquis savoir,
Pour vous dire en beaux vers, ou bien en docte prose,
Que vous serez toujours, quoi que l'on se propose,

Tout ce que vous avez été durant vos jours,
C'est-à-dire un esprit chaussé tout à rebours,
Une raison malade et toujours en débauche,
Un envers du bon sens, un jugement à gauche,
Un brouillon, une bête, un brusque, un étourdi,
Que sais-je? un cent fois plus encore que je ne di :
C'est faire en abrégé votre panégyrique.

LÉLIE

Apprends-moi le sujet qui contre moi te pique ;
Ai-je fait quelque chose? Éclaircis-moi ce point.

MASCARILLE

Non, vous n'avez rien fait ; mais ne me suivez point.

LÉLIE

Je te suivrai partout pour savoir ce mystère.

MASCARILLE

Oui? Sus donc, préparez vos jambes à bien faire,
Car je vais vous fournir de quoi les exercer.

LÉLIE, *seul.*

Il m'échappe! O malheur qui ne se peut forcer!
Au discours qu'il m'a fait que saurais-je comprendre?
Et quel mauvais office aurais-je pu me rendre?

ACTE III

SCÈNE PREMIÈRE

MASCARILLE

Taisez-vous, ma bonté, cessez votre entretien,
Vous êtes une sotte, et je n'en ferai rien.
Oui, vous avez raison, mon courroux, je l'avoue ;
Relier tant de fois ce qu'un brouillon dénoue,

C'est trop de patience, et je dois en sortir,
Après de si beaux coups qu'il a su divertir.
Mais aussi, raisonnons un peu sans violence :
Si je suis maintenant ma juste impatience,
On dira que je cède à la difficulté,
Que je me trouve à bout de ma subtilité;
Et que deviendra lors cette publique estime
Qui te vante partout pour un fourbe sublime,
Et que tu t'es acquise en tant d'occasions
A ne t'être jamais vu court d'inventions?
L'honneur, ô Mascarille, est une belle chose!
A tes nobles travaux ne fais aucune pause,
Et quoi qu'un maître ait fait pour te faire enrager,
Achève pour ta gloire, et non pour l'obliger.
Mais quoi! que feras-tu, que de l'eau toute claire,
Traversé sans repos par ce démon contraire?
Tu vois qu'à chaque instant il te fait déchanter,
Et que c'est battre l'eau de prétendre arrêter
Ce torrent effréné, qui de tes artifices
Renverse en un moment les plus beaux édifices.
Eh bien! pour toute grâce, encore un coup du moins,
Au hasard du succès sacrifions des soins;
Et s'il poursuit encore à rompre notre chance,
J'y consens, ôtons-lui toute notre assistance.
Cependant notre affaire encor n'irait pas mal,
Si par là nous pouvions perdre notre rival,
Et que Léandre enfin, lassé de sa poursuite,
Nous laissât jour entier pour ce que je médite.
Oui, je roule en ma tête un trait ingénieux,
Dont je promettrais bien un succès glorieux,
Si je puis n'avoir plus cet obstacle à combattre.
Bon, voyons si son feu se rend opiniâtre.

SCÈNE II

LÉANDRE, MASCARILLE

MASCARILLE

Monsieur, j'ai perdu temps, votre homme se dédit.

LÉANDRE

De la chose lui-même il m'a fait le récit;
Mais c'est bien plus : j'ai su que tout ce beau mystère
D'un rapt d'Egyptiens, d'un grand seigneur pour père,
Qui doit partir d'Espagne et venir en ces lieux,
N'est qu'un pur stratagème, un trait facétieux,
Une histoire à plaisir, un conte dont Lélie
A voulu détourner notre achat de Célie.

MASCARILLE

Voyez un peu la fourbe!

LÉANDRE

                 Et pourtant Trufaldin
Est si bien imprimé de ce conte badin,
Mord si bien à l'appât de cette faible ruse,
Qu'il ne veut point souffrir que l'on le désabuse.

MASCARILLE

C'est pourquoi désormais il la gardera bien,
Et je ne vois pas lieu d'y prétendre plus rien.

LÉANDRE

Si d'abord à mes yeux elle parut aimable,
Je viens de la trouver tout à fait adorable;
Et je suis en suspens si, pour me l'acquérir,
Aux extrêmes moyens je ne dois point courir,
Par le don de ma foi rompre sa destinée
Et changer ses liens en ceux de l'hyménée.

MASCARILLE

Vous pourriez l'épouser?

LÉANDRE

               Je ne sais; mais enfin,
Si quelque obscurité se trouve en son destin,
Sa grâce et sa vertu sont de douces amorces,
Qui pour tirer les cœurs ont d'incroyables forces.

MASCARILLE

Sa vertu, dites-vous?

LÉANDRE

Quoi? que murmures-tu?
Achève, explique-toi sur ce mot de vertu.

MASCARILLE

Monsieur, votre visage en un moment s'altère,
Et je ferai bien mieux peut-être de me taire.

LÉANDRE

Non, non, parle.

MASCARILLE

Hé bien, donc! très charitablement
Je vous veux retirer de votre aveuglement.
Cette fille...

LÉANDRE

Poursuis.

MASCARILLE

N'est rien moins qu'inhumaine.
Dans le particulier elle oblige sans peine;
Et son cœur, croyez-moi, n'est point roche, après tout,
A quiconque la sait prendre par le bon bout.
Elle fait la sucrée et veut passer pour prude;
Mais je puis en parler avecque certitude.
Vous savez que je suis quelque peu du métier
A me devoir connaître en un pareil gibier.

LÉANDRE

Célie?...

MASCARILLE

Oui, sa pudeur n'est que franche grimace,
Qu'une ombre de vertu qui garde mal la place,
Et qui s'évanouit, comme l'on peut savoir,
Aux rayons du soleil³ qu'une bourse fait voir.

LÉANDRE

Las! que dis-tu! Croirai-je un discours de la sorte?

MASCARILLE

Monsieur, les volontés sont libres; que m'importe?
Non, ne me croyez pas, suivez votre dessein,
Prenez cette matoise, et lui donnez la main;
Toute la ville en corps reconnaîtra ce zèle,
Et vous épouserez le bien public en elle.

LÉANDRE

Quelle surprise étrange!

MASCARILLE, *bas.*

　　　　　Il a pris l'hameçon.
Courage! s'il se peut enferrer tout de bon,
Nous nous ôtons du pied une fâcheuse épine.

LÉANDRE

Oui, d'un coup étonnant ce discours m'assassine.

MASCARILLE

Quoi! vous pourriez?...

LÉANDRE

　　　　　Va-t'en jusqu'à la poste, et voi
Je ne sais quel paquet qui doit venir pour moi.

Seul, après avoir rêvé.

Qui ne s'y fût trompé? Jamais l'air d'un visage,
Si ce qu'il dit est vrai, n'imposa davantage.

SCÈNE III

LÉLIE, LÉANDRE

LÉLIE

Du chagrin qui vous tient quel peut être l'objet?

LÉANDRE

Moi?

LÉLIE

Vous-même.

LÉANDRE

Pourtant je n'en ai point sujet.

LÉLIE

Je vois bien ce que c'est, Célie en est la cause.

LÉANDRE

Mon esprit ne court pas après si peu de chose.

LÉLIE

Pour elle vous aviez pourtant de grands desseins;
Mais il faut dire ainsi, lorsqu'ils se trouvent vains.

LÉANDRE

Si j'étais assez sot pour chérir ses caresses,
Je me moquerais bien de toutes vos finesses.

LÉLIE

Quelles finesses donc?

LÉANDRE

Mon Dieu! nous savons tout.

LÉLIE

Quoi?

LÉANDRE

Votre procédé de l'un à l'autre bout.

LÉLIE

C'est de l'hébreu pour moi, je n'y puis rien comprendre.

LÉANDRE

Feignez, si vous voulez, de ne me pas entendre;
Mais, croyez-moi, cessez de craindre pour un bien
Où je serais fâché de vous disputer rien.
J'aime fort la beauté qui n'est point profanée,
Et ne veux point brûler pour une abandonnée.

LÉLIE

Tout beau! tout beau, Léandre!

LÉANDRE

                       Ah! que vous êtes bon!
Allez, vous dis-je encor, servez-la sans soupçon;
Vous pourrez vous nommer homme à bonnes fortunes.
Il est vrai, sa beauté n'est pas des plus communes;
Mais en revanche aussi le reste est fort commun.

LÉLIE

Léandre, arrêtez là ce discours importun.
Contre moi tant d'efforts qu'il vous plaira pour elle;
Mais sur tout retenez cette atteinte mortelle.
Sachez que je m'impute à trop de lâcheté
D'entendre mal parler de ma divinité,
Et que j'aurais toujours bien moins de répugnance
A souffrir votre amour qu'un discours qui l'offense.

LÉANDRE

Ce que j'avance ici me vient de bonne part.

LÉLIE

Quiconque vous l'a dit est un lâche, un pendard.
On ne peut imposer de tache à cette fille,
Je connais bien son cœur.

LÉANDRE

             Mais enfin Mascarille
D'un semblable procès est juge compétent;
C'est lui qui la condamne.

LÉLIE

         Oui?

LÉANDRE

            Lui-même.

LÉLIE

                      Il prétend
D'une fille d'honneur insolemment médire,
Et que peut-être encor je n'en ferai que rire!
Gage qu'il se dédit.

LÉANDRE

Et moi, gage que non.

LÉLIE

Parbleu, je le ferais mourir sous le bâton,
S'il m'avait soutenu des faussetés pareilles.

LÉANDRE

Moi, je lui couperais sur-le-champ les oreilles,
S'il n'était pas garant de tout ce qu'il m'a dit.

SCÈNE IV

LÉLIE, LÉANDRE, MASCARILLE

LÉLIE

Ah! bon, bon, le voilà. Venez çà, chien maudit.

MASCARILLE

Quoi?

LÉLIE

Langue de serpent, fertile en impostures
Vous osez sur Célie attacher vos morsures,
Et lui calomnier la plus rare vertu
Qui puisse faire éclat sous un sort abattu?

MASCARILLE, *bas à Lélie.*

Doucement, ce discours est de mon industrie.

LÉLIE

Non, non, point de clin d'œil et point de raillerie.
Je suis aveugle à tout, sourd à quoi que ce soit;
Fût-ce mon propre frère, il me la payeroit;
Et sur ce que j'adore oser porter le blâme,
C'est me faire une plaie au plus tendre de l'âme.
Tous ces signes sont vains; quels discours as-tu faits?

MASCARILLE

Mon Dieu! ne cherchons point querelle, ou je m'en vais.

LÉLIE

Tu n'échapperas pas.

MASCARILLE
            Ay!

LÉLIE
            Parle donc, confesse.

MASCARILLE, *bas à Lélie.*
Laissez-moi, je vous dis que c'est un tour d'adresse.

LÉLIE
Dépêche, qu'as-tu dit? Vide entre nous ce point.

MASCARILLE, *bas à Lélie.*
J'ai dit ce que j'ai dit; ne vous emportez point.

LÉLIE, *mettant l'épée à la main.*
Ah! je vous ferai bien parler d'une autre sorte.

LÉANDRE, *l'arrêtant.*
Halte un peu; retenez l'ardeur qui vous emporte.

MASCARILLE, *à part.*
Fut-il jamais au monde un esprit moins sensé?

LÉLIE
Laissez-moi contenter mon courage offensé.

LÉANDRE
C'est trop que de vouloir le battre en ma présence.

LÉLIE
Quoi! châtier mes gens n'est pas en ma puissance?

LÉANDRE
Comment, vos gens?

MASCARILLE, *à part.*
            Encore! il va tout découvrir.

LÉLIE

Quand j'aurais volonté de le battre à mourir,
Hé bien! c'est mon valet.

LÉANDRE

C'est maintenant le nôtre.

LÉLIE

Le trait est admirable! et comment donc le vôtre?
Sans doute...

MASCARILLE, *bas à Lélie.*
Doucement.

LÉLIE

Hem! que veux-tu conter?

MASCARILLE, *à part.*

Ah! le double bourreau, qui me va tout gâter,
Et qui ne comprend rien, quelque signe qu'on donne!

LÉLIE

Vous rêvez bien, Léandre, et ma la baillez bonne.
Il n'est pas mon valet?

LÉANDRE

Pour quelque mal commis,
Hors de votre service il n'a pas été mis?

LÉLIE

Je ne sais ce que c'est.

LÉANDRE

Et plein de violence,
Vous n'avez pas chargé son dos avec outrance?

LÉLIE

Point du tout. Moi, l'avoir chassé, roué de coups?
Vous vous moquez de moi, Léandre, ou lui de vous.

MASCARILLE, *à part.*

Pousse, pousse, bourreau; tu fais bien tes affaires.

LÉANDRE, à *Mascarille*.

Donc les coups de bâton ne sont qu'imaginaires?

MASCARILLE

Il ne sait ce qu'il dit, sa mémoire...

LÉANDRE

                    Non, non,
Tous ces signes pour toi ne disent rien de bon.
Oui, d'un tour délicat mon esprit te soupçonne;
Mais pour l'invention, va, je te la pardonne.
C'est bien assez pour moi qu'il m'ait désabusé,
De voir par quels motifs tu m'avais imposé,
Et que, m'étant commis à ton zèle hypocrite,
A si bon compte encor je m'en sois trouvé quitte.
Ceci doit s'appeler un avis au lecteur.
Adieu, Lélie, adieu, très humble serviteur.

MASCARILLE

Courage, mon garçon! tout heur nous accompagne;
Mettons flamberge au vent et bravoure en campagne;
Faisons *L'Olibrius, l'occiseur d'innocents*[4].

LÉLIE

Il t'avait accusé de discours médisants
Contre...

MASCARILLE

            Et vous ne pouviez souffrir mon artifice,
Lui laisser son erreur, qui vous rendait service,
Et par qui son amour s'en était presque allé?
Non, il a l'esprit franc et point dissimulé.
Enfin chez son rival je m'ancre avec adresse,
Cette fourbe en mes mains va mettre sa maîtresse,
Il me la fait manquer avec de faux rapports;
Je veux de son rival alentir les transports,
Mon brave incontinent vient, qui le désabuse;
J'ai beau lui faire signe et montrer que c'est ruse :
Point d'affaire, il poursuit sa pointe jusqu'au bout,
Et n'est point satisfait qu'il n'ait découvert tout.
Grand et sublime effort d'une imaginative
Qui ne le cède point à personne qui vive!
C'est une rare pièce, et digne, sur ma foi,
Qu'on en fasse présent au cabinet d'un roi.

LÉLIE

Je ne m'étonne pas si je romps tes attentes :
A moins d'être informé des choses que tu tentes,
J'en ferais encor cent de la sorte.

MASCARILLE
Tant pis.

LÉLIE

Au moins pour t'emporter à de justes dépits,
Fais-moi dans tes desseins entrer de quelque chose;
Mais que de leurs ressorts la porte me soit close,
C'est ce qui fait toujours que je suis pris sans vert.

MASCARILLE

Ha! voilà tout le mal, c'est cela qui nous perd :
Ma foi, mon cher patron, je vous le dis encore,
Vous ne serez jamais qu'une pauvre pécore.

LÉLIE

Puisque la chose est faite, il n'y faut plus penser.
Mon rival, en tout cas, ne peut me traverser;
Et pourvu que tes soins, en qui je me repose...

MASCARILLE

Laissons là ce discours, et parlons d'autre chose.
Je ne m'apaise pas, non, si facilement;
Je suis trop en colère. Il faut premièrement
Me rendre un bon office, et nous verrons ensuite
Si je dois de vos feux reprendre la conduite.

LÉLIE

S'il ne tient qu'à cela, je n'y résiste pas.
As-tu besoin, dis-moi, de mon sang, de mes bras?

MASCARILLE

De quelle vision sa cervelle est frappée!
Vous êtes de l'humeur de ces amis d'épée
Que l'on trouve toujours plus prompts à dégainer
Qu'à tirer un teston[5], s'il fallait le donner.

LÉLIE

Que puis-je donc pour toi?

MASCARILLE

C'est que de votre père
Il faut absolument apaiser la colère.

LÉLIE

Nous avons fait la paix.

MASCARILLE

Oui, mais non pas pour nous.
Je l'ai fait ce matin mort pour l'amour de vous;
La vision le choque, et de pareilles feintes
Aux vieillards comme lui sont de dures atteintes,
Qui sur l'état prochain de leur condition
Leur font faire à regret triste réflexion.
Le bonhomme, tout vieux, chérit fort la lumière
Et ne veut point de jeu dessus cette matière;
Il craint le pronostic, et, contre moi fâché,
On m'a dit qu'en justice il m'avait recherché.
J'ai peur, si le logis du Roi fait ma demeure,
De m'y trouver si bien dès le premier quart d'heure,
Que j'aye peine aussi d'en sortir par après.
Contre moi dès longtemps on a force décrets;
Car enfin la vertu n'est jamais sans envie,
Et dans ce maudit siècle est toujours poursuivie.
Allez donc le fléchir.

LÉLIE

Oui, nous le fléchirons;
Mais aussi tu promets...

MASCARILLE

Ah! mon Dieu, nous verrons.

Lélie sort.

Ma foi, prenons haleine après tant de fatigues.
Cessons pour quelque temps le cours de nos intrigues,
Et de nous tourmenter de même qu'un lutin :
Léandre, pour nous nuire, est hors de garde enfin,
Et Célie, arrêtée avecque l'artifice...

SCÈNE V

ERGASTE, MASCARILLE

ERGASTE

Je te cherchais partout pour te rendre un service,
Pour te donner avis d'un secret important.

MASCARILLE

Quoi donc?

ERGASTE

N'avons-nous point ici quelque écoutant?

MASCARILLE

Non.

ERGASTE

Nous sommes amis autant qu'on le peut être;
Je sais tous tes desseins et l'amour de ton maître :
Songez à vous tantôt. Léandre fait parti
Pour enlever Célie, et j'en suis averti,
Qu'il a mis ordre à tout, et qu'il se persuade
D'entrer chez Trufaldin par une mascarade,
Ayant su qu'en ce temps, assez souvent le soir,
Des femmes du quartier en masque l'allaient voir.

MASCARILLE

Oui? Suffit. Il n'est pas au comble de sa joie;
Je pourrai bien tantôt lui souffler cette proie,
Et contre cet assaut je sais un coup fourré
Par qui je veux qu'il soit de lui-même enferré.
Il ne sait pas les dons dont mon âme est pourvue.
Adieu, nous boirons pinte à la première vue.

Seul.

Il faut, il faut tirer à nous ce que d'heureux,
Pourrait avoir en soi ce projet amoureux,

Et par une surprise adroite et non commune,
Sans courir le danger, en tenter la fortune.
Si je vais me masquer pour devancer ses pas,
Léandre assurément ne nous bravera pas;
Et là, premier que lui si nous faisons la prise,
Il aura fait pour nous les frais de l'entreprise,
Puisque, par son dessein déjà presque éventé,
Le soupçon tombera toujours de son côté,
Et que nous, à couvert de toutes ses poursuites,
De ce coup hasardeux ne craindrons point les suites.
C'est ne se point commettre à faire de l'éclat,
Et tirer les marrons de la patte du chat.
Allons donc nous masquer avec quelques bons frères;
Pour prévenir nos gens il ne faut tarder guères.
Je sais où gît le lièvre, et me puis, sans travail,
Fournir en un moment d'hommes et d'attirail.
Croyez que je mets bien mon adresse en usage :
Si j'ai reçu du Ciel des fourbes en partage,
Je ne suis point en rang de ces esprits mal nés
Qui cachent les talents que Dieu leur a donnés.

SCÈNE VI

LÉLIE, ERGASTE

LÉLIE

Il prétend l'enlever avec sa mascarade?

ERGASTE

Il n'est rien plus certain. Quelqu'un de sa brigade
M'ayant de ce dessein instruit, sans m'arrêter,
A Mascarille lors j'ai couru tout conter,
Qui s'en va, m'a-t-il dit, rompre cette partie
Par une invention dessus le champ bâtie;
Et comme je vous ai rencontré par hasard,
J'ai cru que je devais de tout vous faire part.

LÉLIE

Tu m'obliges par trop avec cette nouvelle;
Va, je reconnaîtrai ce service fidèle.

Ergaste sort.

Mon drôle assurément leur jouera quelque trait;
Mais je veux de ma part seconder son projet.
Il ne sera pas dit qu'en un fait qui me touche,
Je ne me sois non plus remué qu'une souche.
Voici l'heure; ils seront surpris à mon aspect.
Foin! Que n'ai-je avec moi pris mon porte-respect?
Mais vienne qui voudra contre notre personne,
J'ai deux bons pistolets, et mon épée est bonne.
Holà! quelqu'un, un mot.

SCÈNE VII

LÉLIE, TRUFALDIN, *à sa fenêtre.*

TRUFALDIN

Qu'est-ce? Qui me vient voir?

LÉLIE

Fermez soigneusement votre porte ce soir.

TRUFALDIN

Pourquoi?

LÉLIE

Certaines gens font une mascarade,
Pour vous venir donner une fâcheuse aubade;
Ils veulent enlever votre Célie.

TRUFALDIN

O dieux!

LÉLIE

Et sans doute bientôt ils viennent en ces lieux.
Demeurez; vous pourrez voir tout de la fenêtre.
Hé bien! qu'avais-je dit? Les voyez-vous paraître?
Chut! je veux à vos yeux leur en faire l'affront.
Nous allons voir beau jeu, si la corde ne rompt.

SCÈNE VIII

LÉLIE, TRUFALDIN,
MASCARILLE *et sa suite, masqués.*

TRUFALDIN

O les plaisants robins qui pensent me surprendre!

LÉLIE

Masques, où courez-vous? le pourrait-on apprendre?
Trufaldin, ouvrez-leur pour jouer un momon[6].

A Mascarille déguisé en femme.

Bon Dieu! qu'elle est jolie et qu'elle a l'air mignon!
Hé quoi! vous murmurez? mais, sans vous faire outrage,
Peut-on lever le masque et voir votre visage?

TRUFALDIN

Allez, fourbes méchants, retirez-vous d'ici,
Canaille; et vous, Seigneur, bonsoir et grand merci.

LÉLIE, *après avoir démasqué Mascarille.*

Mascarille, est-ce toi?

MASCARILLE

Nenni-da, c'est quelque autre.

LÉLIE

Hélas! quelle surprise! et quel sort est le nôtre!
L'aurais-je deviné, n'étant point averti
Des secrètes raisons qui l'avaient travesti?
Malheureux que je suis, d'avoir dessous ce masque
Eté, sans y penser, te faire cette frasque!
Il me prendrait envie, en ce juste courroux,
De me battre moi-même et me donner cent coups.

MASCARILLE

Adieu, sublime esprit, rare imaginative.

LÉLIE

Las! si de ton secours ta colère me prive,
A quel saint me vouerai-je?

MASCARILLE

Au grand diable d'enfer.

LÉLIE

Ah! si ton cœur pour moi n'est de bronze ou de fer,
Qu'encore un coup, du moins, mon imprudence ait grâce
S'il faut pour l'obtenir que tes genoux j'embrasse,
Vois-moi...

MASCARILLE

Tarare! Allons, camarades, allons :
J'entends venir des gens qui sont sur nos talons.

SCÈNE IX

LÉANDRE *et sa suite, masqués,*
TRUFALDIN, *à sa fenêtre.*

LÉANDRE

Sans bruit! Ne faisons rien que de la bonne sorte.

TRUFALDIN

Quoi! masques toute nuit assiégeront ma porte?
Messieurs, ne gagnez point de rhumes à plaisir;
Tout cerveau qui le fait est certes de loisir.
Il est un peu trop tard pour enlever Célie;
Dispensez-l'en ce soir, elle vous en supplie :
La belle est dans le lit et ne peut vous parler.
J'en suis fâché pour vous. Mais pour vous régaler
Du souci qui pour elle ici vous inquiète,
Elle vous fait présent de cette cassolette.

LÉANDRE

Fi! cela sent mauvais, et je suis tout gâté.
Nous sommes découverts, tirons de ce côté.

ACTE IV

SCÈNE PREMIÈRE

LÉLIE, *déguisé en Arménien*, MASCARILLE

MASCARILLE

Vous voilà fagoté d'une plaisante sorte!

LÉLIE

Tu ranimes par là mon espérance morte.

MASCARILLE

Toujours de ma colère on me voit revenir;
J'ai beau jurer, pester, je ne m'en puis tenir.

LÉLIE

Aussi crois, si jamais je suis dans la puissance,
Que tu seras content de ma reconnaissance,
Et que, quand je n'aurais qu'un seul morceau de pain...

MASCARILLE

Baste! songez à vous dans ce nouveau dessein.
Au moins si l'on vous voit commettre une sottise,
Vous n'imputerez plus l'erreur à la surprise;
Votre rôle en ce jeu par cœur doit être su.

LÉLIE

Mais comment Trufaldin chez lui t'a-t-il reçu?

MASCARILLE

D'un zèle simulé j'ai bridé le bon sire;
Avec empressement je suis venu lui dire,
S'il ne songeait à lui, que l'on le surprendroit;
Que l'on couchait en joue, et de plus d'un endroit,
Celle dont il a vu qu'une lettre en avance

Avait si faussement divulgué la naissance;
Qu'on avait bien voulu m'y mêler quelque peu,
Mais que j'avais tiré mon épingle du jeu;
Et que, touché d'ardeur pour ce qui le regarde,
Je venais l'avertir de se donner de garde.
De là, moralisant, j'ai fait de grands discours
Sur les fourbes qu'on voit ici-bas tous les jours;
Que pour moi, las du monde et de sa vie infâme,
Je voulais travailler au salut de mon âme,
A m'éloigner du trouble, et pouvoir longuement
Près de quelque honnête homme être paisiblement;
Que, s'il le trouvait bon, je n'aurais d'autre envie
Que de passer chez lui le reste de ma vie;
Et que même à tel point il m'avait su ravir,
Que, sans lui demander gages pour le servir,
Je mettrais en ses mains, que je tenais certaines,
Quelque bien de mon père et le fruit de mes peines,
Dont advenant que Dieu de ce monde m'ôtât,
J'entendais tout de bon que lui seul héritât.
C'était le vrai moyen d'acquérir sa tendresse;
Et comme, pour résoudre avec votre maîtresse
Des biais qu'on doit prendre à terminer vos vœux,
Je voulais en secret vous aboucher tous deux,
Lui-même a su m'ouvrir une voie assez belle
De pouvoir hautement vous loger avec elle,
Venant m'entretenir d'un fils privé du jour
Dont cette nuit en songe il a vu le retour.
A ce propos, voici l'histoire qu'il m'a dite,
Et sur qui j'ai tantôt notre fourbe construite.

LÉLIE

C'est assez, je sais tout; tu me l'as dit deux fois.

MASCARILLE

Oui, oui; mais quand j'aurais passé jusques à trois,
Peut-être encor qu'avec toute sa suffisance,
Votre esprit manquera dans quelque circonstance.

LÉLIE

Mais à tant différer je me fais de l'effort.

MASCARILLE

Ah! de peur de tomber, ne courons pas si fort.
Voyez-vous, vous avez la caboche un peu dure;

Rendez-vous affermi dessus cette aventure.
Autrefois Trufaldin de Naples est sorti,
Et s'appelait alors *Zanobio Ruberti;*
Un parti qui causa quelque émeute civile,
Dont il fut seulement soupçonné dans sa ville
(De fait il n'est pas homme à troubler un Etat),
L'obligea d'en sortir une nuit sans éclat.
Une fille fort jeune et sa femme laissées,
A quelque temps de là se trouvant trépassées,
Il en eut la nouvelle, et, dans ce grand ennui,
Voulant dans quelque ville emmener avec lui,
Outre ses biens, l'espoir qui restait de sa race,
Un sien fils écolier, qui se nommait Horace,
Il écrit à Bologne, où pour mieux être instruit
Un certain maître Albert jeune l'avait conduit;
Mais pour se joindre tous, le rendez-vous qu'il donne
Durant deux ans entiers ne lui fit voir personne :
Si bien que, les jugeant morts après ce temps-là,
Il vint en cette ville et prit le nom qu'il a,
Sans que de cet Albert ni de ce fils Horace
Douze ans aient découvert jamais la moindre trace.
Voilà l'histoire en gros, redite seulement
Afin de vous servir ici de fondement.
Maintenant, vous serez un marchand d'Arménie,
Qui les aurez vus sains l'un et l'autre en Turquie.
Si j'ai, plutôt qu'aucun, un tel moyen trouvé,
Pour les ressusciter sur ce qu'il a rêvé,
C'est qu'en fait d'aventure il est très ordinaire
De voir gens pris sur mer par quelque Turc corsaire,
Puis être à leur famille à point nommé rendus,
Après quinze ou vingt ans qu'on les a crus perdus.
Pour moi, j'ai vu déjà cent contes de la sorte.
Sans nous alambiquer, servons-nous-en; qu'importe?
Vous leur aurez ouï leur disgrâce conter,
Et leur aurez fourni de quoi se racheter;
Mais que, parti plus tôt pour chose nécessaire,
Horace vous chargea de voir ici son père
Dont il a su le sort, et chez qui vous devez
Attendre quelques jours qu'ils y soient arrivés.
Je vous ai fait tantôt des leçons étendues.

LÉLIE

Ces répétitions ne sont que superflues;
Dès l'abord mon esprit a compris tout le fait.

MASCARILLE

Je m'en vais là-dedans donner le premier trait.

LÉLIE

Ecoute, Mascarille, un seul point me chagrine :
S'il allait de son fils me demander la mine?

MASCARILLE

Belle difficulté! Devez-vous pas savoir
Qu'il était fort petit alors qu'il l'a pu voir?
Et puis, outre cela, le temps et l'esclavage
Pourraient-ils pas avoir changé tout son visage?

LÉLIE

Il est vrai. Mais dis-moi, s'il connaît qu'il m'a vu,
Que faire?

MASCARILLE

De mémoire êtes-vous dépourvu?
Nous avons dit tantôt qu'outre que votre image
N'avait dans son esprit pu faire qu'un passage,
Pour ne vous avoir vu que durant un moment,
Et le poil et l'habit déguisaient grandement.

LÉLIE

Fort bien, mais, à propos, cet endroit de Turquie?...

MASCARILLE

Tout, vous dis-je, est égal, Turquie ou Barbarie.

LÉLIE

Mais le nom de la ville où j'aurai pu les voir?

MASCARILLE

Tunis. Il me tiendra, je crois, jusques au soir.
La répétition, dit-il, est inutile,
Et j'ai déjà nommé douze fois cette ville.

LÉLIE

Va, va-t'en commencer; il ne me faut plus rien.

MASCARILLE

Au moins soyez prudent, et vous conduisez bien;
Ne donnez point ici de l'imaginative.

LÉLIE

Laisse-moi gouverner, que ton âme est craintive!

MASCARILLE

Horace dans Bologne écolier, Trufaldin
Zanobio Ruberti dans Naples citadin;
Le précepteur Albert...

LÉLIE

                    Ah! c'est me faire honte
Que de me tant prêcher! Suis-je un sot à ton compte?

MASCARILLE

Non pas du tout, mais bien quelque chose approchant.

LÉLIE, *seul*.

Quand il m'est inutile, il fait le chien couchant;
Mais parce qu'il sent bien le secours qu'il me donne,
Sa familiarité jusque-là s'abandonne.
Je vais être de près éclairé des beaux yeux
Dont la force m'impose un joug si précieux;
Je m'en vais sans obstacle, avec des traits de flamme,
Peindre à cette beauté les tourments de mon âme.
Je saurai quel arrêt je dois... Mais les voici.

SCÈNE II

TRUFALDIN, LÉLIE, MASCARILLE

TRUFALDIN

Sois béni, juste Ciel, de mon sort adouci!

MASCARILLE

C'est à vous de rêver et de faire des songes,
Puisqu'en vous il est faux que songes sont mensonges.

TRUFALDIN, *à Lélie*,

Quelle grâce, quels biens vous rendrai-je, Seigneur,
Vous que je dois nommer l'ange de mon bonheur?

LÉLIE

Ce sont soins superflus, et je vous en dispense.

TRUFALDIN, *à Mascarille*,

J'ai, je ne sais pas où, vu quelque ressemblance
De cet Arménien.

MASCARILLE

C'est ce que je disois;
Mais on voit des rapports admirables parfois.

TRUFALDIN

Vous avez vu ce fils où mon espoir se fonde?

LÉLIE

Oui, Seigneur Trufaldin, le plus gaillard du monde.

TRUFALDIN

Il vous a dit sa vie et parlé fort de moi?

LÉLIE

Plus de dix mille fois.

MASCARILLE

Quelque peu moins, je croi.

LÉLIE

Il vous a dépeint tel que je vous vois paraître,
Le visage, le port...

TRUFALDIN

Cela pourrait-il être,
Si lorsqu'il m'a pu voir il n'avait que sept ans,
Et si son précepteur même, depuis ce temps,
Aurait peine à pouvoir connaître mon visage?

MASCARILLE

Le sang bien autrement conserve cette image;
Par des traits si profonds ce portrait est tracé,
Que mon père...

TRUFALDIN

Suffit. Où l'avez-vous laissé?

LÉLIE

En Turquie, à Turin.

TRUFALDIN

Turin? Mais cette ville
Est, je pense, en Piémont.

MASCARILLE, *à part.*

O cerveau malhabile!

A Trufaldin.

Vous ne l'entendez pas : il veut dire Tunis,
Et c'est en effet là qu'il laissa votre fils;
Mais les Arméniens ont tous par habitude,
Certain vice de langue à nous autres fort rude;
C'est que dans tous les mots ils changent *nis* en *rin,*
Et pour dire *Tunis,* ils prononcent *Turin.*

TRUFALDIN

Il fallait, pour l'entendre, avoir cette lumière.
Quel moyen vous dit-il de rencontrer son père?

MASCARILLE

A part.

Voyez s'il répondra.

A Trufaldin, après s'être escrimé.

Je repassais un peu
Quelque leçon d'escrime; autrefois en ce jeu
Il n'était point d'adresse à mon adresse égale,
Et j'ai battu le fer en mainte et mainte salle.

TRUFALDIN, *à Mascarille.*

Ce n'est pas maintenant ce que je veux savoir.

A Lélie.

Quel autre nom dit-il que je devais avoir?

MASCARILLE

Ah! Seigneur Zanobio Ruberti, quelle joie
Est celle maintenant que le Ciel vous envoie!

LÉLIE

C'est là votre vrai nom, et l'autre est emprunté.

TRUFALDIN

Mais où vous a-t-il dit qu'il reçut la clarté?

MASCARILLE

Naples est un séjour qui paraît agréable;
Mais pour vous ce doit être un lieu fort haïssable.

TRUFALDIN

Ne peux-tu sans parler souffrir notre discours?

LÉLIE

Dans Naples son destin a commencé son cours.

TRUFALDIN

Où l'envoyai-je jeune, et sous quelle conduite?

MASCARILLE

Ce pauvre maître Albert a beaucoup de mérite
D'avoir depuis Bologne accompagné ce fils,
Qu'à sa discrétion vos soins avaient commis.

TRUFALDIN

Ah!

MASCARILLE, *à part*.

Nous sommes perdus, si cet entretien dure.

TRUFALDIN

Je voudrais bien savoir de vous leur aventure,
Sur quel vaisseau le sort qui m'a su travailler...

MASCARILLE

Je ne sais ce que c'est, je ne fais que bâiller;
Mais, Seigneur Trufaldin, songez-vous que peut-être
Ce Monsieur l'étranger a besoin de repaître,
Et qu'il est tard aussi?

LÉLIE

Pour moi, point de repas.

MASCARILLE

Ah! vous avez plus faim que vous ne pensez pas.

TRUFALDIN

Entrez donc.

LÉLIE

Après vous.

MASCARILLE, *à Trufaldin.*

Monsieur, en Arménie,
Les maîtres du logis sont sans cérémonie.

A Lélie, après que Trufaldin est entré dans sa maison.

Pauvre esprit! pas deux mots!

LÉLIE

D'abord il m'a surpris;
Mais n'appréhendez plus, je reprends mes esprits,
Et m'en vais débiter avecque hardiesse...

MASCARILLE

Voici notre rival, qui ne sait pas la pièce.

Ils entrent dans la maison de Trufaldin.

SCÈNE III

LÉANDRE, ANSELME

ANSELME

Arrêtez-vous, Léandre, et souffrez un discours
Qui cherche le repos et l'honneur de vos jours.
Je ne vous parle point en père de ma fille,
En homme intéressé pour ma propre famille,
Mais comme votre père ému pour votre bien,
Sans vouloir vous flatter et vous déguiser rien,
Bref, comme je voudrais, d'une âme franche et pure,
Que l'on fît à mon sang en pareille aventure.
Savez-vous de quel œil chacun voit cet amour,
Qui dedans une nuit vient d'éclater au jour?
A combien de discours et de traits de risée
Votre entreprise d'hier est partout exposée?
Quel jugement on fait du choix capricieux
Qui pour femme, dit-on, vous désigne en ces lieux
Un rebut de l'Egypte, une fille coureuse,
De qui le noble emploi n'est qu'un métier de gueuse?
J'en ai rougi pour vous, encor plus que pour moi,
Qui me trouve compris dans l'éclat que je vois,
Moi, dis-je, dont la fille, à vos ardeurs promise,
Ne peut sans quelque affront souffrir qu'on la méprise.
Ah! Léandre, sortez de cet abaissement.
Ouvrez un peu les yeux sur votre aveuglement.
Si notre esprit n'est pas sage à toutes les heures,
Les plus courtes erreurs sont toujours les meilleures.
Quand on ne prend en dot que la seule beauté,
Le remords est bien près de la solennité,
Et la plus belle femme a très peu de défense
Contre cette tiédeur qui suit la jouissance.
Je vous le dis encor, ces bouillants mouvements,
Ces ardeurs de jeunesse et ces emportements
Nous font trouver d'abord quelques nuits agréables;
Mais ces félicités ne sont guère durables,
Et, notre passion alentissant son cours,
Après ces bonnes nuits donnent de mauvais jours.
De là viennent les soins, les soucis, les misères,
Les fils déshérités par le courroux des pères.

LÉANDRE

Dans tout votre discours je n'ai rien écouté
Que mon esprit déjà ne m'ait représenté.
Je sais combien je dois à cet honneur insigne
Que vous me voulez faire, et dont je suis indigne,
Et vois, malgré l'effort dont je suis combattu,
Ce que vaut votre fille et quelle est sa vertu;
Aussi veux-je tâcher...

ANSELME

On ouvre cette porte;
Retirons-nous plus loin, de crainte qu'il n'en sorte
Quelque secret poison dont vous seriez surpris.

SCÈNE IV

LÉLIE, MASCARILLE

MASCARILLE

Bientôt de notre fourbe on verra le débris,
Si vous continuez des sottises si grandes.

LÉLIE

Dois-je éternellement ouïr tes réprimandes?
De quoi te peux-tu plaindre? Ai-je pas réussi
En tout ce que j'ai dit depuis...

MASCARILLE

Couci, couci;
Témoin les Turcs, par vous appelés hérétiques,
Et que vous assurez, par serments authentiques,
Adorer pour leurs dieux la lune et le soleil.
Passe. Ce qui me donne un dépit nonpareil,
C'est qu'ici votre amour étrangement s'oublie;
Près de Célie, il est ainsi que la bouillie,
Qui par un trop grand feu s'enfle, croît jusqu'aux bords,
Et de tous les côtés se répand au-dehors.

LÉLIE

Pourrait-on se forcer à plus de retenue?
Je ne l'ai presque point encore entretenue.

MASCARILLE

Oui, mais ce n'est pas tout que de ne parler pas;
Par vos gestes, durant un moment de repas,
Vous avez aux soupçons donné plus de matière,
Que d'autres ne feraient dans une année entière.

LÉLIE

Et comment donc?

MASCARILLE

                Comment? Chacun a pu le voir.
A table, où Trufaldin l'oblige de se seoir,
Vous n'avez toujours fait qu'avoir les yeux sur elle.
Rouge, tout interdit, jouant de la prunelle,
Sans prendre jamais garde à ce qu'on vous servait,
Vous n'aviez point de soif qu'alors qu'elle buvait;
Et dans ses propres mains vous saisissant du verre,
Sans le vouloir rincer, sans rien jeter à terre,
Vous buviez sur son reste, et montriez d'affecter
Le côté qu'à sa bouche elle avait su porter.
Sur les morceaux touchés de sa main délicate,
Ou mordus de ses dents, vous étendiez la patte
Plus brusquement qu'un chat dessus une souris,
Et les avaliez tout ainsi que pois gris.
Puis, outre tout cela, vous faisiez sous la table
Un bruit, un triquetrac de pieds insupportable,
Dont Trufaldin, heurté de deux coups trop pressants,
A puni par deux fois deux chiens très innocents,
Qui, s'ils eussent osé, vous eussent fait querelle.
Et puis après cela votre conduite est belle?
Pour moi, j'en ai souffert la gêne sur mon corps;
Malgré le froid, je sue encor de mes efforts.
Attaché dessus vous, comme un joueur de boule
Après le mouvement de la sienne qui roule,
Je pensais retenir toutes vos actions,
En faisant de mon corps mille contorsions.

LÉLIE

Mon Dieu! qu'il t'est aisé de condamner des choses
Dont tu ne ressens point les agréables causes!
Je veux bien néanmoins, pour te plaire une fois,
Faire force à l'amour qui m'impose des lois.
Désormais...

SCÈNE V

LÉLIE, MASCARILLE, TRUFALDIN

MASCARILLE

Nous parlions des fortunes d'Horace.

TRUFALDIN

A Lélie.

C'est bien fait. Cependant me ferez-vous la grâce
Que je puisse lui dire un seul mot en secret?

LÉLIE

Il faudrait autrement être fort indiscret.

Lélie entre dans la maison de Trufaldin.

TRUFALDIN

Ecoute, sais-tu bien ce que je viens de faire?

MASCARILLE

Non, mais si vous voulez, je ne tarderai guère,
Sans doute, à le savoir.

TRUFALDIN

D'un chêne grand et fort,
Dont près de deux cents ans ont fait déjà le sort,
Je viens de détacher une branche admirable,
Choisie expressément de grosseur raisonnable,
Dont j'ai fait sur-le-champ, avec beaucoup d'ardeur,

Il montre son bras.

Un bâton à peu près... oui, de cette grandeur,
Moins gros par l'un des bouts, mais plus que trente gaules
Propre, comme je pense, à rosser des épaules;
Car il est bien en main, vert, noueux et massif.

MASCARILLE

Mais pour qui, je vous prie, un tel préparatif?

TRUFALDIN

Pour toi premièrement; puis pour ce bon apôtre,
Qui veut m'en donner d'une, et m'en jouer d'une autre,
Pour cet Arménien, ce marchand déguisé,
Introduit sous l'appât d'un conte supposé.

MASCARILLE

Quoi! vous ne croyez pas?...

TRUFALDIN

            Ne cherche point d'excuse;
Lui-même heureusement a découvert sa ruse;
Et disant à Célie, en lui serrant la main,
Que pour elle il venait sous ce prétexte vain,
Il n'a pas aperçu Jeannette, ma fillole,
Laquelle a tout ouï parole pour parole;
Et je ne doute point, quoiqu'il n'en ait rien dit,
Que tu ne sois de tout le complice maudit.

MASCARILLE

Ah! vous me faites tort. S'il faut qu'on vous affronte,
Croyez qu'il m'a trompé le premier à ce conte.

TRUFALDIN

Veux-tu me faire voir que tu dis vérité?
Qu'à le chasser mon bras soit du tien assisté;
Donnons-en à ce fourbe et du long et du large,
Et de tout crime après mon esprit te décharge.

MASCARILLE

Oui-da, très volontiers, je l'épousterai bien,
Et par là vous verrez que je n'y trempe en rien.

A part.

Ah! vous serez rossé, Monsieur de l'Arménie,
Qui toujours gâtez tout!

SCÈNE VI

LÉLIE, TRUFALDIN, MASCARILLE

TRUFALDIN, *à Lélie, après avoir heurté à sa porte.*
　　　　　　　　　　Un mot, je vous supplie.
Donc, Monsieur l'imposteur, vous osez aujourd'hui
Duper un honnête homme et vous jouer de lui?

MASCARILLE

Feindre avoir vu son fils en une autre contrée,
Pour vous donner chez lui plus aisément entrée?

TRUFALDIN, *bat Lélie.*
Vidons, vidons sur l'heure.

LÉLIE, *à Mascarille, qui le bat aussi.*
　　　　　　　　　　Ah! coquin!

MASCARILLE
　　　　　　　　　　　　　C'est ainsi
Que les fourbes...

LÉLIE
Bourreau!

MASCARILLE
　　　　　　　　　　... sont ajustés ici.
Garde-moi bien cela.

LÉLIE
　　　　　　Quoi donc! je serais homme...

MASCARILLE, *le battant toujours et le chassant.*
Tirez, tirez, vous dis-je, ou bien je vous assomme.

TRUFALDIN
Voilà qui me plaît fort; rentre, je suis content.

　　　Mascarille suit Trufaldin qui rentre dans sa maison.

LÉLIE, *revenant.*

A moi! par un valet cet affront éclatant!
L'aurait-on pu prévoir, l'action de ce traître,
Qui vient insolemment de maltraiter son maître?

MASCARILLE, *à la fenêtre de Trufaldin.*

Peut-on demander comment va votre dos?

LÉLIE

Quoi! tu m'oses encor tenir un tel propos?

MASCARILLE

Voilà, voilà que c'est de ne voir pas Jeannette,
Et d'avoir en tout temps une langue indiscrète;
Mais pour cette fois-ci je n'ai point de courroux,
Je cesse d'éclater, de pester contre vous;
Quoique de l'action l'imprudence soit haute,
Ma main sur votre échine a lavé votre faute.

LÉLIE

Ah! je me vengerai de ce trait déloyal!

MASCARILLE

Vous vous êtes causé vous-même tout le mal.

LÉLIE

Moi?

MASCARILLE

Si vous n'étiez pas une cervelle folle,
Quand vous avez parlé naguère à votre idole,
Vous auriez aperçu Jeannette sur vos pas,
Dont l'oreille subtile a découvert le cas.

LÉLIE

On aurait pu surprendre un mot dit à Célie?

MASCARILLE

Et d'où doncques viendrait cette prompte sortie?
Oui, vous n'êtes dehors que par votre caquet:
Je ne sais si souvent vous jouez au piquet,
Mais au moins faites-vous des écarts admirables.

LÉLIE

O le plus malheureux de tous les misérables!
Mais encore, pourquoi me voir chassé par toi?

MASCARILLE

Je ne fis jamais mieux que d'en prendre l'emploi;
Par là j'empêche au moins que de cet artifice
Je ne sois soupçonné d'être auteur ou complice.

LÉLIE

Tu devais donc, pour toi, frapper plus doucement.

MASCARILLE

Quelque sot! Trufaldin lorgnait exactement;
Et puis, je vous dirai, sous ce prétexte utile
Je n'étais point fâché d'évaporer ma bile.
Enfin la chose est faite; et si j'ai votre foi
Qu'on ne vous verra point vouloir venger sur moi,
Soit ou directement ou par quelque autre voie,
Les coups sur votre râble assenés avec joie,
Je vous promets, aidé par le poste où je suis,
De contenter vos vœux avant qu'il soit deux nuits.

LÉLIE

Quoique ton traitement ait eu trop de rudesse,
Qu'est-ce que dessus moi ne peut cette promesse?

MASCARILLE

Vous le promettez donc?

LÉLIE

Oui, je te le promets.

MASCARILLE.

Ce n'est pas encor tout. Promettez que jamais
Vous ne vous mêlerez dans quoi que j'entreprenne.

LÉLIE

Soit.

MASCARILLE

Si vous y manquez, votre fièvre quartaine!

LÉLIE

Mais tiens-moi donc parole, et songe à mon repos.

MASCARILLE

Allez quitter l'habit et graisser votre dos.

LÉLIE, *seul.*

Faut-il que le malheur qui me suit à la trace
Me fasse voir toujours disgrâce sur disgrâce!

MASCARILLE, *sortant de chez Trufaldin.*

Quoi! vous n'êtes pas loin? Sortez vite d'ici;
Mais surtout, gardez-vous de prendre aucun souci :
Puisque je fais pour vous, que cela vous suffise;
N'aidez point mon projet de la moindre entreprise...
Demeurez en repos.

LÉLIE, *en sortant.*

Oui, va, je m'y tiendrai.

MASCARILLE, *seul.*

Il faut voir maintenant quel biais je prendrai.

SCÈNE VII

ERGASTE, MASCARILLE

ERGASTE

Mascarille, je viens te dire une nouvelle
Qui donne à tes desseins une atteinte cruelle.
À l'heure que je parle, un jeune Égyptien,
Qui n'est pas noir pourtant, et sent assez son bien,
Arrive, accompagné d'une vieille fort hâve,
Et vient chez Trufaldin racheter cette esclave
Que vous vouliez; pour elle il paraît fort zélé.

MASCARILLE

Sans doute c'est l'amant dont Célie a parlé.
Fut-il jamais destin plus brouillé que le nôtre?
Sortant d'un embarras, nous entrons dans un autre.
En vain nous apprenons que Léandre est au point
De quitter la partie et ne nous troubler point;
Que son père, arrivé contre toute espérance,
Du côté d'Hippolyte emporte la balance,
Qu'il a tout fait changer par son autorité,
Et va dès aujourd'hui conclure le traité;
Lorsqu'un rival s'éloigne, un autre plus funeste
S'en vient nous enlever tout l'espoir qui nous reste.
Toutefois, par un trait merveilleux de mon art,
Je crois que je pourrai retarder leur départ,
Et me donner le temps qui sera nécessaire
Pour tâcher de finir cette fameuse affaire.
Il s'est fait un grand vol; par qui? l'on n'en sait rien;
Eux autres rarement passent pour gens de bien.
Je veux adroitement, sur un soupçon frivole,
Faire pour quelques jours emprisonner ce drôle.
Je sais des officiers, de justice altérés,
Qui sont pour de tels coups de vrais délibérés;
Dessus l'avide espoir de quelque paraguante[7],
Il n'est rien que leur art aveuglément ne tente,
Et du plus innocent, toujours à leur profit,
La bourse est criminelle, et paye son délit.

ACTE V

SCÈNE PREMIÈRE

MASCARILLE, ERGASTE

MASCARILLE

Ah! chien! ah! double chien! mâtine de cervelle!
Ta persécution sera-t-elle éternelle?

ERGASTE

Par les soins vigilants de l'exempt balafré,
Ton affaire allait bien, le drôle était coffré,
Si ton maître au moment ne fût venu lui-même,
En vrai désespéré, rompre ton stratagème :
« Je ne saurais souffrir, a-t-il dit hautement,
Qu'un honnête homme soit traîné honteusement ;
J'en réponds sur sa mine, et je le cautionne. »
Et comme on résistait à lâcher sa personne,
D'abord il a chargé si bien sur les recors,
Qui sont gens d'ordinaire à craindre pour leurs corps,
Qu'à l'heure que je parle ils sont encore en fuite
Et pensent tous avoir un Lélie à leur suite.

MASCARILLE

Le traître ne sait pas que cet Egyptien
Est déjà là-dedans pour lui ravir son bien.

ERGASTE

Adieu. Certaine affaire à te quitter m'oblige.

MASCARILLE, *seul.*

Oui, je suis stupéfait de ce dernier prodige.
On dirait, et pour moi j'en suis persuadé,
Que ce démon brouillon dont il est possédé
Se plaise à me braver, et me l'aille conduire
Partout où sa présence est capable de nuire.
Pourtant je veux poursuivre et, malgré tous ces coups,
Voir qui l'emportera de ce diable ou de nous.
Célie est quelque peu de notre intelligence,
Et ne voit son départ qu'avecque répugnance ;
Tâchons à profiter de cette occasion.
Mais ils viennent : songeons à l'exécution.
Cette maison meublée est en ma bienséance ;
Je puis en disposer avec grande licence.
Si le sort nous en dit, tout sera bien réglé ;
Nul que moi ne s'y tient, et j'en garde la clé.
O Dieu ! qu'en peu de temps on a vu d'aventures,
Et qu'un fourbe est contraint de prendre de figures !

SCÈNE II

CÉLIE, ANDRÈS

ANDRÈS

Vous le savez, Célie, il n'est rien que mon cœur
N'ait fait pour vous prouver l'excès de son ardeur.
Chez les Vénitiens, dès un assez jeune âge,
La guerre en quelque estime avait mis mon courage,
Et j'y pouvais un jour, sans trop croire de moi,
Prétendre, en les servant, un honorable emploi,
Lorsqu'on me vit pour vous oublier toute chose,
Et que le prompt effet d'une métamorphose,
Qui suivit de mon cœur le soudain changement,
Parmi vos compagnons sut ranger votre amant,
Sans que mille accidents, ni votre indifférence,
Aient pu me détacher de ma persévérance.
Depuis, par un hasard d'avec vous séparé,
Pour beaucoup plus de temps que je n'eusse auguré,
Je n'ai pour vous rejoindre épargné temps ni peine.
Enfin, ayant trouvé la vieille Egyptienne,
Et plein d'impatience apprenant votre sort,
Que pour certain argent qui leur importait fort,
Et qui de tous vos gens détourna le naufrage,
Vous aviez en ces lieux été mise en otage,
J'accours vite y briser ces chaînes d'intérêt,
Et recevoir de vous les ordres qu'il vous plaît.
Cependant on vous voit une morne tristesse,
Alors que dans vos yeux doit briller l'allégresse.
Si pour vous la retraite avait quelques appas,
Venise du butin fait parmi les combats
Me garde pour tous deux de quoi pouvoir y vivre.
Que si, comme devant, il vous faut encor suivre,
J'y consens, et mon cœur n'ambitionnera
Que d'être auprès de vous tout ce qu'il vous plaira.

CÉLIE

Votre zèle pour moi visiblement éclate;
Pour en paraître triste, il faudrait être ingrate;
Et mon visage aussi par son émotion
N'explique point mon cœur en cette occasion.

Une douleur de tête y peint sa violence,
Et si j'avais sur vous quelque peu de puissance,
Notre voyage, au moins pour trois ou quatre jours,
Attendrait que ce mal eût pris un autre cours.

ANDRÈS

Autant que vous voudrez faites qu'il se diffère;
Toutes mes volontés ne butent qu'à vous plaire.
Cherchons une maison à vous mettre en repos :
L'écriteau que voici s'offre tout à propos.

SCÈNE III

MASCARILLE, *déguisé en suisse*, CÉLIE, ANDRÈS

ANDRÈS

Seigneur suisse, êtes-vous de ce logis le maître?

MASCARILLE

Moi, pour serfir à fous.

ANDRÈS

       Pourrons-nous y bien être?

MASCARILLE

Oui, moi pour d'estrancher chappon champre garni;
Mais ché non point locher te gent te méchant vi.

ANDRÈS

Je crois votre maison franche de tout ombrage.

MASCARILLE

Fous nouviau dans sti fil, moi foir à la fissage.

ANDRÈS

Oui.

MASCARILLE

La Matame est-il mariage al Montsieur?

ANDRÈS

Quoi?

MASCARILLE

S'il être son fame, ou s'il être son sœur?

ANDRÈS

Non.

MASCARILLE

Mon foi, pien choli; finir pour marchandisse,
Ou pien pour temanter à la Palais choustice?
La procès, il faut rien, il coûter tant tarchant;
La procurair larron, la focat pien méchant.

ANDRÈS

Ce n'est pas pour cela.

MASCARILLE

Fous tonc mener sti file,
Pour fenir pourmener, et recarter la file?

ANDRÈS

A Célie.

Il n'importe. Je suis à vous dans un moment.
Je vais faire venir la vieille promptement,
Contremander aussi notre voiture prête.

MASCARILLE

Li ne porte pas pien?

ANDRÈS

Elle a mal à la tête.

MASCARILLE

Moi, chavoir de pon fin et de fromage pon.
Entre fous, entre fous dans mon petit maison.

Célie, Andrès et Mascarille entrent dans la maison.

SCÈNE IV

LÉLIE, ANDRÈS

LÉLIE, *seul.*

Quel que soit le transport d'une âme impatiente,
Ma parole m'engage à rester en attente,
A laisser faire un autre et voir, sans rien oser,
Comme de mes destins le Ciel veut disposer.

A Andrès qui sort de la maison.

Demandiez-vous quelqu'un dedans cette demeure?

ANDRÈS

C'est un logis garni que j'ai pris tout à l'heure.

LÉLIE

A mon père pourtant la maison appartient,
Et mon valet la nuit pour la garder s'y tient.

ANDRÈS

Je ne sais; l'écriteau marque au moins qu'on la loue:
Lisez.

LÉLIE

Certes, ceci me surprend, je l'avoue,
Qui diantre l'aurait mis? et par quel intérêt?...
Ah! ma foi, je devine à peu près ce que c'est;
Cela ne peut venir que de ce que j'augure.

ANDRÈS

Peut-on vous demander quelle est cette aventure?

LÉLIE

Je voudrais à tout autre en faire un grand secret;
Mais pour vous il n'importe, et vous serez discret.
Sans doute l'écriteau que vous voyez paraître,
Comme je conjecture au moins, ne saurait être

Que quelque invention du valet que je di,
Que quelque nœud subtil qu'il doit avoir ourdi
Pour mettre en mon pouvoir certaine Egyptienne
Dont j'ai l'âme piquée, et qu'il faut que j'obtienne;
Je l'ai déjà manquée, et même plusieurs coups.

ANDRÈS

Vous l'appelez?

LÉLIE

     Célie.

ANDRÈS

       Hé! que ne disiez-vous?
Vous n'aviez qu'à parler, je vous aurais sans doute
Epargné tous les soins que ce projet vous coûte.

LÉLIE

Quoi! vous la connaissez?

ANDRÈS

       C'est moi qui maintenant
Viens de la racheter.

LÉLIE

O discours surprenant!

ANDRÈS

Sa santé de partir ne nous pouvant permettre,
Au logis que voilà je venais de la mettre;
Et je suis très ravi, dans cette occasion,
Que vous m'ayez instruit de votre intention.

LÉLIE

Quoi! j'obtiendrais de vous le bonheur que j'espère?
Vous pourriez...

ANDRÈS, *allant frapper à la porte.*

     Tout à l'heure on va vous satisfaire.

LÉLIE

Que pourrai-je vous dire? Et quel remerciement...

ANDRÈS

Non, ne m'en faites point, je n'en veux nullement.

SCÈNE V

MASCARILLE, LÉLIE, ANDRÈS

MASCARILLE, *à part*

Eh bien! ne voilà pas mon enragé de maître!
Il nous va faire encor quelque nouveau bissêtre[8].

LÉLIE

Sous ce grotesque habit qui l'aurait reconnu?
Approche, Mascarille, et sois le bienvenu.

MASCARILLE

Moi souis ein chant honneur, moi non point Maquerille
Chai point fentre chamais le fame ni le fille.

LÉLIE

Le plaisant baragouin! il est bon, sur ma foi!

MASCARILLE

Alle fous pourmener, sans toi rire te moi.

LÉLIE

Va, va, lève le masque et reconnais ton maître.

MASCARILLE

Partieu, tiable, mon foi! jamais toi chai connaître.

LÉLIE

Tout est accommodé, ne te déguise point.

MASCARILLE

Si toi point en aller, chai paille ein cou te point.

LÉLIE

Ton jargon allemand est superflu, te dis-je;
Car nous sommes d'accord, et sa bonté m'oblige.
J'ai tout ce que mes vœux lui peuvent demander,
Et tu n'as pas sujet de rien appréhender.

MASCARILLE

Si vous êtes d'accord par un bonheur extrême,
Je me dessuisse donc et redeviens moi-même.

ANDRÈS

Ce valet vous servait avec beaucoup de feu;
Mais je reviens à vous, demeurez quelque peu.

LÉLIE

Eh bien! que diras-tu?

MASCARILLE

                    Que j'ai l'âme ravie
De voir d'un beau succès notre peine suivie.

LÉLIE

Tu feignais à sortir de ton déguisement
Et ne pouvais me croire en cet événement.

MASCARILLE

Comme je vous connais, j'étais dans l'épouvante,
Et trouve l'aventure aussi fort surprenante.

LÉLIE

Mais confesse qu'enfin c'est avoir fait beaucoup.
Au moins j'ai réparé mes fautes à ce coup,
Et j'aurai cet honneur d'avoir fini l'ouvrage.

MASCARILLE

Soit; vous aurez été bien plus heureux que sage.

SCÈNE VI

CÉLIE, MASCARILLE, LÉLIE, ANDRÈS

ANDRÈS

N'est-ce pas là l'objet dont vous m'avez parlé?

LÉLIE

Ah! quel bonheur au mien pourrait être égalé?

ANDRÈS

Il est vrai, d'un bienfait je vous suis redevable ;
Si je ne l'avouais, je serais condamnable ;
Mais enfin ce bienfait aurait trop de rigueur,
S'il fallait le payer aux dépens de mon cœur.
Jugez, dans le transport où sa beauté me jette,
Si je dois à ce prix vous acquitter ma dette ;
Vous êtes généreux, vous ne le voudriez pas.
Adieu pour quelques jours ; retournons sur nos pas.

MASCARILLE, *chante.*

Je chante, et toutefois je n'en ai guère envie.
Vous voilà bien d'accord : il vous donne Célie,
Hem ! Vous m'entendez bien.

LÉLIE

                C'est trop ; je ne veux plus
Te demander pour moi de secours superflus.
Je suis un chien, un traître, un bourreau détestable,
Indigne d'aucun soin, de rien faire incapable.
Va, cesse tes efforts pour un malencontreux
Qui ne saurait souffrir que l'on le rende heureux.
Après tant de malheurs, après mon imprudence,
Le trépas me doit seul prêter son assistance.

MASCARILLE, *seul.*

Voilà le vrai moyen d'achever son destin ;
Il ne lui manque plus que de mourir enfin
Pour le couronnement de toutes ses sottises.
Mais en vain son dépit pour ses fautes commises
Lui fait licencier mes soins et mon appui :
Je veux, quoi qu'il en soit, le servir malgré lui,
Et dessus son lutin obtenir la victoire.
Plus l'obstacle est puissant, plus on reçoit de gloire,
Et les difficultés dont on est combattu
Sont les dames d'atours qui parent la vertu.

SCÈNE VII

MASCARILLE, CÉLIE

CÉLIE, *à Mascarille, qui lui a parlé bas.*

Quoi que tu veuilles dire et que l'on se propose,
De ce retardement j'attends fort peu de chose.
Ce qu'on voit de succès peut bien persuader
Qu'ils ne sont pas encor fort près de s'accorder;
Et je t'ai déjà dit qu'un cœur comme le nôtre
Ne voudrait pas pour l'un faire injustice à l'autre,
Et que très fortement, par de différents nœuds,
Je me trouve attachée au parti de tous deux.
Si Lélie a pour lui l'amour et sa puissance,
Andrès pour son partage a la reconnaissance,
Qui ne souffrira point que mes pensers secrets
Consultent jamais rien contre ses intérêts;
Oui, s'il ne peut avoir plus de place en mon âme,
Si le don de mon cœur ne couronne sa flamme,
Au moins dois-je le prix à ce qu'il fait pour moi
De n'en choisir point d'autre au mépris de sa foi,
Et de faire à mes vœux autant de violence
Que j'en fais aux désirs qu'il met en évidence.
Sur ces difficultés qu'oppose mon devoir,
Juge ce que tu peux te permettre d'espoir.

MASCARILLE

Ce sont, à dire vrai, de très fâcheux obstacles,
Et je ne sais point l'art de faire des miracles;
Mais je vais employer mes efforts plus puissants,
Remuer terre et ciel, m'y prendre de tout sens,
Pour tâcher de trouver un biais salutaire,
Et vous dirai bientôt ce qui se pourra faire.

SCÈNE VIII

CÉLIE, HIPPOLYTE

HIPPOLYTE

Depuis votre séjour, les dames de ces lieux
Se plaignent justement des larcins de vos yeux,

Si vous leur dérobez leurs conquêtes plus belles,
Et de tous leurs amants faites des infidèles.
Il n'est guère de cœurs qui puissent échapper
Aux traits dont à l'abord vous savez les frapper,
Et mille libertés, à vos chaînes offertes,
Semblent vous enrichir chaque jour de nos pertes.
Quant à moi, toutefois, je ne me plaindrais pas
Du pouvoir absolu de vos rares appas,
Si, lorsque mes amants sont devenus les vôtres,
Un seul m'eût consolé de la perte des autres;
Mais qu'inhumainement vous les me ôtiez tous,
C'est un dur procédé dont je me plains à vous.

CÉLIE

Voilà d'un air galant faire une raillerie;
Mais épargnez un peu celle qui vous en prie.
Vos yeux, vos propres yeux, se connaissent trop bien,
Pour pouvoir de ma part redouter jamais rien;
Ils sont fort assurés du pouvoir de leurs charmes
Et ne prendront jamais de pareilles alarmes.

HIPPOLYTE

Pourtant en ce discours je n'ai rien avancé
Qui dans tous les esprits ne soit déjà passé;
Et sans parler du reste, on sait bien que Célie
A causé des désirs à Léandre et Lélie.

CÉLIE

Je crois qu'étant tombés dans cet aveuglement,
Vous vous consoleriez de leur perte aisément,
Et trouveriez pour vous l'amant peu souhaitable
Qui d'un si mauvais choix se trouverait capable.

HIPPOLYTE

Au contraire, j'agis d'un air tout différent,
Et trouve en vos beautés un mérite si grand,
J'y vois tant de raisons capables de défendre
L'inconstance de ceux qui s'en laissent surprendre,
Que je ne puis blâmer la nouveauté des feux
Dont envers moi Léandre a parjuré ses vœux,
Et le vais voir tantôt, sans haine et sans colère,
Ramené sous mes lois par le pouvoir d'un père.

SCÈNE IX

MASCARILLE, CÉLIE, HIPPOLYTE

MASCARILLE

Grande, grande nouvelle, et succès surprenant,
Que ma bouche vous vient annoncer maintenant!

CÉLIE

Qu'est-ce donc?

MASCARILLE

Ecoutez, voici sans flatterie...

CÉLIE

Quoi?

MASCARILLE

La fin d'une vraie et pure comédie.
La vieille Egyptienne à l'heure même...

CÉLIE

Eh bien?

MASCARILLE

Passait dedans la place et ne songeait à rien,
Alors qu'une autre vieille assez défigurée,
L'ayant de près au nez longtemps considérée,
Par un bruit enroué de mots injurieux
A donné le signal d'un combat furieux,
Qui pour armes, pourtant, mousquets, dagues ou flèches,
Ne faisait voir en l'air que quatre griffes sèches,
Dont ces deux combattants s'efforçaient d'arracher
Ce peu que sur leurs os les ans laissent de chair.
On n'entend que ces mots : chienne, louve, bagasse,
D'abord leurs escoffions ont volé par la place
Et, laissant voir à nu deux têtes sans cheveux,
Ont rendu le combat risiblement affreux.
Andrès et Trufaldin à l'éclat du murmure,

Ainsi que force monde, accourus d'aventure,
Ont à les décharpir eu de la peine assez,
Tant leurs esprits étaient par la fureur poussés.
Cependant que chacune après cette tempête,
Songe à cacher aux yeux la honte de sa tête,
Et que l'on veut savoir qui causait cette humeur,
Celle qui la première avait fait la rumeur,
Malgré la passion dont elle était émue,
Ayant sur Trufaldin tenu longtemps la vue :
« C'est vous, si quelque erreur n'abuse ici mes yeux,
Qu'on m'a dit qui vivez inconnu dans ces lieux,
A-t-elle dit tout haut; ô rencontre opportune!
Oui, Seigneur Zanobio Ruberti, la fortune
Me fait vous reconnaître, et dans le même instant
Que pour votre intérêt je me tourmentais tant.
Lorsque Naples vous vit quitter votre famille,
J'avais, vous le savez, en mes mains votre fille,
Dont j'élevais l'enfance, et qui, par mille traits,
Faisait voir dès quatre ans sa grâce et ses attraits.
Celle que vous voyez, cette infâme sorcière,
Dedans notre maison se rendant familière,
Me vola ce trésor. Hélas! de ce malheur
Votre femme, je crois, conçut tant de douleur,
Que cela servit fort pour avancer sa vie!
Si bien qu'entre mes mains cette fille ravie
Me faisant redouter un reproche fâcheux,
Je vous fis annoncer la mort de toutes deux;
Mais il faut maintenant, puisque je l'ai connue,
Qu'elle fasse savoir ce qu'elle est devenue. »
Au nom de Zanobio Ruberti, que sa voix
Pendant tout ce récit répétait plusieurs fois,
Andrès, ayant changé quelque temps de visage,
A Trufaldin surpris a tenu ce langage :
« Quoi donc! le Ciel me fait trouver heureusement
Celui que jusqu'ici j'ai cherché vainement,
Et que j'avais pu voir, sans pourtant reconnaître
La source de mon sang et l'auteur de mon être!
Oui, mon père, je suis Horace, votre fils.
D'Albert, qui me gardait, les jours étant finis,
Me sentant naître au cœur d'autres inquiétudes,
Je sortis de Bologne et, quittant mes études,
Portai durant six ans mes pas en divers lieux,
Selon que me poussait un désir curieux.
Pourtant, après ce temps, une secrète envie

Me pressa de revoir les miens et ma patrie;
Mais dans Naples, hélas! je ne vous trouvai plus,
Et n'y sus votre sort que par des bruits confus :
Si bien qu'à votre quête ayant perdu mes peines,
Venise pour un temps borna mes courses vaines;
Et j'ai vécu depuis sans que de ma maison
J'eusse d'autres clartés que d'en savoir le nom. »
Je vous laisse à juger si, pendant ces affaires,
Trufaldin ressentait des transports ordinaires.
Enfin, pour retrancher ce que plus à loisir
Vous aurez le moyen de vous faire éclaircir
Par la confession de votre Egyptienne,
Trufaldin maintenant vous reconnaît pour sienne;
Andrès est votre frère; et comme de sa sœur
Il ne peut plus songer à se voir possesseur,
Une obligation qu'il prétend reconnaître
A fait qu'il vous obtient pour épouse à mon maître,
Dont le père, témoin de tout l'événement,
Donne à cette hyménée un plein consentement;
Et pour mettre une joie entière en sa famille,
Pour le nouvel Horace a proposé sa fille,
Voyez que d'incidents à la fois enfantés!

CÉLIE

Je demeure immobile à tant de nouveautés.

MASCARILLE

Tous viennent sur mes pas, hors les deux championnes,
Qui du combat encor remettent leurs personnes.
Léandre est de la troupe, et votre père aussi.
Moi, je vais avertir mon maître de ceci,
Et que, lorsqu'à ses vœux on croit le plus d'obstacle,
Le Ciel en sa faveur produit comme un miracle.

Mascarille sort.

HIPPOLYTE

Un tel ravissement rend mes esprits confus,
Que pour mon propre sort je n'en aurais pas plus.
Mais les voici venir.

SCÈNE X

TRUFALDIN, ANSELME, PANDOLFE, ANDRÈS,
CÉLIE, HIPPOLYTE, LÉANDRE

TRUFALDIN
Ah! ma fille!

CÉLIE

Ah! mon père!

TRUFALDIN
Sais-tu déjà comment le Ciel nous est prospère?

CÉLIE
Je viens d'entendre ici le succès merveilleux.

HIPPOLYTE, *à Léandre.*
En vain vous parleriez pour excuser vos feux,
Si j'ai devant les yeux ce que vous pouvez dire.

LÉANDRE
Un généreux pardon est ce que je désire;
Mais j'atteste les Cieux qu'en ce retour soudain
Mon père fait bien moins que mon propre dessein.

ANDRÈS, *à Célie.*
Qui l'aurait jamais cru, que cette ardeur si pure
Pût être condamnée un jour par la nature?
Toutefois tant d'honneur la sut toujours régir,
Qu'en y changeant fort peu je puis la retenir.

CÉLIE
Pour moi, je me blâmais, et croyais faire faute
Quand je n'avais pour vous qu'une estime très haute;
Je ne pouvais savoir quel obstacle puissant
M'arrêtait sur un pas si doux et si glissant,
Et détournait mon cœur de l'aveu d'une flamme
Que mes sens s'efforçaient d'introduire en mon âme.

TRUFALDIN, *à Célie*

Mais en te recouvrant, que diras-tu de moi,
Si je songe aussitôt à me priver de toi,
Et t'engage à son fils sous les lois d'hyménée?

CÉLIE

Que de vous maintenant dépend ma destinée.

SCÈNE XI

TRUFALDIN, MASCARILLE, LÉLIE, ANSELME,
PANDOLFE, CÉLIE, ANDRÈS, HIPPOLYTE, LÉANDRE

MASCARILLE, *à Lélie*

Voyons si votre diable aura bien le pouvoir
De détruire à ce coup un si solide espoir,
Et si contre l'excès du bien qui nous arrive
Vous armerez encor votre imaginative.
Par un coup imprévu des destins les plus doux,
Vos vœux sont couronnés, et Célie est à vous.

LÉLIE

Croirai-je que du Ciel la puissance absolue?...

TRUFALDIN

Oui, mon gendre, il est vrai.

PANDOLFE

                    La chose est résolue.

ANDRÈS, *à Lélie*.

Je m'acquitte par là de ce que je vous dois.

LÉLIE, *à Mascarille*.

Il faut que je t'embrasse et mille et mille fois,
Dans cette joie...

MASCARILLE

Ay! ay! doucement, je vous prie.
Il m'a presque étouffé! Je crains fort pour Célie,
Si vous la caressez avec tant de transport;
De vos embrassements on se passerait fort.

TRUFALDIN, *à Lélie*

Vous savez le bonheur que le Ciel me renvoie;
Mais puisqu'un même jour nous met tous dans la joie,
Ne nous séparons point qu'il ne soit terminé,
Et que son père aussi nous soit vite amené.

MASCARILLE

Vous voilà tous pourvus. N'est-il point quelque fille
Qui pût accommoder le pauvre Mascarille?
A voir chacun se joindre à sa chacune ici,
J'ai des démangeaisons de mariage aussi.

ANSELME

J'ai ton fait.

MASCARILLE

Allons donc; et que les Cieux prospères
Nous donnent des enfants dont nous soyons les pères!

LE DÉPIT
AMOUREUX

COMÉDIE

représentée pour la première fois à Paris, sur le théâtre du Petit-Bourbon, au mois de décembre 1658, par la troupe de Monsieur, frère unique du Roi.

LES PERSONNAGES

ÉRASTE, amant de Lucile.   *Béjart aîné.*
ALBERT, père de Lucile et d'Ascagne.   *Molière.*
GROS-RENÉ, valet d'Éraste.   *Du Parc.*
VALÈRE, fils de Polidore.   *Béjart le jeune.*
LUCILE, fille d'Albert.   *Mademoiselle de Brie.*
MARINETTE, suivante de Lucile.   *Madeleine Béjart.*
POLIDORE, père de Valère.
FROSINE, confidente d'Ascagne.
ASCAGNE, fille d'Albert, sous l'habit d'homme.
MASCARILLE, valet de Valère.
MÉTAPHRASTE, pédant.   *Du Croisy.*
LA RAPIÈRE, bretteur.   *De Brie.*

La scène est à Paris.

ACTE PREMIER

SCÈNE PREMIÈRE

ÉRASTE, GROS-RENÉ

ÉRASTE

Veux-tu que je te die? une atteinte secrète
Ne laisse point mon âme en une bonne assiette.
Oui, quoi qu'à mon amour tu puisses repartir,
Il craint d'être la dupe, à ne te point mentir;
Qu'en faveur d'un rival ta foi ne se corrompe,
Ou du moins qu'avec moi, toi-même on ne te trompe.

GROS-RENÉ

Pour moi, me soupçonner de quelque mauvais tour,
Je dirai, n'en déplaise à Monsieur votre amour,
Que c'est injustement blesser ma prud'homie,
Et se connaître mal en physionomie.
Les gens de mon minois ne sont point accusés
D'être, grâces à Dieu, ni fourbes, ni rusés.
Cet honneur qu'on nous fait, je ne le démens guères,
Et suis homme fort rond de toutes les manières[1].
Pour que l'on me trompât, cela se pourrait bien;
Le doute est mieux fondé; pourtant je n'en crois rien.
Je ne vois point encore, ou je suis une bête,
Sur quoi vous avez pu prendre martel en tête.
Lucile, à mon avis, vous montre assez d'amour;
Elle vous voit, vous parle à toute heure du jour;
Et Valère, après tout, qui cause votre crainte,
Semble n'être à présent souffert que par contrainte.

ÉRASTE

Souvent d'un faux espoir un amant est nourri;
Le mieux reçu toujours n'est pas le plus chéri,
Et tout ce que l'ardeur font paraître les femmes
Parfois n'est qu'un beau voile à couvrir d'autres flammes.
Valère enfin, pour être un amant rebuté,

Montre depuis un temps trop de tranquillité;
Et ce qu'à ces faveurs, dont tu crois l'apparence,
Il témoigne de joie ou bien d'indifférence
M'empoisonne à tous coups leurs plus charmants appas,
Me donne ce chagrin que tu ne comprends pas,
Tient mon bonheur en doute, et me rend difficile
Une entière croyance aux propos de Lucile.
Je voudrais, pour trouver un tel destin bien doux,
Y voir entrer un peu de son transport jaloux,
Et sur ses déplaisirs et son impatience
Mon âme prendrait lors une pleine assurance.
Toi-même penses-tu qu'on puisse, comme il fait,
Voir chérir un rival d'un esprit satisfait?
Et si tu n'en crois rien, dis-moi, je t'en conjure,
Si j'ai lieu de rêver dessus cette aventure.

GROS-RENÉ

Peut-être que son cœur a changé de désirs,
Connaissant qu'il poussait d'inutiles soupirs.

ÉRASTE

Lorsque par les rubis une âme est détachée,
Elle veut fuir l'objet dont elle fut touchée,
Et ne rompt point sa chaîne avec si peu d'éclat
Qu'elle puisse rester en un paisible état.
De ce qu'on a chéri la fatale présence
Ne nous laisse jamais dedans l'indifférence,
Et si de cette vue on n'accroît son dédain,
Notre amour est bien près de nous rentrer au sein;
Enfin, crois-moi, si bien qu'on éteigne une flamme,
Un peu de jalousie occupe encore une âme,
Et l'on ne saurait voir, sans en être piqué,
Posséder par un autre un cœur qu'on a manqué.

GROS-RENÉ

Pour moi, je ne sais point tant de philosophie;
Ce que voyent mes yeux, franchement je m'y fie,
Et ne suis point de moi si mortel ennemi
Que je m'aille affliger sans sujet ni demi.
Pourquoi subtiliser et faire le capable
A chercher des raisons pour être misérable?
Sur des soupçons en l'air je m'irais alarmer?
Laissons venir la fête avant que la chômer.

Le chagrin me paraît une incommode chose;
Je n'en prends point pour moi sans bonne et juste cause,
Et mêmes à mes yeux cent sujets d'en avoir
S'offrent le plus souvent, que je ne veux pas voir.
Avec vous en amour je cours même fortune,
Celle que vous aurez me doit être commune :
La maîtresse ne peut abuser votre foi,
A moins que la suivante en fasse autant pour moi;
Mais j'en fuis la pensée avec un soin extrême.
Je veux croire les gens quand on me dit : « Je t'aime »,
Et ne vais point chercher, pour m'estimer heureux,
Si Mascarille ou non s'arrache les cheveux.
Que tantôt Marinette endure qu'à son aise
Jodelet par plaisir la caresse et la baise,
Et que ce beau rival en rie ainsi qu'un fou
A son exemple aussi j'en rirai tout mon soûl,
Et l'on verra qui rit avec meilleure grâce.

ÉRASTE

Voilà de tes discours.

GROS-RENÉ
Mais je la vois qui passe.

SCÈNE II

MARINETTE, ÉRASTE, GROS-RENÉ

GROS-RENÉ

St, Marinette!

MARINETTE
Ho! ho! que fais-tu là?

GROS-RENÉ
Ma foi,
Demande; nous étions tout à l'heure sur toi.

MARINETTE

Vous êtes aussi là, Monsieur! Depuis une heure,
Vous m'avez fait trotter comme un Basque, ou je meure!

ÉRASTE

Comment?

MARINETTE

Pour vous chercher j'ai fait dix mille pas,
Et vous promets, ma foi…

ÉRASTE

Quoi?

MARINETTE

Que vous n'êtes pas
Au temple, au cours, chez vous, ni dans la grande place.

GROS-RENÉ

Il en fallait jurer.

ÉRASTE

Apprends-moi donc, de grâce,
Qui te fait me chercher?

MARINETTE

Quelqu'un, en vérité,
Qui pour vous n'a pas trop mauvaise volonté:
Ma maîtresse, en un mot.

ÉRASTE

Ha! chère Marinette,
Ton discours de son cœur est-il bien l'interprète?
Ne me déguise point un mystère fatal;
Je ne t'en voudrai pas pour cela plus de mal:
Au nom des dieux, dis-moi si ta belle maîtresse
N'abuse point mes vœux d'une fausse tendresse.

MARINETTE

Hé! hé! d'où vous vient donc ce plaisant mouvement?
Elle ne fait pas voir assez son sentiment?
Quel garant est-ce encor que votre amour demande?
Que lui faut-il?

GROS-RENÉ

A moins que Valère se pende,
Bagatelle! son cœur ne s'assurera point.

MARINETTE

Comment?

GROS-RENÉ

Il est jaloux jusques en un tel point.

MARINETTE

De Valère? Ha! vraiment la pensée est bien belle!
Elle peut seulement naître en votre cervelle.
Je vous croyais du sens, et jusqu'à ce moment
J'avais de votre esprit quelque bon sentiment;
Mais, à ce que je vois, je m'étais fort trompée.
Ta tête de ce mal est-elle aussi frappée?

GROS-RENÉ

Moi, jaloux? Dieu m'en garde, et d'être assez badin
Pour m'aller emmaigrir avec un tel chagrin!
Outre que de ton cœur ta foi me cautionne,
L'opinion que j'ai de moi-même est trop bonne
Pour croire auprès de moi que quelque autre te plût.
Où diantre pourrais-tu trouver qui me valût?

MARINETTE

En effet, tu dis bien; voilà comme il faut être.
Jamais de ces soupçons qu'un jaloux fait paraître!
Tout le fruit qu'on en cueille est de se mettre mal,
Et d'avancer par là les desseins d'un rival.
Au mérite souvent de qui l'éclat vous blesse
Vos chagrins font ouvrir les yeux d'une maîtresse;
Et j'en sais tel, qui doit son destin le plus doux
Aux soins trop inquiets de son rival jaloux.
Enfin, quoi qu'il en soit, témoigner de l'ombrage,
C'est jouer en amour un mauvais personnage,
Et se rendre, après tout, misérable à crédit :
Cela, Seigneur Eraste, en passant vous soit dit.

ÉRASTE

Hé bien! n'en parlons plus. Que venais-tu m'apprendre?

MARINETTE

Vous mériteriez bien que l'on vous fît attendre,
Qu'afin de vous punir je vous tinsse caché
Le grand secret pourquoi je vous ai tant cherché.
Tenez, voyez ce mot, et sortez hors de doute.
Lisez-le donc tout haut, personne ici n'écoute.

ÉRASTE, *lit.*

Vous m'avez dit que votre amour
Etait capable de tout faire ;
Il se couronnera lui-même dans ce jour,
S'il peut avoir l'aveu d'un père ;
Faites parler les droits qu'on a dessus mon cœur,
Je vous en donne la licence ;
Et si c'est en votre faveur,
Je vous réponds de mon obéissance.

Ha ! quel bonheur ! O toi, qui me l'as apporté,
Je te dois regarder comme une déité.

GROS-RENÉ

Je vous le disais bien contre votre croyance :
Je ne me trompe guère aux choses que je pense.

ÉRASTE, *relit.*

Faites parler les droits qu'on a dessus mon cœur,
Je vous en donne la licence ;
Et si c'est en votre faveur,
Je vous réponds de mon obéissance.

MARINETTE

Si je lui rapportais vos faiblesses d'esprit,
Elle désavouerait bientôt un tel écrit.

ÉRASTE

Ha ! cache-lui, de grâce, une peur passagère,
Où mon âme a cru voir quelque peu de lumière ;
Ou si tu la lui dis, ajoute que ma mort
Est prête d'expier l'erreur de ce transport ;
Que je vais à ses pieds, si j'ai pu lui déplaire,
Sacrifier ma vie à sa juste colère.

MARINETTE

Ne parlons point de mort, ce n'en est pas le temps.

ÉRASTE

Au reste, je te dois beaucoup, et je prétends
Reconnaître dans peu, de la bonne manière,
Les soins d'une si noble et si belle courrière.

MARINETTE

A propos, savez-vous où je vous ai cherché
Tantôt encore?

ÉRASTE

Hé bien?

MARINETTE

Tout proche du marché,
Où vous savez.

ÉRASTE

Où donc?

MARINETTE

Là, dans cette boutique
Où dès le mois passé votre cœur magnifique
Me promit, de sa grâce, une bague.

ÉRASTE

Ha! j'entends.

GROS-RENÉ

La matoise!

ÉRASTE

Il est vrai, j'ai tardé trop longtemps
A m'acquitter vers toi d'une telle promesse;
Mais...

MARINETTE

Ce que j'en ai dit, n'est pas que je vous presse.

GROS-RENÉ

Ho! que non!

ÉRASTE, *lui donne sa bague.*

Celle-ci peut-être aura de quoi
Te plaire; accepte-la pour celle que je dois.

MARINETTE

Monsieur, vous vous moquez, j'aurais honte à la prendre.

GROS-RENÉ

Pauvre honteuse, prends, sans davantage attendre :
Refuser ce qu'on donne est bon à faire aux fous.

MARINETTE

Ce sera pour garder quelque chose de vous.

ÉRASTE

Quand puis-je rendre grâce à cet ange adorable?

MARINETTE

Travaillez à vous rendre un père favorable.

ÉRASTE

Mais s'il me rebutait, dois-je?...

MARINETTE

Alors comme alors!
Pour vous on emploiera toutes sortes d'efforts.
D'une façon ou d'autre il faut qu'elle soit vôtre :
Faites votre pouvoir, et nous ferons le nôtre.

ÉRASTE

Adieu, nous en saurons le succès dans ce jour.

Eraste relit la lettre tout bas.

MARINETTE, *à Gros-René.*

Et nous, que dirons-nous aussi de notre amour?
Tu ne m'en parles point.

GROS-RENÉ
              Un hymen qu'on souhaite,
Entre gens comme nous, est chose bientôt faite.
Je te veux; me veux-tu de même?

MARINETTE
                        Avec plaisir.

GROS-RENÉ
Touche, il suffit.

MARINETTE
            Adieu, Gros-René, mon désir.

GROS-RENÉ
Adieu, mon astre

MARINETTE
            Adieu, beau tison de ma flamme.

GROS-RENÉ
Adieu, chère comète, arc-en-ciel de mon âme.

                              Marinette sort.

Le bon Dieu soit loué! nos affaires vont bien;
Albert n'est pas un homme à vous refuser rien.

ÉRASTE
Valère vient à nous.

GROS-RENÉ
              Je plains le pauvre hère,
Sachant ce qui se passe.

SCÈNE III

ÉRASTE, VALÈRE, GROS-RENÉ

ÉRASTE
              Hé bien, Seigneur Valère?

VALÈRE

Hé bien, Seigneur Eraste?

ÉRASTE

En quel état l'amour?

VALÈRE

En quel état vos feux?

ÉRASTE

Plus forts de jour en jour.

VALÈRE

Et mon amour plus fort.

ÉRASTE

Pour Lucile?

VALÈRE

Pour elle.

ÉRASTE

Certes, je l'avouerai, vous êtes le modèle
D'une rare constance.

VALÈRE

Et votre fermeté
Doit être un rare exemple à la postérité.

ÉRASTE

Pour moi, je suis peu fait à cet amour austère
Qui dans les seuls regards trouve à se satisfaire,
Et je ne forme point d'assez beaux sentiments
Pour souffrir constamment les mauvais traitements;
Enfin, quand j'aime bien, j'aime fort que l'on m'aime.

VALÈRE

Il est très naturel, et j'en suis bien de même :
Le plus parfait objet dont je serais charmé
N'aurait pas mes tributs, n'en étant point aimé.

ÉRASTE

Lucile cependant...

VALÈRE

Lucile, dans son âme,
Rend tout ce que je veux qu'elle rende à ma flamme.

ÉRASTE

Vous êtes donc facile à contenter?

VALÈRE

Pas tant
Que vous pourriez penser.

ÉRASTE

Je puis croire pourtant,
Sans trop de vanité, que je suis en sa grâce.

VALÈRE

Moi, je sais que j'y tiens une assez bonne place.

ÉRASTE

Ne vous abusez point, croyez-moi.

VALÈRE

Croyez-moi,
Ne laissez point duper vos yeux à trop de foi.

ÉRASTE

Si j'osais vous montrer une preuve assurée
Que son cœur... Non, votre âme en serait altérée.

VALÈRE

Si je vous osais, moi, découvrir en secret...
Mais je vous fâcherais, et veux être discret.

ÉRASTE

Vraiment, vous me poussez et, contre mon envie,
Votre présomption veut que je l'humilie.
Lisez.

VALÈRE

Ces mots sont doux.

ÉRASTE

Vous connaissez la main?

VALÈRE, *après avoir lu.*

Oui, de Lucile.

ÉRASTE

Hé bien? cet espoir si certain...

VALÈRE, *riant et s'en allant.*

Adieu, Seigneur Eraste.

GROS-RENÉ

Il est fou, le bon sire.
Où vient-il donc pour lui d'avoir le mot pour rire?

ÉRASTE

Certes il me surprend, et j'ignore, entre nous,
Quel diable de mystère est caché là-dessous.

GROS-RENÉ

Son valet vient, je pense.

ÉRASTE

Oui, je le vois paraître.
Feignons, pour le jeter sur l'amour de son maître.

SCÈNE IV

MASCARILLE, ÉRASTE, GROS-RENÉ

MASCARILLE, *à part.*

Non, je ne trouve point d'état plus malheureux
Que d'avoir un patron jeune et fort amoureux.

GROS-RENÉ

Bonjour.

MASCARILLE

Bonjour.

GROS-RENÉ

Où tend Mascarille à cette heure?
Que fait-il? revient-il? va-t-il? ou s'il demeure?

MASCARILLE

Non, je ne reviens pas, car je n'ai pas été;
Je ne vais pas aussi, car je suis arrêté;
Et ne demeure point, car tout de ce pas même
Je prétends m'en aller.

ÉRASTE

La rigueur est extrême.
Doucement, Mascarille.

MASCARILLE

Ha! Monsieur, serviteur.

ÉRASTE

Vous nous fuyez bien vite! Hé quoi! vous fais-je peur?

MASCARILLE

Je ne crois pas cela de votre courtoisie.

ÉRASTE

Touche; nous n'avons plus sujet de jalousie.
Nous devenons amis, et mes feux, que j'éteins,
Laissent la place libre à vos heureux desseins.

MASCARILLE

Plût à Dieu!

ÉRASTE

Gros-René sait qu'ailleurs je me jette.

GROS-RENÉ

Sans doute; et je te cède aussi la Marinette.

MASCARILLE

Passons sur ce point-là; notre rivalité
N'est pas pour en venir à grande extrémité.
Mais est-ce un coup bien sûr que Votre Seigneurie
Soit désenamourée, ou si c'est raillerie?

ÉRASTE

J'ai su qu'en ses amours ton maître était trop bien,
Et je serais un fou de prétendre plus rien
Aux secrètes faveurs que lui fait cette belle.

MASCARILLE

Certes, vous me plaisez avec cette nouvelle.
Outre qu'en nos projets je vous craignais un peu,
Vous tirez sagement votre épingle du jeu.
Oui, vous avez bien fait de quitter une place
Où l'on vous caressait pour la seule grimace;
Et mille fois, sachant tout ce qui se passait,
J'ai plaint le faux espoir dont on vous repaissait :
On offense un brave homme alors que l'on l'abuse.
Mais d'où diantre, après tout, avez-vous su la ruse?
Car cet engagement mutuel de leur foi
N'eut pour témoins, la nuit, que deux autres et moi;
Et l'on croit jusqu'ici la chaîne fort secrète,
Qui rend de nos amants la flamme satisfaite

ÉRASTE

Hé! que dis-tu?

MASCARILLE

                    Je dis que je suis interdit,
Et ne sais pas, Monsieur, qui peut vous avoir dit
Que sous ce faux semblant, qui trompe tout le monde,
En vous trompant aussi, leur ardeur sans seconde
D'un secret mariage a serré le lien.

ÉRASTE

Vous en avez menti.

MASCARILLE

Monsieur, je le veux bien.

ÉRASTE

Vous êtes un coquin.

MASCARILLE

D'accord.

ÉRASTE

                    Et cette audace
Mériterait cent coups de bâton sur la place.

MASCARILLE

Vous avez tout pouvoir.

ÉRASTE

          Ha! Gros-René.

GROS-RENÉ

                    Monsieur.

ÉRASTE

Je démens un discours dont je n'ai que trop peur.

                              A Mascarille.

Tu penses fuir?

MASCARILLE

     Nenni.

ÉRASTE

          Quoi! Lucile est la femme?...

MASCARILLE

Non, Monsieur, je raillais.

ÉRASTE

          Ha! vous railliez, infâme!

MASCARILLE

Non, je ne raillais point.

ÉRASTE

Il est donc vrai?

MASCARILLE

Non pas;

Je ne dis pas cela.

ÉRASTE

Que dis-tu donc?

MASCARILLE

Hélas!

Je ne dis rien de peur de mal parler.

ÉRASTE

Assure

Ou si c'est chose vraie, ou si c'est imposture.

MASCARILLE

C'est ce qu'il vous plaira; je ne suis pas ici
Pour vous rien contester.

ÉRASTE, *tirant son épée.*

Veux-tu dire? Voici,

Sans marchander, de quoi te délier la langue.

MASCARILLE

Elle ira faire encor quelque sotte harangue.
Hé! de grâce, plutôt, si vous le trouvez bon,
Donnez-moi vitement quelques coups de bâton,
Et me laissez tirer mes chausses sans murmure.

ÉRASTE

Tu mourras, ou je veux que la vérité pure
S'exprime par ta bouche.

MASCARILLE

Hélas! je la dirai;

Mais peut-être, Monsieur, que je vous fâcherai.

ÉRASTE

Parle; mais prends bien garde à ce que tu vas faire!
A ma juste fureur rien ne te peut soustraire,
Si tu mens d'un seul mot en ce que tu diras.

MASCARILLE

J'y consens, rompez-moi les jambes et les bras;
Faites-moi pis encor, tuez-moi, si j'impose
En tout ce que j'ai dit ici la moindre chose.

ÉRASTE

Ce mariage est vrai?

MASCARILLE

     Ma langue, en cet endroit,
A fait un pas de clerc dont elle s'aperçoit;
Mais enfin cette affaire est comme vous la dites,
Et c'est après cinq jours de nocturnes visites,
Tandis que vous serviez à mieux couvrir leur jeu,
Que depuis avant-hier ils sont joints de ce nœud;
Et Lucile depuis fait encor moins paraître
La violente amour qu'elle porte à mon maître,
Et veut absolument que tout ce qu'il verra,
Et qu'en votre faveur son cœur témoignera,
Il l'impute à l'effet d'une haute prudence
Qui veut de leurs secrets ôter la connaissance.
Si, malgré mes serments, vous doutez de ma foi,
Gros-René peut venir une nuit avec moi,
Et je lui ferai voir, étant en sentinelle,
Que nous avons dans l'ombre un libre accès chez elle.

ÉRASTE

Ote-toi de mes yeux, maraud.

MASCARILLE

      Et de grand cœur.
C'est ce que je demande.

Mascarille sort.

ÉRASTE
   Hé bien?

GROS-RENÉ

Hé bien! Monsieur,
Nous en tenons tous deux, si l'autre est véritable.

ÉRASTE

Las! il ne l'est que trop, le bourreau détestable!
Je vois trop d'apparence à tout ce qu'il a dit,
Et ce qu'a fait Valère, en voyant cet écrit,
Marque bien leur concert, et que c'est une baye
Qui sert sans doute aux feux dont l'ingrate le paye.

SCÈNE V

MARINETTE, GROS-RENÉ, ÉRASTE

MARINETTE

Je viens vous avertir que tantôt, sur le soir,
Ma maîtresse au jardin vous permet de la voir.

ÉRASTE

Oses-tu me parler, âme double et traîtresse?
Va, sors de ma présence, et dis à ta maîtresse
Qu'avecque ses écrits elle me laisse en paix,
Et que voilà l'état, infâme, que j'en fais.

Il déchire la lettre et sort.

MARINETTE

Gros-René, dis-moi donc quelle mouche le pique?

GROS-RENÉ

M'oses-tu bien encor parler, femelle inique,
Crocodile trompeur, de qui le cœur félon
Est pire qu'un satrape ou bien qu'un Lestrygon[2]?
Va, va rendre réponse à ta bonne maîtresse,
Et lui dis bien et beau que, malgré sa souplesse,
Nous ne sommes plus sots, ni mon maître, ni moi,
Et désormais qu'elle aille au diable avecque toi.

MARINETTE, *seule.*

Ma pauvre Marinette, es-tu bien éveillée?
De quel démon est donc leur âme travaillée?
Quoi! faire un tel accueil à nos soins obligeants!
Oh! que ceci chez nous va surprendre les gens!

ACTE II

SCÈNE PREMIÈRE

ASCAGNE, FROSINE

FROSINE

Ascagne, je suis fille à secret, Dieu merci.

ASCAGNE

Mais, pour un tel discours, sommes-nous bien ici?
Prenons garde qu'aucun ne nous vienne surprendre,
Ou que de quelque endroit on ne nous puisse entendre.

FROSINE

Nous serions au logis beaucoup moins sûrement :
Ici de tous côtés on découvre aisément,
Et nous pouvons parler avec toute assurance.

ASCAGNE

Hélas! que j'ai de peine à rompre mon silence!

FROSINE

Ouais! ceci doit donc être un important secret.

ASCAGNE

Trop, puisque je le dis à vous-même à regret,
Et que, si je pouvais le cacher davantage,
Vous ne le sauriez point.

FROSINE

Ha! c'est me faire outrage!
Feindre à s'ouvrir à moi, dont vous avez connu
Dans tous vos intérêts l'esprit si retenu!
Moi, nourrie avec vous, et qui tiens sous silence
Des choses qui vous sont de si grande importance,
Qui sais...

ASCAGNE

Oui, vous savez la secrète raison
Qui cache aux yeux de tous mon sexe et ma maison;
Vous savez que dans celle où passa mon bas âge
Je suis pour y pouvoir retenir l'héritage
Que relâchait ailleurs le jeune Ascagne mort,
Dont mon déguisement fait revivre le sort;
Et c'est aussi pourquoi ma bouche se dispense
A vous ouvrir mon cœur avec plus d'assurance.
Mais avant que passer, Frosine, à ce discours,
Eclaircissez un doute où je tombe toujours :
Se pourrait-il qu'Albert ne sût rien du mystère
Qui masque ainsi mon sexe, et l'a rendu mon père?

FROSINE

En bonne foi, ce point sur quoi vous me pressez
Est une affaire aussi qui m'embarrasse assez;
Le fond de cette intrigue est pour moi lettre close,
Et ma mère ne put m'éclaircir mieux la chose.
Quand il mourut ce fils, l'objet de tant d'amour,
Au destin de qui, même avant qu'il vînt au jour,
Le testament d'un oncle abondant en richesses
D'un soin particulier avait fait des largesses,
Et que sa mère fit un secret de sa mort,
De son époux absent redoutant le transport,
S'il voyait chez un autre aller tout l'héritage,
Dont sa maison tirait un si grand avantage;
Quand, dis-je, pour cacher un tel événement
La supposition fut de son sentiment
Et qu'on vous prit chez nous, où vous étiez nourrie
(Votre mère d'accord de cette tromperie
Qui remplaçait ce fils à sa garde commis),
En faveur des présents le secret fut promis.
Albert ne l'a point su de nous; et pour sa femme,
L'ayant plus de douze ans conservé dans son âme,

Comme le mal fut prompt dont on la vit mourir,
Son trépas imprévu ne put rien découvrir;
Mais cependant je vois qu'il garde intelligence
Avec celle de qui vous tenez la naissance,
J'ai su qu'en secret même il lui faisait du bien,
Et peut-être cela ne se fait pas pour rien.
D'autre part, il vous veut porter au mariage;
Et, comme il le prétend, c'est un mauvais langage.
Je ne sais s'il saurait la supposition
Sans le déguisement. Mais la digression
Tout insensiblement pourrait trop loin s'étendre;
Revenons au secret que je brûle d'apprendre.

ASCAGNE

Sachez donc que l'Amour ne sait point s'abuser,
Que mon sexe à ses yeux n'a pu se déguiser,
Et que ses traits subtils, sous l'habit que je porte,
Ont su trouver le cœur d'une fille peu forte :
J'aime enfin.

FROSINE

    Vous aimez!

ASCAGNE

            Frosine, doucement.
N'entrez pas tout à fait dedans l'étonnement :
Il n'est pas temps encore; et ce cœur qui soupire
A bien, pour vous surprendre, autre chose à vous dire.

FROSINE

Et quoi?

ASCAGNE

          J'aime Valère.

FROSINE

       Ha! vous avez raison.
L'objet de votre amour, lui, dont à la maison
Votre imposture enlève un puissant héritage,
Et qui, de votre sexe ayant le moindre ombrage,
Verrait incontinent ce bien lui retourner!
C'est encore un plus grand sujet de s'étonner.

ASCAGNE

J'ai de quoi, toutefois, surprendre plus votre âme :
Je suis sa femme.

FROSINE

O dieux! sa femme?

ASCAGNE

Oui, sa femme.

FROSINE

Ha! certes celui-là l'emporte, et vient à bout
De toute ma raison!

ASCAGNE

Ce n'est pas encor tout.

FROSINE

Encore?

ASCAGNE

Je la suis, dis-je, sans qu'il le pense,
Ni qu'il ait de mon sort la moindre connaissance.

FROSINE

Ho! poussez; je le quitte, et ne raisonne plus,
Tant mes sens coup sur coup se trouvent confondus.
A ces énigmes-là je ne puis rien comprendre.

ASCAGNE

Je vais vous l'expliquer, si vous voulez m'entendre.
Valère, dans les fers de ma sœur arrêté,
Me semblait un amant digne d'être écouté;
Je ne pouvais souffrir qu'on rebutât sa flamme
Sans qu'un peu d'intérêt touchât pour lui mon âme.
Je voulais que Lucile aimât son entretien;
Je blâmais ses rigueurs, et les blâmai si bien,
Que moi-même j'entrai, sans pouvoir m'en défendre,
Dans tous les sentiments qu'elle ne pouvait prendre.
C'était, en lui parlant, moi qu'il persuadait;
Je me laissais gagner aux soupirs qu'il perdait;
Et ses vœux, rejetés de l'objet qui l'enflamme,
Etaient, comme vainqueurs, reçus dedans mon âme.

Ainsi mon cœur, Frosine, un peu trop faible, hélas!
Se rendit à des soins qu'on ne lui rendait pas,
Par un coup réfléchi reçut une blessure,
Et paya pour un autre avec beaucoup d'usure.
Enfin, ma chère, enfin l'amour que j'eus pour lui
Se voulut expliquer, mais sous le nom d'autrui.
Dans ma bouche, une nuit, cet amant trop aimable
Crut rencontrer Lucile à ses vœux favorable,
Et je sus ménager si bien cet entretien,
Que du déguisement il ne reconnut rien.
Sous ce voile trompeur, qui flattait sa pensée,
Je lui dis que pour lui mon âme était blessée,
Mais que, voyant mon père en d'autres sentiments,
Je devais une feinte à ses commandements;
Qu'ainsi de notre amour nous ferions un mystère
Dont la nuit seulement serait dépositaire,
Et qu'entre nous, de jour, de peur de rien gâter,
Tout entretien secret se devait éviter;
Qu'il me verrait alors la même indifférence
Qu'avant que nous eussions aucune intelligence;
Et que de son côté, de même que du mien,
Geste, parole, écrit, ne m'en dît jamais rien.
Enfin, sans m'arrêter sur toute l'industrie
Dont j'ai conduit le fil de cette tromperie,
J'ai poussé jusqu'au bout un projet si hardi,
Et me suis assuré l'époux que je vous di.

FROSINE

Ho! Ho! les grands talents que votre esprit possède!
Dirait-on qu'elle y touche, avec sa mine froide?
Cependant vous avez été bien vite ici;
Car, je veux que la chose ait d'abord réussi,
Ne jugez-vous pas bien, à regarder l'issue,
Qu'elle ne peut longtemps éviter d'être sue?

ASCAGNE

Quand l'amour est bien fort, rien ne peut l'arrêter;
Ses projets seulement vont à se contenter,
Et, pourvu qu'il arrive au but qu'il se propose,
Il croit que tout le reste après est peu de chose.
Mais enfin aujourd'hui je me découvre à vous,
Afin que vos conseils... Mais voici cet époux.

SCÈNE II

VALÈRE, ASCAGNE, FROSINE

VALÈRE

Si vous êtes tous deux en quelque conférence
Où je vous fasse tort de mêler ma présence,
Je me retirerai.

ASCAGNE

Non, non, vous pouvez bien,
Puisque vous le faisiez, rompre notre entretien.

VALÈRE

Moi?

ASCAGNE

Vous-même.

VALÈRE

Et comment?

ASCAGNE

Je disais que Valère
Aurait, si j'étais fille, un peu trop su me plaire,
Et que, si je faisais tous les vœux de son cœur,
Je ne tarderais guère à faire son bonheur.

VALÈRE

Ces protestations ne coûtent pas grand'chose,
Alors qu'à leur effet un pareil *si* s'oppose;
Mais vous seriez bien pris, si quelque événement
Allait mettre à l'épreuve un si doux compliment.

ASCAGNE

Point du tout; je vous dis que, régnant dans votre âme,
Je voudrais de bon cœur couronner votre flamme.

VALÈRE

Et si c'était quelqu'une où par votre secours
Vous puissiez être utile au bonheur de mes jours?

ASCAGNE

Je pourrais assez mal répondre à votre attente.

VALÈRE

Cette confession n'est pas fort obligeante.

ASCAGNE

Hé quoi! vous voudriez, Valère, injustement,
Qu'étant fille, et mon cœur vous aimant tendrement,
Je m'allasse engager avec une promesse
De servir vos ardeurs pour quelque autre maîtresse?
Un si pénible effort, pour moi, m'est interdit.

VALÈRE

Mais cela n'étant pas?

ASCAGNE

      Ce que je vous ai dit,
Je l'ai dit comme fille, et vous le devez prendre
Tout de même.

VALÈRE

      Ainsi donc il ne faut rien prétendre,
Ascagne, à des bontés que vous auriez pour nous,
A moins que le Ciel fasse un grand miracle en vous;
Bref, si vous n'êtes fille, adieu votre tendresse,
Il ne vous reste rien qui pour nous s'intéresse.

ASCAGNE

J'ai l'esprit délicat plus qu'on ne peut penser,
Et le moindre scrupule a de quoi m'offenser
Quand il s'agit d'aimer. Enfin je suis sincère :
Je ne m'engage point à vous servir, Valère,
Si vous ne m'assurez au moins absolument
Que vous avez pour moi le même sentiment;
Que pareille chaleur d'amitié vous transporte,
Et que, si j'étais fille, une flamme plus forte
N'outragerait point celle où je vivrais pour vous.

VALÈRE

Je n'avais jamais vu ce scrupule jaloux;
Mais, tout nouveau qu'il est, ce mouvement m'oblige,
Et je vous fais ici tout l'aveu qu'il exige.

ASCAGNE

Mais sans fard?

VALÈRE

Oui, sans fard.

ASCAGNE

S'il est vrai, désormais
Vos intérêts seront les miens, je vous promets.

VALÈRE

J'ai bientôt à vous dire un important mystère,
Où l'effet de ces mots me sera nécessaire.

ASCAGNE

Et j'ai quelque secret de même à vous ouvrir,
Où votre cœur pour moi se pourra découvrir.

VALÈRE

Hé! de quelle façon cela pourrait-il être?

ASCAGNE

C'est que j'ai de l'amour qui n'oserait paraître;
Et vous pourriez avoir sur l'objet de mes vœux
Un empire à pouvoir rendre mon sort heureux.

VALÈRE

Expliquez-vous, Ascagne, et croyez, par avance,
Que votre heur est certain, s'il est en ma puissance.

ASCAGNE

Vous promettez ici plus que vous ne croyez.

VALÈRE

Non, non; dites l'objet pour qui vous m'employez.

ASCAGNE

Il n'est pas encor temps; mais c'est une personne
Qui vous touche de près.

VALÈRE

Votre discours m'étonne.
Plût à Dieu que ma sœur!...

ASCAGNE

Ce n'est pas la saison
De m'expliquer, vous dis-je.

VALÈRE

Et pourquoi?

ASCAGNE

Pour raison.
Vous saurez mon secret quand je saurai le vôtre.

VALÈRE

J'ai besoin pour cela de l'aveu de quelque autre.

ASCAGNF

Ayez-le donc; et lors, nous expliquant nos vœux,
Nous verrons qui tiendra mieux parole des deux.

VALÈRE

Adieu, j'en suis content.

ASCAGNE

Et moi content, Valère.

Valère sort.

FROSINE

Il croit trouver en vous l'assistance d'un frère.

SCÈNE III

FROSINE, ASCAGNE, MARINETTE, LUCILE

LUCILE, *à Marinette, les trois premiers vers.*

C'en est fait; c'est ainsi que je puis me venger.
Et si cette action a de quoi l'affliger,
C'est toute la douceur que mon cœur s'y propose.
Mon frère, vous voyez une métamorphose :
Je veux chérir Valère après tant de fierté,
Et mes vœux maintenant tournent de son côté.

ASCAGNE

Que ditez-vous, ma sœur? Comment! courir au change?
Cette inégalité me semble trop étrange.

LUCILE

La vôtre me surprend avec plus de sujet.
De vos soins autrefois Valère était l'objet;
Je vous ai vu pour lui m'accuser de caprice,
D'aveugle cruauté, d'orgueil et d'injustice;
Et quand je veux l'aimer, mon dessein vous déplaît,
Et je vous vois parler contre son intérêt!

ASCAGNE

Je le quitte, ma sœur, pour embrasser le vôtre :
Je sais qu'il est rangé dessous les lois d'une autre,
Et ce serait un trait honteux à vos appas,
Si vous le rappeliez et qu'il ne revînt pas.

LUCILE

Si ce n'est que cela, j'aurai soin de ma gloire,
Et je sais, pour son cœur, tout ce que j'en dois croire;
Il s'explique à mes yeux intelligiblement.
Ainsi découvrez-lui sans peur mon sentiment,
Ou, si vous refusez de le faire, ma bouche
Lui va faire savoir que son ardeur me touche.
Quoi! mon frère, à ces mots vous restez interdit?

ASCAGNE

Ha! ma sœur, si sur vous je puis avoir crédit,
Si vous êtes sensible aux prières d'un frère,
Quittez un tel dessein, et n'ôtez point Valère
Aux vœux d'un jeune objet dont l'intérêt m'est cher,
Et qui, sur ma parole, a droit de vous toucher.
La pauvre infortunée aime avec violence;
A moi seul de ses feux elle fait confidence,
Et je vois dans son cœur de tendres mouvements
A dompter la fierté des plus durs sentiments.
Oui, vous auriez pitié de l'état de son âme,
Connaissant de quel coup vous menacez sa flamme,
Et je ressens si bien la douleur qu'elle aura,
Que je suis assuré, ma sœur, qu'elle mourra,
Si vous lui dérobez l'amant qui peut lui plaire.
Eraste est un parti qui doit vous satisfaire,
Et des feux mutuels...

LUCILE

　　　　Mon frère, c'est assez.
Je ne sais point pour qui vous vous intéressez;
Mais, de grâce, cessons ce discours, je vous prie,
Et me laissez un peu dans quelque rêverie.

ASCAGNE

Allez, cruelle sœur, vous me désespérez,
Si vous effectuez vos desseins déclarés.

SCÈNE IV

MARINETTE, LUCILE

MARINETTE

La résolution, Madame, est assez prompte.

LUCILE

Un cœur ne pèse rien alors que l'on l'affronte;
Il court à sa vengeance, et saisit promptement
Tout ce qu'il croit servir à son ressentiment.
Le traître! faire voir cette insolence extrême!

MARINETTE

Vous m'en voyez encor toute hors de moi-même
Et quoique là-dessus je rumine sans fin,
L'aventure me passe, et j'y perds mon latin.
Car enfin, aux transports d'une bonne nouvelle
Jamais cœur ne s'ouvrit d'une façon plus belle;
De l'écrit obligeant le sien tout transporté
Ne me donnait pas moins que de la déité.
Et cependant jamais, à cet autre message,
Fille ne fut traitée avecque tant d'outrage.
Je ne sais, pour causer de si grands changements,
Ce qui s'est pu passer entre ces courts moments.

LUCILE

Rien ne s'est pu passer dont il faille être en peine,
Puisque rien ne le doit défendre de ma haine.
Quoi! tu voudrais chercher hors de sa lâcheté
La secrète raison de cette indignité?
Cet écrit malheureux, dont mon âme s'accuse,
Peut-il à son transport souffrir la moindre excuse?

MARINETTE

En effet, je comprends que vous avez raison,
Et que cette querelle est pure trahison.
Nous en tenons, Madame. Et puis prêtons l'oreille
Aux bons chiens de pendards qui nous chantent merveille,
Qui, pour nous accrocher, feignent tant de langueur!
Laissons à leurs beaux mots fondre notre rigueur,
Rendons-nous à leurs vœux, trop faibles que nous sommes!
Foin de notre sottise, et peste soit des hommes!

LUCILE

Hé bien bien! qu'il s'en vante et rie à nos dépens :
Il n'aura pas sujet d'en triompher longtemps,
Et je lui ferai voir qu'en une âme bien faite
Le mépris suit de près la faveur qu'on rejette.

MARINETTE

Au moins, en pareil cas, est-ce un bonheur bien doux
Quand on sait qu'on n'a point d'avantage sur nous.
Marinette eut bon nez, quoi qu'on en puisse dire,
De ne permettre rien un soir qu'on voulait rire.

Quelque autre, sous l'espoir de *matrimonion*[3],
Aurait ouvert l'oreille à la tentation;
Mais moi, *nescio vos*[4].

LUCILE

Que tu dis de folies,
Et choisis mal ton temps pour de telles saillies!
Enfin je suis touchée au cœur sensiblement;
Et si jamais celui de ce perfide amant,
Par un coup de bonheur, dont j'aurais tort, je pense,
De vouloir à présent concevoir l'espérance
(Car le Ciel a trop pris plaisir de m'affliger
Pour me donner celui de me pouvoir venger),
Quand, dis-je, par un sort à mes désirs propice,
Il reviendrait m'offrir sa vie en sacrifice,
Détester à mes pieds l'action d'aujourd'hui,
Je te défends surtout de me parler pour lui.
Au contraire, je veux que ton zèle s'exprime
A me bien mettre aux yeux la grandeur de son crime;
Et même, si mon cœur était pour lui tenté
De descendre jamais à quelque lâcheté,
Que ton affection me soit alors sévère,
Et tienne comme il faut la main à ma colère.

MARINETTE

Vraiment, n'ayez point peur, et laissez faire à nous.
J'ai pour le moins autant de colère que vous;
Et je serais plutôt fille toute ma vie,
Que mon gros traître aussi me redonnât envie.
S'il vient...

SCÈNE V

MARINETTE, LUCILE, ALBERT

ALBERT

Rentrez, Lucile, et me faites venir
Le précepteur; je veux un peu l'entretenir,
Et m'informer de lui, qui me gouverne Ascagne,
S'il sait point quel ennui depuis peu l'accompagne.

Il continue seul.

En quel gouffre de soins et de perplexité
Nous jette une action faite sans équité!
D'un enfant supposé par mon trop d'avarice
Mon cœur depuis longtemps souffre bien le supplice;
Et quand je vois les maux où je me suis plongé,
Je voudrais à ce bien n'avoir jamais songé.
Tantôt je crains de voir par la fourbe éventée
Ma famille en opprobre et misère jetée;
Tantôt pour ce fils-là, qu'il me faut conserver,
Je crains cent accidents qui peuvent arriver.
S'il advient que dehors quelque affaire m'appelle,
J'appréhende au retour cette triste nouvelle :
« Las! vous ne savez pas? Vous l'a-t-on annoncé?
Votre fils a la fièvre, ou jambe, ou bras cassé. »
Enfin, à tous moments, sur quoi que je m'arrête,
Cent sortes de chagrins me roulent par la tête.
Ha!

SCÈNE VI

ALBERT, MÉTAPHRASTE

MÉTAPHRASTE

Mandatum tuum curo diligenter[5].

ALBERT

Maître, j'ai voulu...

MÉTAPHRASTE

Maître est dit *a magister* :
C'est comme qui dirait trois fois plus grand[6].

ALBERT

Je meure,
Si je savais cela. Mais soit, à la bonne heure!
Maître donc...

MÉTAPHRASTE

Poursuivez.

ALBERT

                    Je veux poursuivre aussi;
Mais ne poursuivez point, vous, d'interrompre ainsi.
Donc, encore une fois, maître (c'est la troisième),
Mon fils me rend chagrin; vous savez que je l'aime,
Et que soigneusement je l'ai toujours nourri.

MÉTAPHRASTE

Il est vrai : *Filio non potest præferri
Nisi filius*[7].

ALBERT

            Maître, en discourant ensemble,
Ce jargon n'est pas fort nécessaire, me semble.
Je vous crois grand Latin et grand Docteur juré,
Je m'en rapporte à ceux qui m'en ont assuré;
Mais dans un entretien qu'avec vous je destine
N'allez point déployer toute votre doctrine,
Faire le pédagogue, et cent mots me cracher,
Comme si vous étiez en chaire pour prêcher.
Mon père, quoiqu'il eût la tête des meilleures,
Ne m'a jamais rien fait apprendre que mes Heures,
Qui, depuis cinquante ans dites journellement,
Ne sont encor pour moi que du haut allemand.
Laissez donc en repos votre science auguste,
Et que votre langage à mon faible s'ajuste.

MÉTAPHRASTE

Soit.

ALBERT

        A mon fils, l'hymen semble lui faire peur,
Et sur quelque parti que je sonde son cœur,
Pour un pareil lien, il est froid et recule.

MÉTAPHRASTE

Peut-être a-t-il l'humeur du frère de Marc Tulle[8],
Dont avec Atticus le même fait sermon;
Et comme aussi les Grecs disent : *Athanaton*[9]...

ALBERT

Mon Dieu! maître éternel, laissez là, je vous prie,
Les Grecs, les Albanais, avec l'Esclavonie,

Et tous ces autres gens dont vous voulez parler :
Eux et mon fils n'ont rien ensemble à démêler.

MÉTAPHRASTE

Hé bien donc, votre fils?

ALBERT

                Je ne sais si dans l'âme
Il ne sentirait point une secrète flamme :
Quelque chose le trouble, ou je suis fort déçu;
Et je l'aperçus hier, sans en être aperçu,
Dans un recoin du bois où nul ne se retire.

MÉTAPHRASTE

Dans un lieu reculé du bois, voulez-vous dire,
Un endroit écarté, *latine, secessus*[10];
Virgile l'a dit : *Est in secessu locus*[11]...

ALBERT

Comment aurait-il pu l'avoir dit, ce Virgile,
Puisque je suis certain que dans ce lieu tranquille
Ame du monde enfin n'était lors que nous deux?

MÉTAPHRASTE

Virgile est nommé là comme un auteur fameux
D'un terme plus choisi que le mot que vous dites,
Et non comme témoin de ce qu'hier vous vîtes.

ALBERT

Et moi, je vous dis, moi, que je n'ai pas besoin
De terme plus choisi, d'auteur ni de témoin,
Et qu'il suffit ici de mon seul témoignage.

MÉTAPHRASTE

Il faut choisir pourtant les mots mis en usage
Par les meilleurs auteurs : *Tu vivendo bonos*,
Comme on dit, *scribendo sequare peritos*[12].

ALBERT

Homme ou démon, veux-tu m'entendre sans conteste?

MÉTAPHRASTE

Quintilien en fait le précepte.

ALBERT

                              La peste

Soit du causeur!

MÉTAPHRASTE

                    Et dit là-dessus doctement
Un mot que vous serez bien aise assurément
D'entendre.

ALBERT

                    Je serai le diable qui t'emporte,
Chien d'homme! Oh! que je suis tenté d'étrange sorte
De faire sur ce mufle une application!

MÉTAPHRASTE

Mais qui cause, Seigneur, votre inflammation?
Que voulez-vous de moi?

ALBERT

                              Je veux que l'on m'écoute,
Vous ai-je dit vingt fois, quand je parle.

MÉTAPHRASTE

                                        Ha! sans doute
Vous serez satisfait, s'il ne tient qu'à cela.
Je me tais.

ALBERT

            Vous ferez sagement.

MÉTAPHRASTE

                              Me voilà

Tout prêt de vous ouïr.

ALBERT

            Tant mieux.

MÉTAPHRASTE

Que je trépasse,
Si je dis plus mot.

ALBERT

Dieu vous en fasse la grâce!

MÉTAPHRASTE

Vous n'accuserez point mon caquet désormais.

ALBERT

Ainsi soit-il!

MÉTAPHRASTE

Parlez quand vous voudrez.

ALBERT

J'y vais.

MÉTAPHRASTE

Et n'appréhendez plus d'interruption nôtre.

ALBERT

C'est assez dit.

MÉTAPHRASTE

Je suis exact plus qu'aucun autre.

ALBERT

Je le crois.

MÉTAPHRASTE

J'ai promis que je ne dirai rien.

ALBERT

Suffit.

MÉTAPHRASTE

Dès à présent je suis muet.

ALBERT

Fort bien.

MÉTAPHRASTE

Parlez, courage! au moins, je vous donne audience.
Vous ne vous plaindrez pas de mon peu de silence;
Je ne desserre pas la bouche seulement.

ALBERT, *à part.*

Le traître!

MÉTAPHRASTE

Mais, de grâce, achevez vitement :
Depuis longtemps j'écoute; il est bien raisonnable
Que je parle à mon tour.

ALBERT

Donc, bourreau détestable...

MÉTAPHRASTE

Hé! bon Dieu! voulez-vous que j'écoute à jamais?
Partageons le parler, au moins, ou je m'en vais.

ALBERT

Ma patience est bien...

MÉTAPHRASTE

Quoi! voulez-vous poursuivre?
Ce n'est pas encor fait? *Per Jovem*[13] ! je suis ivre.

ALBERT

Je n'ai pas dit...

MÉTAPHRASTE

Encor? Bon Dieu! que de discours!
Rien n'est-il suffisant d'en arrêter le cours?

ALBERT, *à part.*

J'enrage.

MÉTAPHRASTE

Derechef! Ôh! l'étrange torture!
Hé! laissez-moi parler un peu, je vous conjure :
Un sot qui ne dit mot ne se distingue pas
D'un savant qui se tait.

ALBERT, *s'en allant.*

Parbleu! tu te tairas.

MÉTAPHRASTE, *seul.*

D'où vient fort à propos cette sentence expresse
D'un philosophe : « Parle, afin qu'on te connaisse. »
Doncques, si de parler le pouvoir m'est ôté,
Pour moi, j'aime autant perdre aussi l'humanité,
Et changer mon essence en celle d'une bête.
Me voilà pour huit jours avec un mal de tête.
Oh! que les grands parleurs sont par moi détestés!
Mais quoi! si les savants ne sont point écoutés,
Si l'on veut que toujours ils aient la bouche close,
Il faut donc renverser l'ordre de chaque chose :
Que les poules dans peu dévorent les renards,
Que les jeunes enfants remontrent aux vieillards,
Qu'à poursuivre les loups les agnelets s'ébattent,
Qu'un fou fasse les lois, que les femmes combattent,
Que par les criminels les juges soient jugés,
Et par les écoliers les maîtres fustigés,
Que le malade au sain présente le remède,
Que le lièvre craintif...

*Albert sonne aux oreilles de Métaphraste une cloche de
mulet qui le fait fuir.*

Miséricorde! à l'aide!

ACTE III

SCÈNE PREMIÈRE

MASCARILLE

Le Ciel parfois seconde un dessein téméraire,
Et l'on sort comme on peut d'une méchante affaire.
Pour moi, qu'une imprudence a trop fait discourir,
Le remède plus prompt où j'ai su recourir,
C'est de pousser ma pointe et dire en diligence
A notre vieux patron toute la manigance.
Son fils, qui m'embarrasse, est un évaporé;
L'autre, diable! disant ce que j'ai déclaré,
Gare une irruption sur notre friperie!
Au moins, avant qu'on puisse échauffer sa furie,
Quelque chose de bon nous pourra succéder,
Et les vieillards entre eux se pourront accorder.
C'est ce qu'on va tenter, et, de la part du nôtre,
Sans perdre un seul moment, je m'en vais trouver l'autre.

Il frappe à la porte d'Albert.

SCÈNE II

MASCARILLE, ALBERT

ALBERT

Qui frappe?

MASCARILLE
Amis.

ALBERT
Ho! ho! qui te peut amener,
Mascarille?

MASCARILLE

Je viens, Monsieur, pour vous donner
Le bonjour.

ALBERT

Ha! vraiment, tu prends beaucoup de peine!
De tout mon cœur, bonjour.

Il s'en va.

MASCARILLE

La réplique est soudaine.
Quel homme brusque!

Il heurte.

ALBERT

Encor?

MASCARILLE

Vous n'avez pas ouï,
Monsieur.

ALBERT

Ne m'as-tu pas donné le bonjour?

MASCARILLE

Oui.

ALBERT

Hé bien! bonjour, te dis-je.

Il s'en va, Mascarille l'arrête.

MASCARILLE

Oui; mais je viens encore
Vous saluer au nom du Seigneur Polidore.

ALBERT

Ha! c'est un autre fait. Ton maître t'a chargé
De me saluer?

MASCARILLE

Oui.

ALBERT

Je lui suis obligé.
Va, que je lui souhaite une joie infinie.

Il s'en va.

MASCARILLE

Cet homme est ennemi de la cérémonie.

Il heurte.

Je n'ai pas achevé, Monsieur, son compliment :
Il voudrait vous prier d'une chose instamment.

ALBERT

Hé bien! quand il voudra, je suis à son service.

MASCARILLE, *l'arrêtant.*

Attendez, et souffrez qu'en deux mots je finisse
Il souhaite un moment pour vous entretenir
D'une affaire importante, et doit ici venir.

ALBERT

Hé! quelle est-elle encore l'affaire qui l'oblige
A me vouloir parler?

MASCARILLE

Un grand secret, vous dis-je,
Qu'il vient de découvrir en ce même moment,
Et qui sans doute importe à tous deux grandement.
Voilà mon ambassade.

SCÈNE III

ALBERT, *seul.*

O juste Ciel! je tremble!
Car enfin nous avons peu de commerce ensemble.
Quelque tempête va renverser mes desseins,
Et ce secret, sans doute, est celui que je crains,
L'espoir de l'intérêt m'a fait quelque infidèle,

Et voilà sur ma vie une tache éternelle!
Ma fourbe est découverte. Oh! que la vérité
Se peut cacher longtemps avec difficulté!
Et qu'il eût mieux valu pour moi, pour mon estime,
Suivre les mouvements d'une peur légitime,
Par qui je me suis vu tenté plus de vingt fois
De rendre à Polidore un bien que je lui dois,
De prévenir l'éclat où ce coup-ci m'expose,
Et faire qu'en douceur passât toute la chose!
Mais, hélas! c'en est fait, il n'est plus de saison;
Et ce bien, par la fraude entré dans ma maison,
N'en sera point tiré, que dans cette sortie
Il n'entraîne du mien la meilleure partie.

SCÈNE IV

ALBERT, POLIDORE

POLIDORE, *les quatre premiers vers*
sans voir Albert.

S'être ainsi marié sans qu'on en ait su rien!
Puisse cette action se terminer à bien!
Je ne sais qu'en attendre; et je crains fort du père
Et la grande richesse et la juste colère.
Mais je l'aperçois seul.

ALBERT

Ciel! Polidore vient!

POLIDORE

Je tremble à l'aborder.

ALBERT

La crainte me retient.

POLIDORE .

Par où lui débuter?

ALBERT

Quel sera mon langage?

POLIDORE

Son âme est tout émue.

ALBERT

Il change de visage.

POLIDORE

Je vois, Seigneur Albert, au trouble de vos yeux,
Que vous savez déjà qui m'amène en ces lieux.

ALBERT

Hélas! oui.

POLIDORE

La nouvelle a droit de vous surprendre,
Et je n'eusse pas cru ce que je viens d'apprendre.

ALBERT

J'en dois rougir de honte et de confusion.

POLIDORE

Je trouve condamnable une telle action,
Et je ne prétends point excuser le coupable.

ALBERT

Dieu fait miséricorde au pécheur misérable.

POLIDORE

C'est ce qui doit par vous être considéré.

ALBERT

Il faut être chrétien.

POLIDORE

Il est très assuré.

ALBERT

Grâce au nom de Dieu, grâce, ô Seigneur Polidore!

POLIDORE

Eh! c'est moi qui de vous présentement l'implore.

ALBERT

Afin de l'obtenir je me jette à genoux.

POLIDORE

Je dois en cet état être plutôt que vous.

ALBERT

Prenez quelque pitié de ma triste aventure.

POLIDORE

Je suis le suppliant dans une telle injure.

ALBERT

Vous me fendez le cœur avec cette bonté.

POLIDORE

Vous me rendez confus de tant d'humilité.

ALBERT

Pardon encore un coup!

POLIDORE

Hélas! pardon vous-même!

ALBERT

J'ai de cette action une douleur extrême.

POLIDORE

Et moi, j'en suis touché de même au dernier point.

ALBERT

J'ose vous conjurer qu'elle n'éclate point.

POLIDORE

Hélas! Seigneur Albert, je ne veux autre chose.

ALBERT

Conservons mon honneur.

POLIDORE

Hé! oui, je m'y dispose.

ALBERT

Quant au bien qu'il faudra, vous-même en résoudrez.

POLIDORE

Je ne veux de vos biens que ce que vous voudrez.
De tous ces intérêts je vous ferai le maître,
Et je suis trop content si vous le pouvez être.

ALBERT

Ha! quel homme de Dieu! quel excès de douceur!

POLIDORE

Quelle douceur, vous-même, après un tel malheur!

ALBERT

Que puissiez-vous avoir toutes choses prospères!

POLIDORE

Le bon Dieu vous maintienne!

ALBERT

                    Embrassons-nous en frères.

POLIDORE

J'y consens de grand cœur, et me réjouis fort
Que tout soit terminé par un heureux accord.

ALBERT

J'en rends grâces au Ciel.

POLIDORE

                    Il ne vous faut rien feindre :
Votre ressentiment me donnait lieu de craindre;
Et Lucile tombée en faute avec mon fils,
Comme on vous voit puissant et de biens et d'amis...

ALBERT

Hé! que parlez-vous là de faute et de Lucile?

POLIDORE

Soit, ne commençons point un discours inutile.
Je veux bien que mon fils y trempe grandement ;
Même, si cela fait à votre allégement,
J'avouerai qu'à lui seul en est toute la faute ;
Que votre fille avait une vertu trop haute
Pour avoir jamais fait ce pas contre l'honneur,
Sans l'incitation d'un méchant suborneur ;
Que le traître a séduit sa pudeur innocente,
Et de votre conduite ainsi détruit l'attente.
Puisque la chose est faite, et que selon mes vœux
Un esprit de douceur nous met d'accord tous deux,
Ne ramentevons rien, et réparons l'offense
Par la solennité d'une heureuse alliance.

ALBERT, *à part.*

O Dieu ! quelle méprise ! et qu'est-ce qu'il m'apprend ?
Je rentre ici d'un trouble en un autre aussi grand.
Dans ces divers transports je ne sais que répondre,
Et, si je dis un mot, j'ai peur de me confondre.

POLIDORE

A quoi pensez-vous là, Seigneur Albert ?

ALBERT

A rien.
Remettons, je vous prie, à tantôt l'entretien :
Un mal subit me prend, qui veut que je vous laisse.

SCÈNE V

POLIDORE, *seul.*

Je lis dedans son âme et vois ce qui le presse.
A quoi que sa raison l'eût déjà disposé,
Son déplaisir n'est pas encor tout apaisé ;
L'image de l'affront lui revient, et sa fuite
Tâche à me déguiser le trouble qui l'agite.
Je prends part à sa honte, et son deuil m'attendrit.
Il faut qu'un peu de temps remette son esprit :
La douleur trop contrainte aisément se redouble.
Voici mon jeune fou d'où nous vient tout ce trouble.

SCÈNE VI

POLIDORE, VALÈRE

POLIDORE

Enfin, le beau mignon, vos beaux déportements
Troubleront les vieux jours d'un père à tous moments;
Tous les jours vous ferez de nouvelles merveilles,
Et nous n'aurons jamais autre chose aux oreilles.

VALÈRE

Que fais-je tous les jours qui soit si criminel?
En quoi mériter tant le courroux paternel?

POLIDORE

Je suis un étrange homme, et d'une humeur terrible,
D'accuser un enfant si sage et si paisible!
Las! il vit comme un saint, et dedans la maison
Du matin jusqu'au soir il est en oraison.
Dire qu'il pervertit l'ordre de la nature,
Et fait du jour la nuit, ô la grande imposture!
Qu'il n'a considéré père ni parenté
En vingt occasions, horrible fausseté!
Que de fraîche mémoire un furtif hyménée
À la fille d'Albert a joint sa destinée,
Sans craindre de la suite un désordre puissant,
On le prend pour un autre, et le pauvre innocent
Ne sait pas seulement ce que je lui veux dire!
Ha! chien, que j'ai reçu du Ciel pour mon martyre,
Te croiras-tu toujours? et ne pourrai-je pas
Te voir être une fois sage avant mon trépas?

VALÈRE, *seul et rêvant.*

D'où peut venir ce coup? Mon âme embarrassée
Ne voit que Mascarille où jeter sa pensée.
Il ne sera pas homme à m'en faire un aveu.
Il faut user d'adresse et me contraindre un peu
Dans ce juste courroux.

SCÈNE VII

MASCARILLE, VALÈRE

VALÈRE

Mascarille, mon père,
Que je viens de trouver, sait toute notre affaire.

MASCARILLE

Il la sait?

VALÈRE

Oui.

MASCARILLE

D'où diantre a-t-il pu la savoir?

VALÈRE

Je ne sais point sur qui ma conjecture asseoir;
Mais enfin d'un succès cette affaire est suivie
Dont j'ai tous les sujets d'avoir l'âme ravie.
Il ne m'en a pas dit un mot qui fût fâcheux;
Il excuse ma faute, il approuve mes feux,
Et je voudrais savoir qui peut être capable
D'avoir pu rendre ainsi son esprit si traitable.
Je ne puis t'exprimer l'aise que j'en reçoi.

MASCARILLE

Et que diriez-vous, Monsieur, si c'était moi
Qui vous eût procuré cette heureuse fortune?

VALÈRE

Bon! bon! tu voudrais bien ici m'en donner d'une.

MASCARILLE

C'est moi, vous dis-je, moi, dont le patron le sait,
Et qui vous ai produit ce favorable effet.

VALÈRE

Mais, là, sans te railler?

MASCARILLE

Que le diable m'emporte
Si je fais raillerie, et s'il n'est de la sorte!

VALÈRE, *mettant l'épée à la main.*

Et qu'il m'entraîne, moi, si tout présentement
Tu n'en vas recevoir le juste payement!

MASCARILLE

Ha! Monsieur! qu'est ceci? Je défends la surprise.

VALÈRE

C'est la fidélité que tu m'avais promise?
Sans ma feinte, jamais tu n'eusses avoué
Le trait que j'ai bien cru que tu m'avais joué.
Traître, de qui la langue à causer trop habile
D'un père contre moi vient d'échauffer la bile,
Qui me perds tout à fait, il faut sans discourir
Que tu meures.

MASCARILLE

Tout beau! Mon âme, pour mourir,
N'est pas en bon état. Daignez, je vous conjure,
Attendre le succès qu'aura cette aventure.
J'ai de fortes raisons qui m'ont fait révéler
Un hymen que vous-même aviez peine à celer :
C'était un coup d'État, et vous verrez l'issue
Condamner la fureur que vous avez conçue.
De quoi vous fâchez-vous, pourvu que vos souhaits
Se trouvent par mes soins pleinement satisfaits,
Et voyent mettre à fin la contrainte où vous êtes?

VALÈRE

Et si tous ces discours ne sont que des sornettes?

MASCARILLE

Toujours serez-vous lors à temps pour me tuer.
Mais enfin mes projets pourront s'effectuer.
Dieu fera pour les siens; et, content dans la suite,
Vous me remercierez de ma rare conduite.

VALÈRE

Nous verrons. Mais Lucile...

MASCARILLE

Halte! Son père sort.

SCÈNE VIII

VALÈRE, ALBERT, MASCARILLE

ALBERT, *les cinq premiers vers sans voir Valère.*

Plus je reviens du trouble où j'ai donné d'abord,
Plus je me sens piqué de ce discours étrange
Sur qui ma peur prenait un si dangereux change;
Car Lucile soutient que c'est une chanson,
Et m'a parlé d'un air à m'ôter tout soupçon.
Ha! Monsieur, est-ce vous de qui l'audace insigne
Met en jeu, mon honneur et fait ce conte indigne?

MASCARILLE

Seigneur Albert, prenez un ton un peu plus doux,
Et contre votre gendre ayez moins de courroux.

ALBERT

Comment gendre, coquin? Tu portes bien la mine
De pousser les ressorts d'une telle machine,
Et d'en avoir été le premier inventeur.

MASCARILLE

Je ne vois ici rien à vous mettre en fureur.

ALBERT

Trouves-tu beau, dis-moi, de diffamer ma fille,
Et faire un tel scandale à toute une famille?

MASCARILLE

Le voilà prêt de faire en tout vos volontés.

ALBERT

Que voudrais-je sinon qu'il dît des vérités?
Si quelque intention le pressait pour Lucile,
La recherche en pouvait être honnête et civile ;
Il fallait l'attaquer du côté du devoir,
Il fallait de son père implorer le pouvoir,
Et non pas recourir à cette lâche feinte
Qui porte à la pudeur une sensible atteinte.

MASCARILLE

Quoi! Lucile n'est pas sous des liens secrets
A mon maître?

ALBERT

Non, traître, et n'y sera jamais.

MASCARILLE

Tout doux! Et s'il est vrai que ce soit chose faite,
Voulez-vous l'approuver, cette chaîne secrète?

ALBERT

Et s'il est constant, toi, que cela ne soit pas,
Veux-tu te voir casser les jambes et les bras?

VALÈRE

Monsieur, il est aisé de vous faire paraître
Qu'il dit vrai.

ALBERT

Bon! voilà l'autre encor, digne maître
D'un semblable valet! Oh! les menteurs hardis!

MASCARILLE

D'homme d'honneur, il est ainsi que je le dis.

VALÈRE

Quel serait notre but de vous en faire accroire?

ALBERT, *à part.*

Ils s'entendent tous deux comme larrons en foire.

MASCARILLE

Mais venons à la preuve; et, sans nous quereller,
Faites sortir Lucile et la laissez parler.

ALBERT

Et si le démenti par elle vous en reste?

MASCARILLE

Elle n'en fera rien, Monsieur, je vous proteste.
Promettez à leurs vœux votre consentement,
Et je veux m'exposer au plus dur châtiment,
Si de sa propre bouche elle ne vous confesse
Et la foi qui l'engage et l'ardeur qui la presse.

ALBERT

Il faut voir cette affaire.

Il va frapper à sa porte.

MASCARILLE, *à Valère.*

Allez, tout ira bien.

ALBERT

Holà! Lucile, un mot.

VALÈRE, *à Mascarille.*

Je crains...

MASCARILLE

Ne craignez rien.

SCÈNE IX

VALÈRE, ALBERT, MASCARILLE,
LUCILE

MASCARILLE

Seigneur Albert, silence au moins. Enfin, Madame,
Toute chose conspire au bonheur de votre âme,
Et Monsieur votre père, averti de vos feux,

Vous laisse votre époux et confirme vos vœux,
Pourvu que, bannissant toutes craintes frivoles,
Deux mots de votre aveu confirment nos paroles.

LUCILE

Que me vient donc conter ce coquin assuré?

MASCARILLE

Bon! me voilà déjà d'un beau titre honoré.

LUCILE

Sachons un peu, Monsieur, quelle belle saillie
Fait ce conte galant qu'aujourd'hui l'on publie.

VALÈRE

Pardon, charmant objet; un valet a parlé,
Et j'ai vu, malgré moi, notre hymen révélé.

LUCILE

Notre hymen?

VALÈRE

On sait tout, adorable Lucile,
Et vouloir déguiser est un soin inutile.

LUCILE

Quoi! l'ardeur de mes feux vous a fait mon époux?

VALÈRE

C'est un bien qui me doit faire mille jaloux;
Mais j'impute bien moins ce bonheur de ma flamme
A l'ardeur de vos feux qu'aux bontés de votre âme.
Je sais que vous avez sujet de vous fâcher,
Que c'était un secret que vous vouliez cacher,
Et j'ai de mes transports forcé la violence
A ne point violer votre expresse défense;
Mais...

MASCARILLE

Eh bien! oui, c'est moi; le grand mal que voilà!

LUCILE

Est-il une imposture égale à celle-là?
Vous l'osez soutenir en ma présence même,
Et pensez m'obtenir par ce beau stratagème?
O le plaisant amant, dont la galante ardeur
Veut blesser mon honneur au défaut de mon cœur,
Et que mon père, ému de l'éclat d'un sot conte,
Paye avec mon hymen qui me couvre de honte!
Quand tout contribuerait à votre passion,
Mon père, les destins, mon inclination,
On me verrait combattre, en ma juste colère,
Mon inclination, les destins et mon père,
Perdre même le jour, avant que de m'unir
A qui par ce moyen aurait cru m'obtenir.
Allez; et si mon sexe avecque bienséance
Se pouvait emporter à quelque violence,
Je vous apprendrais bien à me traiter ainsi.

VALÈRE, à *Mascarille*.

C'en est fait, son courroux ne peut être adouci.

MASCARILLE

Laissez-moi lui parler. Eh! Madame, de grâce,
A quoi bon maintenant toute cette grimace?
Quelle est votre pensée? Et quel bourru transport
Contre vos propres vœux vous fait roidir si fort?
Si Monsieur votre père était homme farouche,
Passe; mais il permet que la raison le touche,
Et lui-même m'a dit qu'une confession
Vous va tout obtenir de son affection.
Vous sentez, je crois bien, quelque petite honte
A faire un libre aveu de l'amour qui vous dompte;
Mais s'il vous a fait perdre un peu de liberté,
Par un bon mariage on voit tout rajusté;
Et, quoi que l'on reproche au feu qui vous consomme,
Le mal n'est pas si grand que de tuer un homme.
On sait que la chair est fragile quelquefois,
Et qu'une fille, enfin, n'est ni caillou ni bois.
Vous n'avez pas été sans doute la première,
Et vous ne serez pas, que je crois, la dernière.

LUCILE

Quoi! vous pouvez ouïr ces discours effrontés,
Et vous ne dites mot à ces indignités?

ALBERT

Que veux-tu que je die? Une telle aventure
Me met tout hors de moi.

MASCARILLE

Madame, je vous jure
Que déjà vous devriez avoir tout confessé.

LUCILE

Et quoi donc confesser?

MASCARILLE

Quoi? Ce qui s'est passé
Entre mon maître et vous; la belle raillerie!

LUCILE

Et que s'est-il passé, monstre d'effronterie,
Entre ton maître et moi?

MASCARILLE

Vous devez, que je croi,
En savoir un peu plus de nouvelles que moi;
Et pour vous cette nuit fut trop douce, pour croire
Que vous puissiez si vite en perdre la mémoire.

LUCILE

C'est trop souffrir, mon père, un impudent valet.

Elle lui donne un soufflet.

SCÈNE X

VALÈRE, MASCARILLE, ALBERT

MASCARILLE

Je crois qu'elle me vient de donner un soufflet.

ALBERT

Va, coquin, scélérat, sa main vient sur ta joue
De faire une action dont son père la loue.

MASCARILLE

Et nonobstant cela, qu'un diable en cet instant
M'emporte si j'ai dit rien que de très constant!

ALBERT

Et nonobstant cela, qu'on me coupe une oreille
Si tu portes fort loin une audace pareille!

MASCARILLE

Voulez-vous deux témoins qui me justifieront?

ALBERT

Veux-tu deux de mes gens qui te bâtonneront?

MASCARILLE

Leur rapport doit au mien donner toute créance.

ALBERT

Leurs bras peuvent du mien réparer l'impuissance.

MASCARILLE

Je vous dis que Lucile agit par honte ainsi.

ALBERT

Je te dis que j'aurai raison de tout ceci.

MASCARILLE

Connaissez-vous Ormin, ce gros notaire habile?

ALBERT

Connais-tu bien Grimpant, le bourreau de la ville?

MASCARILLE

Et Simon le tailleur, jadis si recherché?

ALBERT

Et la potence mise au milieu du marché?

MASCARILLE

Vous verrez confirmer par eux cet hyménée.

ALBERT

Tu verras achever par eux ta destinée.

MASCARILLE

Ce sont eux qu'ils ont pris pour témoins de leur foi.

ALBERT

Ce sont eux qui dans peu me vengeront de toi.

MASCARILLE

Et ces yeux les ont vus s'entre-donner parole.

ALBERT

Et ces yeux te verront faire la capriole.

MASCARILLE

Et pour signe, Lucile avait un voile noir.

ALBERT

Et pour signe, ton front nous le fait assez voir.

MASCARILLE

O l'obstiné vieillard!

ALBERT

Oh! le fourbe damnable!
Va, rends grâce à mes ans qui me font incapable
De punir sur-le-champ l'affront que tu me fais;
Tu n'en perds que l'attente, et je te le promets.

SCÈNE XI

VALÈRE, MASCARILLE

VALÈRE

Hé bien! ce beau succès que tu devais produire...

MASCARILLE

J'entends à demi-mot ce que vous voulez dire.
Tout s'arme contre moi; pour moi de tous côtés

Je vois coups de bâton et gibets apprêtés.
Aussi, pour être en paix dans ce désordre extrême,
Je me vais d'un rocher précipiter moi-même,
Si, dans le désespoir dont mon cœur est outré,
Je puis en rencontrer d'assez haut à mon gré.
Adieu, Monsieur.

VALÈRE

                Non, non; ta fuite est superflue :
Si tu meurs, je prétends que ce soit à ma vue.

MASCARILLE

Je ne saurais mourir quand je suis regardé,
Et mon trépas ainsi se verrait retardé.

VALÈRE

Suis-moi, traître, suis-moi; mon amour en furie
Te fera voir si c'est matière à raillerie.

MASCARILLE, *seul*.

Malheureux Mascarille! à quels maux aujourd'hui
Te vois-tu condamné pour le péché d'autrui!

ACTE IV

SCÈNE PREMIÈRE

ASCAGNE, FROSINE

FROSINE

L'aventure est fâcheuse.

ASCAGNE

                Ah! ma chère Frosine,
Le sort absolument a conclu ma ruine.
Cette affaire, venue au point où la voilà,
N'est pas assurément pour en demeurer là;

Il faut qu'elle passe outre; et Lucile et Valère,
Surpris des nouveautés d'un semblable mystère,
Voudront chercher un jour dans ces obscurités,
Par qui tous mes projets se verront avortés.
Car enfin, soit qu'Albert ait part au stratagème,
Ou qu'avec tout le monde on l'ait trompé lui-même,
S'il arrive une fois que mon sort éclairci
Mette ailleurs tout le bien dont le sien a grossi,
Jugez s'il aura lieu de souffrir ma présence :
Son intérêt détruit me laisse à ma naissance;
C'est fait de sa tendresse, et, quelque sentiment
Où pour ma fourbe alors pût être mon amant,
Voudra-t-il avouer pour épouse une fille
Qu'il verra sans appui de bien et de famille?

FROSINE

Je trouve que c'est là raisonné comme il faut;
Mais ces réflexions devaient venir plus tôt.
Qui vous a jusqu'ici caché cette lumière?
Il ne fallait pas être une grande sorcière
Pour voir, dès le moment de vos desseins pour lui,
Tout ce que votre esprit ne voit que d'aujourd'hui.
L'action le disait; et, dès que je l'ai sue,
Je n'en ai prévu guère une meilleure issue.

ASCAGNE

Que dois-je faire enfin? Mon trouble est sans pareil.
Mettez-vous en ma place, et me donnez conseil.

FROSINE

Ce doit être à vous-même, en prenant votre place,
A me donner conseil dessus cette disgrâce;
Car je suis maintenant vous, et vous êtes moi.
Conseillez-moi, Frosine : au point où je me voi,
Quel remède trouver? Dites, je vous en prie.

ASCAGNE

Hélas! ne traitez point ceci de raillerie;
C'est prendre peu de part à mes cuisants ennuis
Que de rire, et de voir les termes où j'en suis.

FROSINE

Ascagne, tout de bon, votre ennui m'est sensible,
Et pour vous en tirer je ferais mon possible.
Mais que puis-je après tout? Je vois fort peu de jour
A tourner cette affaire au gré de votre amour.

ASCAGNE

Si rien ne peut m'aider, il faut donc que je meure.

FROSINE

Ha! pour cela toujours il est assez bonne heure :
La mort est un remède à trouver quand on veut,
Et l'on s'en doit servir le plus tard que l'on peut.

ASCAGNE

Non, non, Frosine, non; si vos conseils propices
Ne conduisent mon sort parmi ces précipices,
Je m'abandonne toute aux traits du désespoir.

FROSINE

Savez-vous ma pensée? Il faut que j'aille voir
Là... Mais Eraste vient, qui pourrait nous distraire;
Nous pourrons en marchant parler de cette affaire.
Allons, retirons-nous.

SCÈNE II

ÉRASTE, GROS-RENÉ

ÉRASTE

Encore rebuté?

GROS-RENÉ

Jamais ambassadeur ne fut moins écouté :
A peine ai-je voulu lui porter la nouvelle
Du moment d'entretien que vous souhaitiez d'elle,
Qu'elle m'a répondu, tenant son quant-à-moi :
« Va, va, je fais état de lui comme de toi;
Dis-lui qu'il se promène »; et, sur ce beau langage,

Pour suivre son chemin m'a tourné le visage;
Et Marinette aussi, d'un dédaigneux museau
Lâchant un : « Laisse-nous, beau valet de carreau »,
M'a planté là comme elle; et mon sort et le vôtre
N'ont rien à se pouvoir reprocher l'un à l'autre.

ÉRASTE

L'ingrate! recevoir avec tant de fierté
Le prompt retour d'un cœur justement emporté!
Quoi! le premier transport d'un amour qu'on abuse
Sous tant de vraisemblance est indigne d'excuse?
Et ma plus vive ardeur, en ce moment fatal,
Devait être insensible au bonheur d'un rival!
Tout autre n'eût pas fait même chose en ma place,
Et se fût moins laissé surprendre à tant d'audace?
De mes justes soupçons suis-je sorti trop tard?
Je n'ai point attendu de serments de sa part;
Et, lorsque tout le monde encor ne sait qu'en croire,
Ce cœur impatient lui rend toute sa gloire,
Il cherche à s'excuser; et le sien voit si peu
Dans ce profond respect la grandeur de mon feu!
Loin d'assurer une âme, et lui fournir des armes
Contre ce qu'un rival lui veut donner d'alarmes,
L'ingrate m'abandonne à mon jaloux transport
Et rejette de moi message, écrit, abord!
Ha! sans doute un amour a peu de violence,
Qu'est capable d'éteindre une si faible offense;
Et ce dépit si prompt à s'armer de rigueur
Découvre assez pour moi tout le fond de son cœur,
Et de quel prix doit être à présent à mon âme
Tout ce dont son caprice a pu flatter ma flamme.
Non, je ne prétends plus demeurer engagé
Pour un cœur où je vois le peu de part que j'ai;
Et puisque l'on témoigne une froideur extrême
A conserver les gens, je veux faire de même.

GROS-RENÉ

Et moi de même aussi. Soyons tous deux fâchés,
Et mettons notre amour au rang des vieux péchés :
Il faut apprendre à vivre à ce sexe volage,
Et lui faire sentir que l'on a du courage.
Qui souffre ses mépris, les veut bien recevoir.
Si nous avions l'esprit de nous faire valoir,

Les femmes n'auraient pas la parole si haute.
Oh! qu'elles nous sont bien fières par notre faute!
Je veux être pendu si nous ne les verrions
Sauter à notre cou plus que nous ne voudrions,
Sans tous ces vils devoirs dont la plupart des hommes
Les gâtent tous les jours dans le siècle où nous sommes.

ÉRASTE

Pour moi, sur toute chose un mépris me surprend;
Et pour punir le sien par un autre aussi grand,
Je veux mettre en mon cœur une nouvelle flamme.

GROS-RENÉ

Et moi, je ne veux plus m'embarrasser de femme;
A toutes je renonce, et crois, en bonne foi,
Que vous feriez fort bien de faire comme moi.
Car, voyez-vous, la femme est, comme on dit, mon maître,
Un certain animal difficile à connaître,
Et de qui la nature est fort encline au mal;
Et comme un animal est toujours animal,
Et ne sera jamais qu'animal, quand sa vie
Durerait cent mille ans, aussi, sans repartie,
La femme est toujours femme, et jamais ne sera
Que femme, tant qu'entier le monde durera.
D'où vient qu'un certain Grec dit que sa tête passe
Pour un sable mouvant; car, goûtez bien, de grâce,
Ce raisonnement-ci, lequel est des plus forts :
Ainsi que la tête est comme le chef du corps,
Et que le corps sans chef est pire qu'une bête,
Si le chef n'est pas bien d'accord avec la tête,
Que tout ne soit pas bien réglé par ses compas,
Nous voyons arriver de certains embarras;
La partie brutale alors veut prendre empire
Dessus la sensitive, et l'on voit que l'un tire
A dia, l'autre à hurhaut; l'un demande du mou,
L'autre du dur; enfin tout va sans savoir où,
Pour montrer qu'ici-bas, ainsi qu'on l'interprète,
La tête d'une femme est comme une girouette
Au haut d'une maison, qui tourne au premier vent.
C'est pourquoi le cousin Aristote souvent
La compare à la mer; d'où vient qu'on dit qu'au monde
On ne peut rien trouver de si stable que l'onde.
Or, par comparaison (car la comparaison

Nous fait distinctement comprendre une raison,
Et nous aimons bien mieux, nous autres gens d'étude,
Une comparaison qu'une similitude),
Par comparaison donc, mon maître, s'il vous plaît,
Comme on voit que la mer, quand l'orage s'accroît,
Vient à se courroucer, le vent souffle et ravage,
Les flots contre les flots font un remu-ménage
Horrible, et le vaisseau, malgré le nautonier,
Va tantôt à la cave et tantôt au grenier;
Ainsi, quand une femme a sa tête fantasque,
On voit une tempête en forme de bourrasque,
Qui veut compétiter par de certains... propos;
Et lors un... certain vent, qui par... de certains flots
De... certaine façon, ainsi qu'un banc de sable...
Quand... Les femmes enfin ne valent pas le diable.

ÉRASTE

C'est fort bien raisonner.

GROS-RENÉ

Assez bien, Dieu merci.
Mais je les vois, Monsieur, qui passent par ici.
Tenez-vous ferme, au moins.

ÉRASTE

Ne te mets pas en peine.

GROS-RENÉ

J'ai bien peur que ses yeux resserrent votre chaîne.

SCÈNE III

ÉRASTE, LUCILE, MARINETTE,
GROS-RENÉ

MARINETTE

Je l'aperçois encor; mais ne vous rendez point.

LUCILE

Ne me soupçonne pas d'être faible à ce point.

MARINETTE

Il vient à nous.

ÉRASTE

Non, non; ne croyez pas, Madame,
Que je revienne encore vous parler de ma flamme :
C'en est fait; je me veux guérir, et connais bien
Ce que de votre cœur a possédé le mien.
Un courroux si constant pour l'ombre d'une offense
M'a trop bien éclairci de votre indifférence,
Et je dois vous montrer que les traits du mépris
Sont sensibles surtout aux généreux esprits.
Je l'avouerai, mes yeux observaient dans les vôtres
Des charmes qu'ils n'ont point trouvés dans tous les autres,
Et le ravissement où j'étais de mes fers
Les aurait préférés à des sceptres offerts;
Oui, mon amour pour vous, sans doute, était extrême,
Je vivais tout en vous, et, je l'avouerai même,
Peut-être qu'après tout j'aurai, quoique outragé,
Assez de peine encore à m'en voir dégagé;
Possible que, malgré la cure qu'elle essaie,
Mon âme saignera longtemps de cette plaie,
Et qu'affranchi d'un joug qui faisait tout mon bien,
Il faudra me résoudre à n'aimer jamais rien.
Mais enfin il n'importe; et puisque votre haine
Chasse un cœur tant de fois que l'amour vous ramène,
C'est la dernière ici des importunités
Que vous aurez jamais de mes vœux rebutés.

LUCILE

Vous pouvez faire aux miens la grâce tout entière,
Monsieur, et m'épargner encor cette dernière.

ÉRASTE

Hé bien! Madame, hé bien! ils seront satisfaits :
Je romps avecque vous, et j'y romps pour jamais,
Puisque vous le voulez; que je perde la vie
Lorsque de vous parler je reprendrai l'envie!

LUCILE

Tant mieux; c'est m'obliger.

ÉRASTE

> Non, non, n'ayez pas peur
Que je fausse parole; eussé-je un faible cœur
Jusques à n'en pouvoir effacer votre image
Croyez que vous n'aurez jamais cet avantage
De me voir revenir.

LUCILE

Ce serait bien en vain.

ÉRASTE

Moi-même de cent coups je percerais mon sein,
Si j'avais jamais fait cette bassesse insigne
De vous revoir après ce traitement indigne.

LUCILE

Soit; n'en parlons donc plus.

ÉRASTE

> Oui, oui, n'en parlons plus
Et pour trancher ici tous propos superflus,
Et vous donner, ingrate, une preuve certaine
Que je veux sans retour sortir de votre chaîne,
Je ne veux rien garder qui puisse retracer
Ce que de mon esprit il me faut effacer.
Voici votre portrait : il présente à la vue
Cent charmes éclatants dont vous êtes pourvue;
Mais il cache sous eux cent défauts aussi grands,
Et c'est un imposteur enfin que je vous rends.

GROS-RENÉ

Bon!

LUCILE

Et moi, pour vous suivre au dessein de tout rendre,
Voilà le diamant que vous m'aviez fait prendre.

MARINETTE

Fort bien!

ÉRASTE

Il est à vous encore ce bracelet.

LUCILE

Et cette agate à vous, qu'on fit mettre en cachet.

ÉRASTE, *lit.*

Vous m'aimez d'une amour extrême,
Eraste, et de mon cœur voulez être éclairci :
Si je n'aime Eraste de même,
Au moins aimé-je fort qu'Eraste m'aime ainsi.

ÉRASTE, *continue.*

Vous m'assuriez par là d'agréer mon service ?
C'est une fausseté digne de ce supplice.

Il déchire la lettre.

LUCILE, *lit.*

J'ignore le destin de mon amour ardente,
Et jusqu'à quand je souffrirai ;
Mais je sais, ô beauté charmante,
Que toujours je vous aimerai.

Elle continue.

Voilà qui m'assurait à jamais de vos feux
Et la main et la lettre ont menti toutes deux.

Elle déchire la lettre.

GROS-RENÉ

Poussez.

ÉRASTE

Elle est de vous, suffit ; même fortune.

MARINETTE, *à Lucile.*

Ferme.

LUCILE

J'aurais regret d'en épargner aucune.

GROS-RENÉ, *à Éraste.*

N'ayez pas le dernier.

MARINETTE, *à Lucile.*

Tenez bon jusqu'au bout.

LUCILE

Enfin, voilà le reste.

ÉRASTE

Et, grâce au Ciel, c'est tout.
Que sois-je exterminé, si je ne tiens parole!

LUCILE

Me confonde le Ciel, si la mienne est frivole!

ÉRASTE

Adieu donc.

LUCILE

Adieu donc.

MARINETTE, *à Lucile.*

Voilà qui va des mieux.

GROS-RENÉ, *à Éraste.*

Vous triomphez.

MARINETTE, *à Lucile.*

Allons, ôtez-vous de ses yeux.

GROS-RENÉ, *à Éraste.*

Retirez-vous après cet effort de courage.

MARINETTE, *à Lucile.*

Qu'attendez-vous encor?

GROS-RENÉ, *à Éraste.*

Que faut-il davantage?

ÉRASTE

Ha! Lucile, Lucile, un cœur comme le mien
Se fera regretter, et je le sais fort bien.

LUCILE

Eraste, Eraste, un cœur fait comme est fait le vôtre
Se peut facilement réparer par un autre.

ÉRASTE

Non, non, cherchez partout, vous n'en aurez jamais
De si passionné pour vous, je vous promets.
Je ne dis pas cela pour vous rendre attendrie :
J'aurais tort d'en former encore quelque envie.
Mes plus ardents respects n'ont pu vous obliger,
Vous avez voulu rompre : il n'y faut plus songer;
Mais personne après moi, quoi qu'on vous fasse entendre
N'aura jamais pour vous de passion si tendre.

LUCILE

Quand on aime les gens, on les traite autrement;
On fait de leur personne un meilleur jugement.

ÉRASTE

Quand on aime les gens, on peut, de jalousie,
Sur beaucoup d'apparence, avoir l'âme saisie;
Mais alors qu'on les aime, on ne peut en effet
Se résoudre à les perdre, et vous, vous l'avez fait.

LUCILE

La pure jalousie est plus respectueuse.

ÉRASTE

On voit d'un œil plus doux une offense amoureuse.

LUCILE

Non, votre cœur, Eraste, était mal enflammé.

ÉRASTE

Non, Lucile, jamais vous ne m'avez aimé.

LUCILE

Eh! je crois que cela faiblement vous soucie.
Peut-être en serait-il beaucoup mieux pour ma vie,
Si je... Mais laissons là ces discours superflus,
Je ne dis point quels sont mes pensers là-dessus.

ÉRASTE

Pourquoi?

LUCILE

Par la raison que nous rompons ensemble,
Et que cela n'est plus de saison, ce me semble.

ÉRASTE

Nous rompons?

LUCILE

Oui, vraiment; quoi! n'en est-ce pas fait?

ÉRASTE

Et vous voyez cela d'un esprit satisfait?

LUCILE

Comme vous.

ÉRASTE

Comme moi?

LUCILE

Sans doute, c'est faiblesse
De faire voir aux gens que leur perte nous blesse.

ÉRASTE

Mais, cruelle, c'est vous qui l'avez bien voulu.

LUCILE

Moi? Point du tout; c'est vous qui l'avez résolu.

ÉRASTE

Moi? Je vous ai cru là faire un plaisir extrême.

LUCILE

Point, vous avez voulu vous contenter vous-même.

ÉRASTE

Mais si mon cœur encor revoulait sa prison...
Si, tout fâché qu'il est, il demandait pardon?...

LUCILE

Non, non, n'en faites rien : ma faiblesse est trop grande,
J'aurais peur d'accorder trop tôt votre demande.

ÉRASTE

Ha! vous ne pouvez pas trop tôt me l'accorder,
Ni moi sur cette peur trop tôt le demander.
Consentez-y, Madame; une flamme si belle
Doit, pour votre intérêt, demeurer immortelle.
Je le demande enfin; me l'accorderez-vous,
Ce pardon obligeant?

LUCILE

Ramenez-moi chez nous.

SCÈNE IV

MARINETTE, GROS-RENÉ

MARINETTE

O la lâche personne!

GROS-RENÉ

Ha! le faible courage!

MARINETTE

J'en rougis de dépit.

GROS-RENÉ

J'en suis gonflé de rage;
Ne t'imagine pas que je me rende ainsi.

MARINETTE

Et ne pense pas, toi, trouver ta dupe aussi.

GROS-RENÉ

Viens, viens frotter ton nez auprès de ma colère.

MARINETTE

Tu nous prends pour une autre, et tu n'as pas affaire
A ma sotte maîtresse. Ardez le beau museau,
Pour nous donner envie encore de sa peau!
Moi, j'aurais de l'amour pour ta chienne de face?
Moi, je te chercherais? Ma foi, l'on t'en fricasse
Des filles comme nous!

GROS-RENÉ

Oui? tu le prends par là?
Tiens, tiens, sans y chercher tant de façons, voilà
Ton beau galant de neige, avec ta nonpareille[14];
Il n'aura plus l'honneur d'être sur mon oreille.

MARINETTE

Et toi, pour te montrer que tu m'es à mépris,
Voilà ton demi-cent d'aiguilles de Paris,
Que tu me donnas hier avec tant de fanfare.

GROS-RENÉ

Tiens encor ton couteau; la pièce est riche et rare.
Il te coûta six blancs[15] lorsque tu m'en fis don.

MARINETTE

Tiens tes ciseaux, avec ta chaîne de laiton.

GROS-RENÉ

J'oubliais d'avant-hier ton morceau de fromage;
Tiens. Je voudrais pouvoir rejeter le potage
Que tu me fis manger, pour n'avoir rien de toi.

MARINETTE

Je n'ai point maintenant de tes lettres sur moi;
Mais j'en ferai du feu jusques à la dernière.

GROS-RENÉ

Et des tiennes tu sais ce que j'en saurai faire?

MARINETTE

Prends garde à ne venir jamais me reprier.

GROS-RENÉ

Pour couper tout chemin à nous rapatrier,
Il faut rompre la paille : une paille rompue
Rend, entre gens d'honneur, une affaire conclue;
Ne fais point les doux yeux, je veux être fâché.

MARINETTE

Ne me lorgne point, toi; j'ai l'esprit trop touché.

GROS-RENÉ

Romps; voilà le moyen de ne s'en plus dédire.
Romps. Tu ris, bonne bête!

MARINETTE

                    Oui, car tu me fais rire.

GROS-RENÉ

La peste soit ton ris! Voilà tout mon courroux
Déjà dulcifié. Qu'en dis-tu? romprons-nous,
Ou ne romprons-nous pas?

MARINETTE

              Vois.

GROS-RENÉ

                    Vois, toi.

MARINETTE

                          Vois, toi-même.

GROS-RENÉ

Est-ce que tu consens que jamais je ne t'aime?

MARINETTE

Moi? Ce que tu voudras.

GROS-RENÉ

                    Ce que tu voudras, toi;
Dis.

MARINETTE

    Je ne dirais rien.

GROS-RENÉ
Ni moi non plus.

MARINETTE
Ni moi.

GROS-RENÉ
Ma foi, nous ferons mieux de quitter la grimace.
Touche, je te pardonne.

MARINETTE
Et moi, je te fais grâce.

GROS-RENÉ
Mon Dieu! qu'à tes appas je suis acoquiné!

MARINETTE
Que Marinette est sotte après son Gros-René!

ACTE V

SCÈNE PREMIÈRE

MASCARILLE
« Dès que l'obscurité régnera dans la ville,
Je me veux introduire au logis de Lucile;
Va vite de ce pas préparer pour tantôt
Et la lanterne sourde et les armes qu'il faut. »
Quand il m'a dit ces mots, il m'a semblé d'entendre :
« Va vitement chercher un licou pour te pendre. »
Venez çà, mon patron; car, dans l'étonnement
Où m'a jeté d'abord un tel commandement,
Je n'ai pas eu le temps de vous pouvoir répondre;
Mais je vous veux ici parler; et vous confondre :
Défendez-vous donc bien, et raisonnons sans bruit.
Vous voulez, dites-vous, aller voir cette nuit

Lucile? — Oui, Mascarille. — Et que pensez-vous faire?
— Une action d'amant qui se veut satisfaire.
— Une action d'un homme à fort petit cerveau,
Que d'aller sans besoin risquer ainsi sa peau.
— Mais tu sais quel motif à ce dessein m'appelle :
Lucile est irritée. — Eh bien! tant pis pour elle.
— Mais l'amour veut que j'aille apaiser son esprit.
— Mais l'amour est un sot qui ne sait ce qu'il dit;
Nous garantira-t-il, cet amour, je vous prie,
D'un rival, ou d'un père, ou d'un frère en furie?
— Penses-tu qu'aucun d'eux songe à nous faire mal?
— Oui, vraiment je le pense, et surtout ce rival.
— Mascarille, en tout cas, l'espoir où je me fonde,
Nous irons bien armés; et, si quelqu'un nous gronde,
Nous nos chamaillerons. — Oui, voilà justement
Ce que votre valet ne prétend nullement.
Moi, chamailler, bon Dieu! suis-je un Roland, mon maître
Ou quelque Ferragus[16]? C'est fort mal me connaître.
Quand je viens à songer, moi qui me suis si cher,
Qu'il ne faut que deux doigts d'un misérable fer
Dans le corps pour vous mettre un humain dans la bière,
Je suis scandalisé d'une étrange manière.
— Mais tu seras armé de pied en cap. — Tant pis,
J'en serai moins léger à gagner le taillis;
Et de plus, il n'est point d'armure si bien jointe
Où ne puisse glisser une vilaine pointe.
— Oh! tu seras ainsi tenu pour un poltron.
— Soit, pourvu que toujours je branle le menton.
A table comptez-moi, si vous voulez, pour quatre;
Mais comptez-moi pour rien s'il s'agit de se battre.
Enfin, si l'autre monde a des charmes pour vous,
Pour moi, je trouve l'air de celui-ci fort doux;
Je n'ai pas grande faim de mort ni de blessure.
Et vous ferez le sot tout seul, je vous assure.

SCÈNE II

VALÈRE, MASCARILLE

VALÈRE

Je n'ai jamais trouvé de jour plus ennuyeux;
Le soleil semble s'être oublié dans les cieux,
Et jusqu'au lit qui doit recevoir sa lumière,

Je vois rester encore une telle carrière,
Que je crois que jamais il ne l'achèvera,
Et que de sa lenteur mon âme enragera.

MASCARILLE

Et cet empressement pour s'en aller dans l'ombre
Pêcher vite à tâtons quelque sinistre encombre !
Vous voyez que Lucile, entière en ses rebuts...

VALÈRE

Ne me fais point ici de contes superflus.
Quand je devrais trouver cent embûches mortelles
Je sens de son courroux des gênes trop cruelles,
Et je veux l'adoucir, ou terminer mon sort.
C'est un point résolu.

MASCARILLE

       J'approuve ce transport;
Mais le mal est, Monsieur, qu'il faudra s'introduire
En cachette.

VALÈRE

   Fort bien.

MASCARILLE

       Et j'ai peur de vous nuire.

VALÈRE

Et comment?

MASCARILLE

      Une toux me tourmente à mourir,
Dont le bruit importun vous fera découvrir :
De moment en moment...

Il tousse.

     Vous voyez le supplice.

VALÈRE

Ce mal se passera; prends du jus de réglisse.

MASCARILLE

Je ne crois pas, Monsieur, qu'il se veuille passer.
Je serais ravi, moi, de ne vous point laisser;
Mais j'aurais un regret mortel, si j'étais cause
Qu'il fût à mon cher maître arrivé quelque chose.

SCÈNE III

VALÈRE, LA RAPIÈRE, MASCARILLE

LA RAPIÈRE

Monsieur, de bonne part je viens d'être informé
Qu'Eraste est contre vous fortement animé,
Et qu'Albert parle aussi de faire pour sa fille
Rouer jambes et bras à votre Mascarille.

MASCARILLE

Moi, je ne suis pour rien dans tout cet embarras.
Qu'ai-je fait pour me voir rouer jambes et bras?
Suis-je donc gardien, pour employer ce style,
De la virginité des filles de la ville?
Sur la tentation ai-je quelque crédit?
Et puis-je mais, chétif, si le cœur leur en dit?

VALÈRE

Oh! qu'ils ne seront pas si méchants qu'ils le disent!
Et quelque belle ardeur que ses feux lui produisent,
Eraste n'aura pas si bon marché de nous.

LA RAPIÈRE

S'il vous faisait besoin, mon bras est tout à vous.
Vous savez de tout temps que je suis un bon frère.

VALÈRE

Je vous suis obligé, Monsieur de la Rapière.

LA RAPIÈRE

J'ai deux amis encor que je vous puis donner,
Qui contre tous venants sont gens à dégainer,
Et sur qui vous pourrez prendre toute assurance.

MASCARILLE

Acceptez-les, Monsieur.

VALÈRE

C'est trop de complaisance.

LA RAPIÈRE

Le petit Gille encore eût pu nous assister
Sans le triste accident qui vient de nous l'ôter.
Monsieur, le grand dommage! et l'homme de service!
Vous avez su le tour que lui fit la justice?
Il mourut en César, et, lui cassant les os,
Le bourreau ne lui put faire lâcher deux mots.

VALÈRE

Monsieur de la Rapière, un homme de la sorte
Doit être regretté; mais, quant à votre escorte,
Je vous rends grâce.

LA RAPIÈRE

Soit; mais soyez averti
Qu'il vous cherche et vous peut faire un mauvais parti.

VALÈRE

Et moi, pour vous montrer combien je l'appréhende,
Je lui veux, s'il me cherche, offrir ce qu'il demande,
Et par toute la ville aller présentement,
Sans être accompagné que de lui seulement.

MASCARILLE

Quoi! Monsieur, vous voulez tenter Dieu! Quelle audace!
Las! vous voyez tous deux comme l'on nous menace,
Combien de tous côtés...

VALÈRE

Que regardes-tu là?

MASCARILLE

C'est qu'il sent le bâton du côté que voilà.
Enfin, si maintenant ma prudence en est crue,
Ne nous obstinons point à rester dans la rue;
Allons nous renfermer.

VALÈRE

Nous renfermer, faquin!
Tu m'oses proposer un acte de coquin!
Sus! sans plus de discours, résous-toi de me suivre.

MASCARILLE

Eh! Monsieur, mon cher maître, il est si doux de vivre!
On ne meurt qu'une fois, et c'est pour si longtemps!

VALÈRE

Je m'en vais t'assommer de coups, si je t'entends.
Ascagne vient ici; laissons-le : il faut attendre
Quel parti de lui-même il résoudra de prendre.
Cependant avec moi viens prendre à la maison
Pour nous frotter.

MASCARILLE

Je n'ai nulle démangeaison.
Que maudit soit l'amour, et les filles maudites
Qui veulent en tâter, puis font les chattemites!

SCÈNE IV

ASCAGNE, FROSINE

ASCAGNE

Est-il bien vrai, Frosine, et ne rêvé-je point?
De grâce, contez-moi bien tout de point en point.

FROSINE

Vous en saurez assez le détail; laissez faire :
Ces sortes d'incidents ne sont pour l'ordinaire
Que redits trop de fois de moment en moment.
Suffit que vous sachiez qu'après ce testament
Qui voulait un garçon pour tenir sa promesse,
De la femme d'Albert la dernière grossesse
N'accoucha que de vous, et que lui, dessous main,
Ayant depuis longtemps concerté son dessein,
Fit son fils de celui d'Ignès la bouquetière,

Qui vous donna pour sienne à nourrir à ma mère.
La mort ayant ravi ce petit innocent
Quelque dix mois après, Albert étant absent,
La crainte d'un époux et l'amour maternelle
Firent l'événement d'une ruse nouvelle.
Sa femme en secret lors se rendit son vrai sang;
Vous devîntes celui qui tenait votre rang,
Et la mort de ce fils mis dans votre famille
Se couvrit pour Albert de celle de sa fille.
Voilà de votre sort un mystère éclairci,
Que votre feinte mère a caché jusqu'ici.
Elle en dit des raisons, et peut en avoir d'autres,
Par qui ses intérêts n'étaient pas tous les vôtres.
Enfin cette visite, où j'espérais si peu,
Plus qu'on ne pouvait croire a servi votre feu.
Cette Ignès vous relâche, et, par votre autre affaire
L'éclat de son secret devenu nécessaire,
Nous en avons nous deux votre père informé :
Un billet de sa femme a le tout confirmé;
Et poussant plus avant encore notre pointe,
Quelque peu de fortune à notre adresse jointe,
Aux intérêts d'Albert de Polidore après
Nous avons ajusté si bien les intérêts,
Si doucement à lui déplié ces mystères,
Pour n'effaroucher pas d'abord trop les affaires,
Enfin, pour dire tout, mené si prudemment
Son esprit pas à pas à l'accommodement,
Qu'autant que votre père il montre de tendresse
À confirmer les nœuds qui font votre allégresse.

ASCAGNE

Ha! Frosine, la joie où vous m'acheminez!...
Et que ne dois-je point à vos soins fortunés!

FROSINE

Au reste, le bonhomme est en humeur de rire,
Et pour son fils encor nous défend de rien dire.

SCÈNE V

ASCAGNE, POLIDORE, FROSINE

POLIDORE

Approchez-vous, ma fille, un tel nom m'est permis,
Et j'ai su le secret que cachaient ces habits.
Vous avez fait un trait qui, dans sa hardiesse,
Fait briller tant d'esprit et tant de gentillesse,
Que je vous en excuse, et tiens mon fils heureux
Quand il saura l'objet de ses soins amoureux.
Vous valez tout un monde, et c'est moi qui l'assure.
Mais le voici; prenons plaisir de l'aventure.
Allez faire venir tous vos gens promptement.

ASCAGNE

Vous obéir sera mon premier compliment.

SCÈNE VI

MASCARILLE, POLIDORE, VALÈRE

MASCARILLE, *à Valère*.

Les disgrâces souvent sont du Ciel révélées :
J'ai songé cette nuit de perles défilées
Et d'œufs cassés; Monsieur, un tel songe m'abat.

VALÈRE

Chien de poltron!

POLIDORE

　　　　Valère, il s'apprête un combat
Où toute ta valeur te sera nécessaire;
Tu vas avoir en tête un puissant adversaire.

MASCARILLE

Et personne, Monsieur, qui se veuille bouger
Pour retenir des gens qui se vont égorger!

Pour moi, je le veux bien; mais, au moins, s'il arrive
Qu'un funeste accident de votre fils vous prive,
Ne m'en accusez point.

POLIDORE

Non, non; en cet endroit
Je le pousse moi-même à faire ce qu'il doit.

MASCARILLE

Père dénaturé!

VALÈRE

Ce sentiment, mon père,
Est d'un homme de cœur, et je vous en révère.
J'ai dû vous offenser, et je suis criminel
D'avoir fait tout ceci sans l'aveu paternel;
Mais, à quelque dépit que ma faute vous porte,
La nature toujours se montre la plus forte,
Et votre honneur fait bien, quand il ne veut pas voir
Que le transport d'Eraste ait de quoi m'émouvoir.

POLIDORE

On me faisait tantôt redouter sa menace;
Mais les choses depuis ont bien changé de face,
Et, sans le pouvoir fuir, d'un ennemi plus fort
Tu vas être attaqué.

MASCARILLE

Point de moyen d'accord?

VALÈRE

Moi! le fuir! Dieu m'en garde. Et qui donc pourrait-ce être?

POLIDORE

Ascagne.

VALÈRE

Ascagne?

POLIDORE

Oui, tu le vas voir paraître.

VALÈRE

Lui, qui de me servir m'avait donné sa foi!

POLIDORE

Oui, c'est lui qui prétend avoir affaire à toi,
Et qui veut, dans le champ où l'honneur vous appelle,
Qu'un combat seul à seul vide votre querelle.

MASCARILLE

C'est un brave homme; il sait que les cœurs généreux
Ne mettent point les gens en compromis pour eux.

POLIDORE

Enfin d'une imposture ils te rendent coupable,
Dont le ressentiment m'a paru raisonnable;
Si bien qu'Albert et moi sommes tombés d'accord
Que tu satisferais Ascagne sur ce tort,
Mais aux yeux d'un chacun, et sans nulles remises,
Dans les formalités en pareil cas requises.

VALÈRE

Et Lucile, mon père, a d'un cœur endurci...

POLIDORE

Lucile épouse Eraste, et te condamne aussi,
Et pour convaincre mieux tes discours d'injustice,
Veut qu'à tes propres yeux cet hymen s'accomplisse.

VALÈRE

Ha! c'est une impudence à me mettre en fureur :
Elle a donc perdu sens, foi, conscience, honneur?

SCÈNE VII

MASCARILLE, LUCILE, ÉRASTE, POLIDORE, ALBERT,
VALÈRE

ALBERT

Hé bien! les combattants? On amène le nôtre.
Avez-vous disposé le courage du vôtre?

VALÈRE

Oui, oui; me voilà prêt, puisqu'on m'y veut forcer;
Et si j'ai pu trouver sujet de balancer,
Un reste de respect en pouvait être cause,
Et non pas la valeur du bras que l'on m'oppose.
Mais c'est trop me pousser, ce respect est à bout;
A toute extrémité mon esprit se résout,
Et l'on fait voir un trait de perfidie étrange,
Dont il faut hautement que mon amour se venge.

A Lucile.

Non pas que cet amour prétende encore à vous;
Tout son feu se résout en ardeur de courroux,
Et, quand j'aurai rendu votre honte publique,
Votre coupable hymen n'aura rien qui me pique.
Allez, ce procédé, Lucile, est odieux :
A peine en puis-je croire au rapport de mes yeux;
C'est de toute pudeur se montrer ennemie,
Et vous devriez mourir d'une telle infamie.

LUCILE

Un semblable discours me pourrait affliger,
Si je n'avais en main qui m'en saura venger.
Voici venir Ascagne : il aura l'avantage
De vous faire changer bien vite de langage,
Et sans beaucoup d'effort.

SCÈNE VIII

MASCARILLE, LUCILE, ÉRASTE, ALBERT, VALÈRE,
GROS-RENÉ, MARINETTE, ASCAGNE, FROSINE, POLIDORE

VALÈRE

Il ne le fera pas,
Quand il joindrait au sien encor vingt autres bras.
Je le plains de défendre une sœur criminelle;
Mais puisque son erreur me veut faire querelle,
Nous le satisferons, et vous, mon brave aussi.

ÉRASTE

Je prenais intérêt tantôt à tout ceci;
Mais enfin, comme Ascagne a pris sur lui l'affaire,
Je ne m'en mêle plus, et je le laisse faire.

VALÈRE

C'est bien fait : la prudence est toujours de saison;
Mais...

ÉRASTE

Il saura pour tous vous mettre à la raison.

VALÈRE

Lui?

POLIDORE

Ne t'y trompe pas; tu ne sais pas encore
Quel étrange garçon est Ascagne.

ALBERT

Il l'ignore;
Mais il pourra dans peu le lui faire savoir.

VALÈRE

Sus donc! que maintenant il me le fasse voir.

MARINETTE

Aux yeux de tous?

GROS-RENÉ

Cela ne serait pas honnête.

VALÈRE

Se moque-t-on de moi? Je casserai la tête
A quelqu'un des rieurs. Enfin, voyons l'effet.

ASCAGNE

Non, non, je ne suis pas si méchant qu'on me fait;
Et dans cette aventure où chacun m'intéresse,
Vous allez voir plutôt éclater ma faiblesse,
Connaître que le Ciel, qui dispose de nous,

Ne me fit pas un cœur pour tenir contre vous,
Et qu'il vous réservait, pour victoire facile,
De finir le destin du frère de Lucile.
Oui, bien loin de vanter le pouvoir de mon bras,
Ascagne va par vous recevoir le trépas;
Mais il veut bien mourir, si sa mort nécessaire
Peut avoir maintenant de quoi vous satisfaire,
En vous donnant pour femme, en présence de tous,
Celle qui justement ne peut être qu'à vous.

VALÈRE

Non, quand toute la terre après sa perfidie
Et les traits effrontés...

ASCAGNE

                    Ah! souffrez que je die,
Valère, que le cœur qui vous est engagé
D'aucun crime envers vous ne peut être chargé :
Sa flamme est toujours pure, et sa constance extrême,
Et j'en prends à témoin votre père lui-même.

POLIDORE

Oui, mon fils, c'est assez rire de ta fureur,
Et je vois qu'il est temps de te tirer d'erreur.
Celle à qui par serment ton âme est attachée
Sous l'habit que tu vois à tes yeux est cachée :
Un intérêt de bien, dès ses plus jeunes ans,
Fit ce déguisement qui trompe tant de gens,
Et depuis peu l'amour en a su faire un autre,
Qui t'abusa, joignant leur famille à la nôtre.
Ne va point regarder à tout le monde aux yeux :
Je te fais maintenant un discours sérieux :
Oui, c'est elle, en un mot, dont l'adresse subtile,
La nuit, reçut ta foi sous le nom de Lucile,
Et qui, par ce ressort qu'on ne comprenait pas,
A semé parmi vous un si grand embarras.
Mais, puisqu'Ascagne ici fait place à Dorothée,
Il faut voir de vos feux toute imposture ôtée,
Et qu'un nœud plus sacré donne force au premier.

ALBERT

Et c'est là justement ce combat singulier
Qui devait envers nous réparer votre offense,
Et pour qui les édits n'ont point fait de défense.

POLIDORE

Un tel événement rend tes esprits confus;
Mais en vain tu voudrais balancer là-dessus.

VALÈRE

Non, non; je ne veux pas songer à m'en défendre;
Et si cette aventure a lieu de me surprendre,
La surprise me flatte, et je me sens saisir
De merveille à la fois, d'amour et de plaisir.
Se peut-il que ces yeux?...

ALBERT

                    Cet habit, cher Valère,
Souffre mal les discours que vous lui pourriez faire.
Allons lui faire en prendre un autre; et cependant
Vous saurez le détail de tout cet incident.

VALÈRE

Vous, Lucile, pardon, si mon âme abusée...

LUCILE

L'oubli de cette injure est une chose aisée.

ALBERT

Allons, ce compliment se fera bien chez nous,
Et nous aurons loisir de nous en faire tous.

ÉRASTE

Mais vous ne songez pas, en tenant ce langage,
Qu'il reste encor ici des sujets de carnage.
Voilà bien à tous deux notre amour couronné;
Mais de son Mascarille et de mon Gros-René,
Par qui doit Marinette être ici possédée?
Il faut que par le sang l'affaire soit vidée.

MASCARILLE

Nenni, nenni, mon sang dans mon corps sied trop bien.
Qu'il l'épouse en repos, cela ne me fait rien.
De l'humeur que je sais la chère Marinette,
L'hymen ne ferme pas la porte à la fleurette.

MARINETTE

Et tu crois que de toi je ferais mon galant?
Un mari, passe encor : tel qu'il est, on le prend;
On n'y va pas chercher tant de cérémonie;
Mais il faut qu'un galant soit fait à faire envie.

GROS-RENÉ

Ecoute : quand l'hymen aura joint nos deux peaux,
Je prétends qu'on soit sourde à tous les damoiseaux.

MASCARILLE

Tu crois te marier pour toi tout seul, compère?

GROS-RENÉ

Bien entendu; je veux une femme sévère,
Ou je ferai beau bruit.

MASCARILLE

    Eh! mon Dieu! tu feras
Comme les autres font, et tu t'adouciras.
Ces gens, avant l'hymen si fâcheux et critiques,
Dégénèrent souvent en maris pacifiques.

MARINETTE

Va, va, petit mari, ne crains rien de ma foi :
Les douceurs ne feront que blanchir contre moi,
Et je te dirai tout.

MASCARILLE

    Oh! la fine pratique!
Un mari confident!...

MARINETTE

    Taisez-vous, as de pique!

ALBERT

Pour la troisième fois, allons-nous-en chez nous
Poursuivre en liberté des entretiens si doux.

LES PRÉCIEUSES
RIDICULES

Comédie

PRÉFACE

C'est une chose étrange qu'on imprime les gens malgré eux. Je ne vois rien de si injuste, et je pardonnerais toute autre violence plutôt que celle-là. Ce n'est pas que je veuille faire ici l'auteur modeste, et mépriser par honneur ma comédie. J'offenserais mal à propos tout Paris, si je l'accusais d'avoir pu applaudir à une sottise : comme le public est le juge absolu de ces sortes d'ouvrages, il y aurait de l'impertinence à moi de le démentir ; et quand j'aurais eu la plus mauvaise opinion du monde de mes *Précieuses ridicules* avant leur représentation, je dois croire maintenant qu'elles valent quelque chose, puisque tant de gens ensemble en ont dit du bien. Mais comme une grande partie des grâces qu'on y a trouvées dépendent de l'action et du ton de voix, il m'importait qu'on ne les dépouillât pas de ces ornements, et je trouvais que le succès qu'elles avaient eu dans la représentation était assez beau pour en demeurer là. J'avais résolu, dis-je, de ne les faire voir qu'à la chandelle, pour ne point donner lieu à quelqu'un de dire le proverbe[1] ; et je ne voulais pas qu'elles sautassent du théâtre de Bourbon dans la galerie du Palais. Cependant je n'ai pu l'éviter, et je suis tombé dans la disgrâce de voir une copie dérobée de ma pièce entre les mains des libraires, accompagnée d'un privilège obtenu par surprise. J'ai eu beau crier : « O temps ! ô mœurs ! » on m'a fait voir une nécessité pour moi d'être imprimé ou d'avoir un procès ; et le dernier mal est encore pire que le premier. Il faut donc se laisser aller à la destinée et consentir à une chose qu'on ne laisserait pas de faire sans moi.

Mon Dieu ! l'étrange embarras qu'un livre à mettre au jour, et qu'un auteur est neuf la première fois qu'on l'imprime ! Encore si l'on m'avait donné du temps, j'aurais pu mieux songer à moi, et j'aurais pris toutes les précautions que messieurs les auteurs, à présent mes confrères, ont coutume de prendre en semblables occasions. Outre quelque grand seigneur, que j'aurais été prendre malgré lui pour protecteur de mon ouvrage, et dont j'aurais tenté la libéralité par une épître dédicatoire bien fleurie, j'aurais tâché de faire une belle et docte préface ; et je ne manque point de livres qui m'auraient fourni tout ce qu'on peut dire de savant sur la tragédie et la comédie, l'étymologie

de toutes deux, leur origine, leur définition, et le reste.
J'aurais parlé aussi à mes amis qui, pour la recommanda-
tion de ma pièce, ne m'auraient pas refusé ou des vers
français, ou des vers latins. J'en ai même qui m'auraient
loué en grec; et l'on n'ignore pas qu'une louange en
grec est d'une merveilleuse efficace à la tête d'un livre.
Mais on me met au jour sans me donner le loisir de me
reconnaître; et je ne puis même obtenir la liberté de dire
deux mots pour justifier mes intentions sur le sujet de
cette comédie. J'aurais voulu faire voir qu'elle se tient
partout dans les bornes de la satire honnête et permise;
que les plus excellentes choses sont sujettes à être copiées
par de mauvais singes, qui méritent d'être bernés; que
ces vicieuses imitations de ce qu'il y a de plus parfait
ont été de tout temps la matière de la comédie; et que,
par la même raison que les véritables savants et les vrais
braves ne se sont point encore avisés de s'offenser du
Docteur de la comédie et du Capitan[2], non plus que les
juges, les princes et les rois de voir Trivelin ou quelque
autre sur le théâtre faire ridiculement le juge, le prince ou
le roi, aussi les véritables précieuses auraient tort de se
piquer lorsqu'on joue les ridicules qui les imitent mal.
Mais enfin, comme j'ai dit, on ne me laisse pas le temps de
respirer, et Monsieur de Luynes veut m'aller relier de ce
pas : à la bonne heure, puisque Dieu l'a voulu!

LES PERSONNAGES

LA GRANGE, ⎫
DU CROISY, ⎬ amants rebutés.
GORGIBUS, bon bourgeois.
MAGDELON, fille
  de Gorgibus, ⎫
CATHOS, nièce ⎬ Précieuses ridicules.
  de Gorgibus, ⎭
MAROTTE, servante des Précieuses ridicules.
ALMANZOR, laquais des Précieuses ridicules.
LE MARQUIS DE MASCARILLE, valet de la
  Grange.
LE VICOMTE DE JODELET, valet de du
  Croisy.
DEUX PORTEURS DE CHAISE.
VOISINES.
VIOLONS.

La Grange.
Du Croisy.
L'Espy.
Madeleine Béjart

Mlle de Brie.

Marie Ragueneau.
De Brie.

Molière.

Jodelet[3].

La scène est à Paris, dans la maison de Gorgibus.

SCÈNE PREMIÈRE

LA GRANGE, DU CROISY

DU CROISY

Seigneur la Grange...

LA GRANGE

Quoi?

DU CROISY

Regardez-moi un peu sans rire.

LA GRANGE

Eh bien?

DU CROISY

Que dites-vous de notre visite? En êtes-vous fort satisfait?

LA GRANGE

A votre avis, avons-nous sujet de l'être tous deux?

DU CROISY

Pas tout à fait, à dire vrai.

LA GRANGE

Pour moi, je vous avoue que j'en suis tout scandalisé. A-t-on jamais vu, dites-moi, deux pecques provinciales faire plus les renchéries que celles-là, et deux hommes traités avec plus de mépris que nous? A peine ont-elles pu se résoudre à nous faire donner des sièges. Je n'ai jamais vu tant parler à l'oreille qu'elles ont fait entre elles, tant bâiller, tant se frotter les yeux et demander tant de fois : « Quelle heure est-il? » Ont-elles répondu que oui et non à tout ce que nous avons pu leur dire? Et ne m'avouerez-vous pas enfin que, quand nous aurions été les dernières personnes du monde, on ne pouvait nous faire pis qu'elles ont fait?

DU CROISY

Il me semble que vous prenez la chose fort à cœur.

LA GRANGE

Sans doute, je l'y prends, et de telle façon que je me
veux venger de cette impertinence. Je connais ce qui nous
à fait mépriser. L'air précieux n'a pas seulement infecté
Paris, il s'est aussi répandu dans les provinces, et nos
donzelles ridicules en ont humé leur bonne part. En un
mot, c'est un ambigu de précieuse et de coquette que leur
personne. Je vois ce qu'il faut être pour en être bien reçu ;
et, si vous m'en croyez, nous leur jouerons tous deux une
pièce qui leur fera voir leur sottise, et pourra leur apprendre à connaître un peu mieux leur monde.

DU CROISY

Et comment encore ?

LA GRANGE

J'ai un certain valet, nommé Mascarille, qui passe,
au sentiment de beaucoup de gens, pour une manière
de bel esprit ; car il n'y a rien à meilleur marché que le
bel esprit maintenant. C'est un extravagant qui s'est
mis dans la tête de vouloir faire l'homme de condition.
Il se pique ordinairement de galanterie et de vers, et dé-
daigne les autres valets jusqu'à les appeler brutaux.

DU CROISY

Eh bien ! qu'en prétendez-vous faire ?

LA GRANGE

Ce que j'en prétends faire ? Il faut... Mais sortons d'ici
auparavant.

SCÈNE II

GORGIBUS, DU CROISY, LA GRANGE

GORGIBUS

Eh bien ! vous avez vu ma nièce et ma fille ; les affaires
iront-elles bien ? Quel est le résultat de cette visite ?

LA GRANGE

C'est une chose que vous pourrez mieux apprendre d'elles que de nous. Tout ce que nous pouvons vous dire, c'est que nous vous rendons grâces de la faveur que vous nous avez faite, et demeurons vos très humbles serviteurs.

DU CROISY

Vos très humbles serviteurs.

GORGIBUS, *seul.*

Ouais! il semble qu'ils sortent mal satisfaits d'ici. D'où pourrait venir leur mécontentement? Il faut savoir un peu ce que c'est. Holà?

SCÈNE III

MAROTTE, GORGIBUS

MAROTTE

Que désirez-vous, Monsieur?

GORGIBUS

Où sont vos maîtresses?

MAROTTE

Dans leur cabinet.

GORGIBUS

Que font-elles?

MAROTTE

De la pommade pour les lèvres.

GORGIBUS

C'est trop pommadé. Dites-leur qu'elles descendent. (*Seul.*) Ces pendardes-là, avec leur pommade, ont, je pense, envie de me ruiner. Je ne vois partout que blancs d'œufs, lait virginal, et mille autres brimborions que je ne connais point. Elles ont usé, depuis que nous sommes ici, le lard d'une douzaine de cochons pour le moins, et quatre valets vivraient tous les jours des pieds de mouton qu'elles emploient.

SCÈNE IV

MAGDELON, CATHOS, GORGIBUS

GORGIBUS

Il est bien nécessaire, vraiment, de faire tant de dépense pour vous graisser le museau. Dites-moi un peu ce que vous avez fait à ces Messieurs, que je les vois sortir avec tant de froideur? Vous avais-je pas commandé de les recevoir comme des personnes que je vous voulais donner pour maris?

MAGDELON

Et quelle estime, mon père, voulez-vous que nous fassions du procédé irrégulier de ces gens-là?

CATHOS

Le moyen, mon oncle, qu'une fille un peu raisonnable se pût accommoder de leur personne?

GORGIBUS

Et qu'y trouvez-vous à redire? ·

MAGDELON

La belle galanterie que la leur! Quoi! de débuter d'abord par le mariage?

GORGIBUS

Et par où veux-tu donc qu'ils débutent? par le concubinage? N'est-ce pas un procédé dont vous avez sujet de vous louer toutes deux aussi bien que moi? Est-il rien de plus obligeant que cela? Et ce lien sacré où ils aspirent, n'est-il pas un témoignage de l'honnêteté de leurs intentions?

MAGDELON

Ah! mon père, ce que vous dites là est du dernier bourgeois. Cela me fait honte de vous ouïr parler de la sorte, et vous devriez un peu vous faire apprendre le bel air des choses.

GORGIBUS

Je n'ai que faire ni d'air ni de chanson. Je te dis que le mariage est une chose sainte et sacrée, et que c'est faire en honnêtes gens que de débuter par là.

MAGDELON

Mon Dieu! que, si tout le monde vous ressemblait, un roman serait bientôt fini! La belle chose que ce serait si d'abord Cyrus épousait Mandane, et qu'Aronce de plain-pied fût marié à Clélie[4]!

GORGIBUS

Que me vient conter celle-ci?

MAGDELON

Mon père, voilà ma cousine qui vous dira, aussi bien que moi, que le mariage ne doit jamais arriver qu'après les autres aventures. Il faut qu'un amant, pour être agréable, sache débiter les beaux sentiments, pousser le doux, le tendre et le passionné, et que sa recherche soit dans les formes. Premièrement, il doit voir au temple, ou à la promenade, ou dans quelque cérémonie publique, la personne dont il devient amoureux; ou bien être conduit fatalement chez elle par un parent ou un ami, et sortir de là tout rêveur et mélancolique. Il cache un temps sa passion à l'objet aimé, et cependant lui rend plusieurs visites, où l'on ne manque jamais de mettre sur le tapis une question galante qui exerce les esprits de l'assemblée. Le jour de la déclaration arrive, qui se doit faire ordinairement dans une allée de quelque jardin, tandis que la compagnie s'est un peu éloignée; et cette déclaration est suivie d'un prompt courroux, qui paraît à notre rougeur, et qui, pour un temps, bannit l'amant de notre présence. Ensuite il trouve moyen de nous apaiser, de nous accoutumer insensiblement au discours de sa passion, et de tirer de nous cet aveu qui fait tant de peine. Après cela viennent les aventures, les rivaux qui se jettent à la traverse d'une inclination établie, les persécutions des pères, les jalousies conçues sur de fausses apparences, les plaintes, les désespoirs, les enlèvements, et ce qui s'ensuit. Voilà comme les choses se traitent dans les belles manières, et ce sont des règles dont, en bonne galanterie, on ne saurait se dispenser. Mais en venir de but en blanc à l'union conjugale! ne faire l'amour qu'en faisant le contrat du mariage, et prendre justement le roman par la queue! encore un coup, mon père, il ne se peut rien de plus marchand que ce procédé, et j'ai mal au cœur de la seule vision que cela me fait.

GORGIBUS

Quel diable de jargon entends-je ici? Voici bien du haut style.

CATHOS

En effet, mon oncle, ma cousine donne dans le vrai de la chose. Le moyen de bien recevoir des gens qui sont tout à fait incongrus en galanterie? Je m'en vais gager qu'ils n'ont jamais vu la carte de Tendre[5], et que Billets-Doux, Petits-Soins, Billets-Galants et Jolis-Vers sont des terres inconnues pour eux. Ne voyez-vous pas que toute leur personne marque cela, et qu'ils n'ont point cet air qui donne d'abord bonne opinion des gens? Venir en visite amoureuse avec une jambe toute unie, un chapeau désarmé de plumes, une tête irrégulière en cheveux, et un habit qui souffre une indigence de rubans!... mon Dieu! quels amants sont-ce là! Quelle frugalité d'ajustement et quelle sécheresse de conversation! On n'y dure point, on n'y tient pas. J'ai remarqué encore que leurs rabats ne sont pas de la bonne faiseuse, et qu'il s'en faut de plus d'un grand demi-pied que leurs hauts-de-chausses ne soient assez larges.

GORGIBUS

Je pense qu'elles sont folles toutes deux, et je ne puis rien comprendre à ce baragouin. Cathos, et vous Magdelon...

MAGDELON

Eh! de grâce, mon père, défaites-vous de ces noms étranges, et nous appelez autrement.

GORGIBUS

Comment! ces noms étranges? Ne sont-ce pas vos noms de baptême?

MAGDELON

Mon Dieu! que vous êtes vulgaire! Pour moi, un de mes
étonnements, c'est que vous ayez pu faire une fille si
spirituelle que moi. A-t-on jamais parlé dans le beau
style de Cathos ni de Magdelon, et ne m'avouerez-vous
pas que ce serait assez d'un de ces noms pour décrier
le plus beau roman du monde?

CATHOS

Il est vrai, mon oncle, qu'une oreille un peu délicate
pâtit furieusement à entendre prononcer ces mots-là;
et le nom de Polyxène, que ma cousine a choisi, et celui
d'Aminthe, que je me suis donné[6], ont une grâce dont il
faut que vous demeuriez d'accord.

GORGIBUS

Ecoutez; il n'y a qu'un mot qui serve : je n'entends
point que vous ayez d'autres noms que ceux qui vous .
ont été donnés par vos parrains et vos marraines; et pour
ces Messieurs dont il est question, je connais leurs familles
et leurs biens, et je veux résolument que vous vous dis-
posiez à les recevoir pour maris. Je me lasse de vous avoir
sur les bras, et la garde de deux filles est une charge un
peu trop pesante pour un homme de mon âge.

CATHOS

Pour moi, mon oncle, tout ce que je vous puis dire,
c'est que je trouve le mariage une chose tout à fait cho-
quante. Comment est-ce qu'on peut souffrir la pensée de
coucher contre un homme vraiment nu?

MAGDELON

Souffrez que nous prenions un peu haleine parmi le
beau monde de Paris, où nous ne faisons que d'arriver.
Laissez-nous faire à loisir le tissu de notre roman, et n'en
pressez point tant la conclusion.

GORGIBUS, *à part.*

Il n'en faut point douter, elles sont achevées. *(Haut.)*
Encore un coup, je n'entends rien à toutes ces balivernes;
je veux être maître absolu, et pour trancher toutes sortes
de discours, ou vous serez mariées toutes deux avant qu'il
soit peu, ou, ma foi! vous serez religieuses; j'en fais un
bon serment.

SCÈNE V

CATHOS, MAGDELON

CATHOS

Mon Dieu! ma chère, que ton père a la forme enfoncée dans la matière[7]! que son intelligence est épaisse, et qu'il fait sombre dans son âme!

MAGDELON

Que veux-tu, ma chère? J'en suis en confusion pour lui. J'ai peine à me persuader que je puisse être véritablement sa fille, et je crois que quelque aventure, un jour, me viendra développer une naissance plus illustre.

CATHOS

Je le croirais bien. Oui, il y a toutes les apparences du monde; et pour moi, quand je me regarde aussi...

SCÈNE VI

MAROTTE, CATHOS, MAGDELON

MAROTTE

Voilà un laquais qui demande si vous êtes au logis, et dit que son maître vous veut venir voir.

MAGDELON

Apprenez, sotte, à vous énoncer moins vulgairement. Dites : « Voilà un nécessaire qui demande si vous êtes en commodité d'être visibles. »

MAROTTE

Dame! je n'entends point le latin, et je n'ai pas appris, comme vous, la filofie dans *le Cyre*.

MAGDELON

L'impertinente! le moyen de souffrir cela? Et qui est-il, le maître de ce laquais?

MAROTTE

Il me l'a nommé le marquis de Mascarille.

MAGDELON

Ah! ma chère, un marquis! un marquis! Oui, allez dire qu'on nous peut voir. C'est sans doute un bel esprit qui aura ouï parler de nous.

CATHOS

Assurément, ma chère.

MAGDELON

Il faut le recevoir dans cette salle basse, plutôt qu'en notre chambre. Ajustons un peu nos cheveux au moins, et soutenons notre réputation. Vite, venez nous tendre ici dedans le conseiller des grâces.

MAROTTE

Par ma foi, je ne sais point quelle bête c'est là; il faut parler chrétien, si vous voulez que je vous entende.

CATHOS

Apportez-nous le miroir, ignorante que vous êtes, et gardez-vous bien d'en salir la glace par la communication de votre image.

Elles sortent.

SCÈNE VII

MASCARILLE, DEUX PORTEURS

MASCARILLE

Holà, porteurs, holà! Là, là, là, là, là, là. Je pense que ces marauds-là ont dessein de me briser à force de heurter contre les murailles et les pavés.

PREMIER PORTEUR

Dame! c'est que la porte est étroite. Vous avez voulu aussi que nous soyons entrés jusqu'ici.

MASCARILLE

Je le crois bien. Voudriez-vous, faquins, que j'exposasse l'embonpoint de mes plumes aux inclémences de la saison pluvieuse, et que j'allasse imprimer mes souliers en boue? Allez, ôtez votre chaise d'ici.

DEUXIÈME PORTEUR

Payez-nous donc, s'il vous plaît, Monsieur.

MASCARILLE

Hem?

DEUXIÈME PORTEUR

Je dis, Monsieur, que vous nous donniez de l'argent, s'il vous plaît.

MASCARILLE, *lui donnant un soufflet.*

Comment, coquin, demander de l'argent à une personne de ma qualité?

DEUXIÈME PORTEUR

Est-ce ainsi qu'on paye les pauvres gens; et votre qualité nous donne-t-elle à dîner?

MASCARILLE

Ah! ah! ah! je vous apprendrai à vous connaître. Ces canailles-là s'osent jouer à moi.

PREMIER PORTEUR,
prenant un des bâtons de sa chaise.

Çà, payez-nous vitement.

MASCARILLE

Quoi?

PREMIER PORTEUR

Je dis que je veux avoir de l'argent tout à l'heure.

MASCARILLE

Il est raisonnable celui-là.

PREMIER PORTEUR

Vite donc!

MASCARILLE

Oui-da. Tu parles comme il faut, toi; mais l'autre est un coquin qui ne sait ce qu'il dit. Tiens; es-tu content?

PREMIER PORTEUR

Non, je ne suis pas content; vous avez donné un soufflet à mon camarade, et...

Levant son bâton.

MASCARILLE

Doucement. Tiens, voilà pour le soufflet. On obtient tout de moi quand on s'y prend de la bonne façon. Allez, venez me reprendre tantôt pour aller au Louvre, au petit coucher.

SCÈNE VIII

MAROTTE, MASCARILLE

MAROTTE

Monsieur, voilà mes maîtresses qui vont venir tout à l'heure.

MASCARILLE

Qu'elles ne se pressent point; je suis ici posté commodément pour attendre.

MAROTTE

Les voici.

SCÈNE IX

MAGDELON, CATHOS,

MASCARILLE, ALMANZOR

MASCARILLE, *après avoir salué.*

Mesdames, vous serez surprises, sans doute, de l'audace de ma visite; mais votre réputation vous attire cette méchante affaire, et le mérite a pour moi des charmes si puissants que je cours partout après lui.

MAGDELON

Si vous poursuivez le mérite, ce n'est pas sur nos terres que vous devez chasser.

CATHOS

Pour voir chez nous le mérite, il a fallu que vous l'y ayez amené.

MASCARILLE

Ah! je m'inscris en faux contre vos paroles. La Renommée accuse juste en contant ce que vous valez; et vous allez faire pic, repic et capot tout ce qu'il y a de galant dans Paris.

MAGDELON

Votre complaisance pousse un peu trop avant la libéralité de ses louanges; et nous n'avons garde, ma cousine et moi, de donner de notre sérieux dans le doux de votre flatterie.

CATHOS

Ma chère, il faudrait faire donner des sièges.

MAGDELON

Holà! Almanzor!

ALMANZOR

Madame.

MAGDELON

Vite, voiturez-nous ici les commodités de la conversation.

MASCARILLE

Mais, au moins, y a-t-il sûreté ici pour moi?

Almanzor sort.

CATHOS

Que craignez-vous?

MASCARILLE

Quelque vol de mon cœur, quelque assassinat de ma franchise. Je vois ici deux yeux qui ont la mine d'être de fort mauvais garçons, de faire insulte aux libertés, et de traiter une âme de Turc à More. Comment, diable! d'abord qu'on les approche, ils se mettent sur leur garde meurtrière? Ah! par ma foi, je m'en défie, et je m'en vais gagner au pied, ou je veux caution bourgeoise qu'ils ne me feront point de mal.

MAGDELON

Ma chère, c'est le caractère enjoué.

CATHOS

Je vois bien que c'est un Amilcar[8].

MAGDELON

Ne craignez rien : nos yeux n'ont point de mauvais desseins, et votre cœur peut dormir en assurance sur leur prud'homie.

CATHOS

Mais de grâce, Monsieur, ne soyez pas inexorable à ce fauteuil qui vous tend les bras il y a un quart d'heure; contentez un peu l'envie qu'il a de vous embrasser.

MASCARILLE, *après s'être peigné et avoir ajusté ses canons.*

Eh bien! Mesdames, que dites-vous de Paris?

MAGDELON

Hélas! qu'en pourrions-nous dire? Il faudrait être l'anti-pode de la raison pour ne pas confesser que Paris est le grand bureau des merveilles, le centre du bon goût, du bel esprit et de la galanterie.

MASCARILLE

Pour moi, je tiens que hors de Paris il n'y a point de salut pour les honnêtes gens.

CATHOS

C'est une vérité incontestable.

MASCARILLE

Il y fait un peu crotté; mais nous avons la chaise.

MAGDELON

Il est vrai que la chaise est un retranchement mer-veilleux contre les insultes de la boue et du mauvais temps.

MASCARILLE

Vous recevez beaucoup de visites? Quel bel esprit est des vôtres?

MAGDELON

Hélas! nous ne sommes pas encore connues; mais nous sommes en passe de l'être, et nous avons une amie particulière qui nous a promis d'amener ici tous ces Messieurs du *Recueil des Pièces Choisies*[9].

CATHOS

Et certains autres qu'on nous a nommés aussi pour être les arbitres souverains des belles choses.

MASCARILLE

C'est moi qui ferai votre affaire mieux que personne: ils me rendent tous visite, et je puis dire que je ne me lève jamais sans une demi-douzaine de beaux esprits.

MAGDELON

Eh! mon Dieu! nous vous serons obligées de la der-nière obligation si vous nous faites cette amitié; car enfin il faut avoir la connaissance de tous ces Messieurs-là si l'on veut être du beau monde. Ce sont eux qui donnent le branle à la réputation dans Paris; et vous savez qu'il y en a tel dont il ne faut que la seule fréquentation pour vous donner bruit de connaisseuse, quand il n'y aurait rien autre chose que cela. Mais pour moi, ce que je considère particulièrement, c'est que, par le moyen de ces visites spirituelles, on est instruite de cent choses qu'il faut savoir de nécessité, et qui sont de l'essence d'un bel esprit. On apprend par là, chaque jour, les petites nouvelles galantes, les jolis commerces de prose ou de vers. On sait à point nommé : « Un tel a composé la plus jolie pièce du monde sur un tel sujet; une telle a fait des paroles sur un tel air; celui-ci a fait un madrigal sur une jouissance; celui-là a composé des stances sur une infidélité; Monsieur un tel écrivit hier au soir un sixain à Mademoiselle une telle, dont elle lui a envoyé la réponse ce matin sur les huit heures; un tel auteur a fait un tel dessein; celui-là en est à la troisième partie de son roman; cet autre met ses ouvrages sous la presse. » C'est là ce qui vous fait valoir dans les compagnies, et si l'on ignore ces choses, je ne donnerais pas un clou de tout l'esprit qu'on peut avoir.

CATHOS

En effet, je trouve que c'est renchérir sur le ridicule, qu'une personne se pique d'esprit et ne sache pas jusqu'au moindre petit quatrain qui se fait chaque jour; et, pour moi, j'aurais toutes les hontes du monde s'il fallait qu'on vînt à me demander si j'aurais vu quelque chose de nouveau que je n'aurais pas vu.

MASCARILLE

Il est vrai qu'il est honteux de n'avoir pas des premiers tout ce qui se fait; mais ne vous mettez pas en peine : je veux établir chez vous une académie de beaux esprits, et je vous promets qu'il ne se fera pas un bout de vers dans Paris que vous ne sachiez par cœur avant tous les autres. Pour moi, tel que vous me voyez, je m'en escrime un peu quand je veux; et vous verrez courir de ma façon, dans les belles ruelles de Paris, deux cents chansons, autant de sonnets, quatre cents épigrammes et plus de mille madrigaux, sans compter les énigmes[10] et les portraits.

MAGDELON

Je vous avoue que je suis furieusement pour les portraits; je ne vois rien de si galant que cela.

MASCARILLE

Les portraits sont difficiles et demandent un esprit
profond : vous en verrez de ma manière qui ne vous
déplairont pas.

CATHOS

Pour moi, j'aime terriblement les énigmes.

MASCARILLE

Cela exerce l'esprit, et j'en ai fait quatre encore ce
matin, que je vous donnerai à deviner.

MAGDELON

Les madrigaux sont agréables, quand ils sont bien
tournés.

MASCARILLE

C'est mon talent particulier; et je travaille à mettre
en madrigaux toute l'histoire romaine.

MAGDELON

Ah! certes, cela sera du dernier beau; j'en retiens un
exemplaire au moins, si vous le faites imprimer.

MASCARILLE

Je vous en promets à chacune un, et des mieux reliés.
Cela est au-dessous de ma condition; mais je le fais seulement pour donner à gagner aux libraires qui me per-
sécutent.

MAGDELON

Je m'imagine que le plaisir est grand de se voir imprimé.

MASCARILLE

Sans doute. Mais à propos, il faut que je vous die un
impromptu que je fis hier chez une duchesse de mes
amies que je fus visiter; car je suis diablement fort sur
les impromptus.

CATHOS

L'impromptu est justement la pierre de touche de l'esprit.

MASCARILLE

Ecoutez donc.

MAGDELON

Nous y sommes de toutes nos oreilles.

MASCARILLE

Oh! oh! je n'y prenais pas garde :
Tandis que sans songer à mal je vous regarde,
Votre œil en tapinois me dérobe mon cœur.
Au voleur! au voleur! au voleur! au voleur!

CATHOS

Ah! mon Dieu! voilà qui est poussé dans le dernier galant.

MASCARILLE

Tout ce que je fais a l'air cavalier; cela ne sent point le pédant.

MAGDELON

Il en est éloigné de plus de deux mille lieues.

MASCARILLE

Avez-vous remarqué ce commencement? *Oh! oh!* Voilà qui est extraordinaire : *oh! oh!* Comme un homme qui s'avise tout d'un coup : *oh! oh!* La surprise : *oh! oh!*

MAGDELON

Oui, je trouve ce *oh! oh!* admirable.

MASCARILLE

Il semble que cela ne soit rien.

CATHOS

Ah! mon Dieu! que dites-vous là? Ce sont de ces sortes de choses qui ne se peuvent payer.

MAGDELON

Sans doute; et j'aimerais mieux avoir fait ce *oh! oh!* qu'un poème épique.

MASCARILLE

Tudieu! vous avez le goût bon.

MAGDELON

Eh! je ne l'ai pas tout à fait mauvais.

MASCARILLE

Mais n'admirez-vous pas aussi *je n'y prenais pas garde? Je n'y prenais pas garde,* je ne m'apercevais pas de cela; façon de parler naturelle : *je n'y prenais pas garde. Tandis que sans songer à mal,* tandis qu'innocemment, sans malice, comme un pauvre mouton, *je vous regarde,* c'est-à-dire, je m'amuse à vous considérer, je vous observe, je vous contemple; *votre œil en tapinois...* Que vous semble de ce mot *tapinois?* n'est-il pas bien choisi?

CATHOS

Tout à fait bien.

MASCARILLE

Tapinois, en cachette; il semble que ce soit un chat qui vienne de prendre une souris, *tapinois.*

MAGDELON

Il ne se peut rien de mieux.

MASCARILLE

Me dérobe mon cœur, me l'emporte, me le ravit. *Au voleur! au voleur! au voleur! au voleur!* Ne diriez-vous pas que c'est un homme qui crie et court après un voleur pour le faire arrêter? *Au voleur! au voleur! au voleur! au voleur!*

MAGDELON

Il faut avouer que cela a un tour spirituel et galant.

MASCARILLE

Je veux vous dire l'air que j'ai fait dessus.

CATHOS

Vous avez appris la musique?

MASCARILLE

Moi? Point du tout.

CATHOS

Et comment donc cela se peut-il?

MASCARILLE

Les gens de qualité savent tout sans avoir jamais rien appris.

MAGDELON

Assurément, ma chère.

MASCARILLE

Ecoutez, si vous trouverez l'air à votre goût. *Hem, hem. La, la, la, la, la.* La brutalité de la saison a furieusement outragé la délicatesse de ma voix; mais il n'importe, c'est à la cavalière. *(Il chante :)*

Oh! oh! je n'y prenais pas...

CATHOS

Ah! que voilà un air qui est passionné! Est-ce qu'on n'en meurt point?

MAGDELON

Il y a de la chromatique là dedans.

MASCARILLE

Ne trouvez-vous pas la pensée bien exprimée dans le chant? *Au voleur!...* Et puis, comme si l'on criait bien, fort : *au, au, au, au, au, au, voleur!* Et tout d'un coup, comme une personne essoufflée : *au voleur!*

MAGDELON

C'est là savoir le fin des choses, le grand fin, le fin du fin. Tout est merveilleux, je vous assure; je suis enthousiasmée de l'air et des paroles.

CATHOS

Je n'ai encore rien vu de cette force-là.

MASCARILLE

Tout ce que je fais me vient naturellement : c'est sans étude.

MAGDELON

La nature vous a traité en vraie mère passionnée, et vous en êtes l'enfant gâté.

MASCARILLE

A quoi donc passez-vous le temps, mesdames?

CATHOS

A rien du tout.

MAGDELON

Nous avons été jusqu'ici dans un jeûne effroyable de divertissements.

MASCARILLE

Je m'offre à vous mener l'un de ces jours à la comédie si vous voulez; aussi bien on en doit jouer une nouvelle que je serai bien aise que nous voyions ensemble.

MAGDELON

Cela n'est pas de refus.

MASCARILLE

Mais je vous demande d'applaudir comme il faut, quand nous serons là; car je me suis engagé de faire valoir la pièce, et l'auteur m'en est venu prier encore ce matin. C'est la coutume ici qu'à nous autres gens de condition les auteurs viennent lire leurs pièces nouvelles pour nous engager à les trouver belles et leur donner de la réputation; et je vous laisse à penser si, quand nous disons quelque chose, le parterre ose nous contredire. Pour moi, j'y suis fort exact; et quand j'ai promis à quelque poëte, je crie toujours : « Voilà qui est beau! » devant que les chandelles soient allumées.

MAGDELON

Ne m'en parlez point : c'est un admirable lieu que Paris; il s'y passe cent choses tous les jours qu'on ignore dans les provinces, quelque spirituelle qu'on puisse être.

CATHOS

C'est assez; puisque nous sommes instruites, nous ferons notre devoir de nous écrier comme il faut sur tout ce qu'on dira.

MASCARILLE

Je ne sais si je me trompe, mais vous avez toute la mine d'avoir fait quelque comédie.

MAGDELON

Eh! il pourrait être quelque chose de ce que vous dites.

MASCARILLE

Ah! ma foi, il faudra que nous la voyions. Entre nous, j'en ai composé une que je veux faire représenter.

CATHOS

Hé! à quels comédiens la donnerez-vous?

MASCARILLE

Belle demande! Aux comédiens de l'Hôtel de Bourgogne[11]. Il n'y a qu'eux qui soient capables de faire valoir les choses; les autres sont des ignorants qui récitent comme l'on parle; ils ne savent pas faire ronfler les vers, et s'arrêter au bel endroit; et le moyen de connaître où est le beau vers, si le comédien ne s'y arrête et ne vous avertit par là qu'il faut faire le brouhaha?

CATHOS

En effet, il y a manière de faire sentir aux auditeurs les beautés d'un ouvrage; et les choses ne valent que ce qu'on les fait valoir.

MASCARILLE

Que vous semble de ma petite oie? La trouvez-vous congruante à l'habit?

CATHOS

Tout à fait.

MASCARILLE

Le ruban en est bien choisi?

MAGDELON

Furieusement bien. C'est Perdrigeon[12] tout pur.

MASCARILLE

Que dites-vous de mes canons?

MAGDELON

Ils ont tout à fait bon air.

MASCARILLE

Je puis me vanter au moins qu'ils ont un grand quartier[13] plus que tous ceux qu'on fait.

MAGDELON

Il faut avouer que je n'ai jamais vu porter si haut l'élégance de l'ajustement.

MASCARILLE

Attachez un peu sur ces gants la réflexion de votre odorat.

MAGDELON

Ils sentent terriblement bon.

CATHOS

Je n'ai jamais respiré une odeur mieux conditionnée.

MASCARILLE

Et celle-là? *(Il donne à sentir les cheveux poudrés de sa perruque.)*

MAGDELON

Elle est tout à fait de qualité; le sublime[14] en est touché délicieusement.

MASCARILLE

Vous ne me dites rien de mes plumes : comment les trouvez-vous?

CATHOS

Effroyablement belles.

MASCARILLE

Savez-vous que le brin me coûte un louis d'or? Pour moi, j'ai cette manie de vouloir donner généralement sur tout ce qu'il y a de plus beau.

MAGDELON

Je vous assure que nous sympathisons vous et moi : j'ai une délicatesse furieuse pour tout ce que je porte; et, jusqu'à mes chaussettes, je ne puis rien souffrir qui ne soit de la bonne faiseuse.

MASCARILLE, *s'écriant brusquement.*

Ahi! ahi! ahi! doucement. Dieu me damne, Mesdames, c'est fort mal en user; j'ai à me plaindre de votre procédé; cela n'est pas honnête.

CATHOS

Qu'est-ce donc? qu'avez-vous?

MASCARILLE

Quoi! toutes deux contre mon cœur en même temps! m'attaquer à droit et à gauche! Ah! c'est contre le droit des gens : la partie n'est pas égale, et je m'en vais crier au meurtre.

CATHOS

Il faut avouer qu'il dit les choses d'une manière particulière.

MAGDELON

Il a un tour admirable dans l'esprit.

CATHOS

Vous avez plus de peur que de mal, et votre cœur crie avant qu'on l'écorche.

MASCARILLE

Comment, diable! il est écorché depuis la tête jusqu'aux pieds.

SCÈNE X

MAROTTE, MASCARILLE,
CATHOS, MAGDELON

MAROTTE

Madame, on demande à vous voir.

MAGDELON

Qui?

MAROTTE

Le vicomte de Jodelet.

MASCARILLE

Le vicomte de Jodelet?

MAROTTE

Oui, Monsieur.

CATHOS

Le connaissez-vous?

MASCARILLE

C'est mon meilleur ami.

MAGDELON

Faites entrer vitement.

MASCARILLE

Il y a quelque temps que nous ne nous sommes vus, et je suis ravi de cette aventure.

CATHOS

Le voici.

SCÈNE XI

JODELET, MASCARILLE, CATHOS,
MAGDELON, MAROTTE, ALMANZOR

MASCARILLE

Ah! Vicomte!

JODELET, *s'embrassant l'un l'autre.*

Ah! Marquis!

MASCARILLE

Que je suis aise de te rencontrer!

JODELET

Que j'ai de joie de te voir ici!

MASCARILLE

Baise-moi donc encore un peu, je te prie.

MAGDELON, *à Cathos.*

Ma toute bonne, nous commençons d'être connues; voilà le beau monde qui prend le chemin de nous venir voir.

MASCARILLE

Mesdames, agréez que je vous présente ce gentilhomme-ci; sur ma parole, il est digne d'être connu de vous.

JODELET

Il est juste de venir vous rendre ce qu'on vous doit, et vos attraits exigent leurs droits seigneuriaux sur toutes sortes de personnes.

MAGDELON

C'est pousser vos civilités jusqu'aux derniers confins de flatterie.

CATHOS

Cette journée doit être marquée dans notre almanach comme une journée bienheureuse.

MAGDELON, *à Almanzor.*

Allons, petit garçon, faut-il toujours vous répéter les choses? Voyez-vous pas qu'il faut le surcroît d'un fauteuil?

MASCARILLE

Ne vous étonnez pas de voir le Vicomte de la sorte : il ne fait que sortir d'une maladie qui lui a rendu le visage pâle comme vous le voyez[15].

JODELET

Ce sont fruits des veilles de la Cour et des fatigues de la guerre.

MASCARILLE

Savez-vous, Mesdames, que vous voyez dans le Vicomte un des vaillants hommes du siècle? C'est un brave à trois poils.

JODELET

Vous ne m'en devez rien, Marquis, et nous savons ce que vous savez faire aussi.

MASCARILLE

Il est vrai que nous nous sommes vus tous deux dans l'occasion.

JODELET

Et dans des lieux où il faisait fort chaud.

MASCARILLE, *les regardant toutes deux.*

Oui, mais non pas si chaud qu'ici. Hi! hi! hi!

JODELET

Notre connaissance s'est faite à l'armée, et, la première fois que nous nous vîmes, il commandait un régiment de cavalerie sur les galères de Malte.

MASCARILLE

Il est vrai; mais vous étiez pourtant dans l'emploi avant que j'y fusse, et je me souviens que je n'étais que petit officier encore que vous commandiez deux mille chevaux.

JODELET

La guerre est une belle chose; mais, ma foi, la Cour récompense bien mal aujourd'hui les gens de service comme nous.

MASCARILLE

C'est ce qui fait que je veux pendre l'épée au croc.

CATHOS

Pour moi, j'ai un furieux tendre pour les hommes d'épée.

MAGDELON

Je les aime aussi; mais je veux que l'esprit assaisonne la bravoure.

MASCARILLE

Te souvient-il, Vicomte, de cette demi-lune que nous emportâmes sur les ennemis au siège d'Arras[16]?

JODELET

Que veux-tu dire avec ta demi-lune? C'était bien une lune toute entière.

MASCARILLE

Je pense que tu as raison.

JODELET

Il m'en doit bien souvenir, ma foi : j'y fus blessé à la jambe d'un coup de grenade, dont je porte encore les marques. Tâtez un peu, de grâce, vous sentirez quel coup : c'était là.

CATHOS, *après avoir touché l'endroit.*

Il est vrai que la cicatrice est grande.

MASCARILLE

Donnez-moi un peu votre main, et tâtez celui-ci, là, justement au derrière de la tête; y êtes-vous?

MAGDELON

Oui, je sens quelque chose.

MASCARILLE

C'est un coup de mousquet que je reçus la dernière campagne que j'ai faite.

JODELET, *découvrant sa poitrine.*

Voici un coup qui me perça de part en part à l'attaque de Gravelines[17].

MASCARILLE,
mettant la main sur le bouton de son haut-de-chausses.

Je vais vous montrer une furieuse plaie.

MAGDELON

Il n'est pas nécessaire; nous le croyons sans y regarder.

MASCARILLE

Ce sont des marques honorables, qui font voir ce qu'on est.

CATHOS

Nous ne doutons point de ce que vous êtes.

MASCARILLE

Vicomte, as-tu là ton carrosse?

JODELET

Pourquoi?

MASCARILLE

Nous mènerions promener ces Dames hors des portes, et leur donnerions un cadeau.

MAGDELON

Nous ne saurions sortir aujourd'hui.

MASCARILLE

Ayons donc les violons pour danser.

JODELET

Ma foi, c'est bien avisé.

MAGDELON

Pour cela, nous y consentons; mais il faut donc quelque surcroît de compagnie.

MASCARILLE

Holà! Champagne, Picard, Bourguignon, Casquaret, Basque, la Verdure, Lorrain, Provençal, la Violette! Au diable soient tous les laquais! Je ne pense pas qu'il y ait gentilhomme en France plus mal servi que moi. Ces canailles me laissent toujours seul.

MAGDELON

Almanzor, dites aux gens de Monsieur le marquis qu'ils aillent querir des violons, et nous faites venir ces Messieurs et ces Dames d'ici près, pour peupler la solitude de notre bal.

Almanzor sort.

MASCARILLE

Vicomte, que dis-tu de ces yeux?

JODELET

Mais toi-même, Marquis, que t'en semble?

MASCARILLE

Moi, je dis que nos libertés auront peine à sortir d'ici les braies nettes. Au moins, pour moi, je reçois d'étranges secousses, et mon cœur ne tient plus qu'à un filet.

MAGDELON

Que tout ce qu'il dit est naturel! Il tourne les choses le plus agréablement du monde.

CATHOS

Il est vrai qu'il fait une furieuse dépense en esprit.

MASCARILLE

Pour vous montrer que je suis véritable, je veux faire un impromptu là-dessus. *(Il médite.)*

CATHOS

Eh! je vous en conjure de toute la dévotion de mon cœur : que nous oyions quelque chose qu'on ait fait pour nous.

JODELET

J'aurais envie d'en faire autant; mais je me trouve un peu incommodé de la veine poétique, pour la quantité de saignées que j'y ai fait faire ces jours passés.

MASCARILLE

Que diable est-ce là? Je fais toujours bien le premier vers; mais j'ai peine à faire les autres. Ma foi, ceci est un peu trop pressé; je vous ferai un impromptu à loisir, que vous trouverez le plus beau du monde.

JODELET

Il a de l'esprit comme un démon.

MAGDELON

Et du galant, et du bien tourné.

MASCARILLE

Vicomte, dis-moi un peu, y a-t-il longtemps que tu n'as vu la Comtesse?

JODELET

Il y a plus de trois semaines que je ne lui ai rendu visite.

MASCARILLE

Sais-tu bien que le Duc m'est venu voir ce matin, et m'a voulu mener à la campagne courir un cerf avec lui?

MAGDELON

Voici nos amies qui viennent.

SCÈNE XII

JODELET, MASCARILLE, CATHOS,
MAGDELON, MAROTTE, LUCILE, CÉLIMÈNE,
ALMANZOR, VIOLONS

MAGDELON

Mon Dieu! mes chères, nous vous demandons pardon. Ces Messieurs ont eu fantaisie de nous donner les âmes des pieds[18] ; et nous vous avons envoyé querir pour remplir les vides de notre assemblée.

LUCILE

Vous nous avez obligées, sans doute.

MASCARILLE

Ce n'est ici qu'un bal à la hâte; mais, l'un de ces jours nous vous en donnerons un dans les formes. Les violons sont-ils venus?

ALMANZOR

Oui, Monsieur, ils sont ici.

CATHOS

Allons donc, mes chères, prenez place.

MASCARILLE
dansant lui seul comme par prélude.

La, la, la, la, la, la, la, la.

MAGDELON

Il a la taille tout à fait élégante.

CATHOS

Et a la mine de danser proprement.

MASCARILLE, *ayant pris Magdelon pour danser.*

Ma franchise va danser la courante[19] aussi bien que mes pieds. En cadence, violons, en cadence. Oh! quels ignorants! Il n'y a pas moyen de danser avec eux. Le diable vous emporte! ne sauriez-vous jouer en mesure? La, la, la, la, la, la, la, la. Ferme, ô violons de village.

JODELET, *dansant ensuite.*

Holà! ne pressez pas si fort la cadence; je ne fais que sortir de maladie.

SCÈNE XIII

DU CROISY, LA GRANGE, MASCARILLE,
CATHOS, MAGDELON, LUCILE, CÉLIMÈNE,
JODELET, MAROTTE, VIOLONS

LA GRANGE, *un bâton à la main.*

Ah! ah! coquins, que faites-vous ici? Il y a trois heures que nous vous cherchons.

MASCARILLE, *se sentant battre.*

Ahi! ahi! ahi! vous ne m'aviez pas dit que les coups en seraient aussi.

JODELET

Ahi! ahi! ahi!

LA GRANGE

C'est bien à vous, infâme que vous êtes, à vouloir faire l'homme d'importance.

DU CROISY

Voilà qui vous apprendra à vous connaître.

Ils sortent.

SCÈNE XIV

MASCARILLE, JODELET, CATHOS, MAGDELON,
LUCILE, CÉLIMÈNE, MAROTTE,
VIOLONS

MAGDELON

Que veut donc dire ceci?

JODELET

C'est une gageure.

CATHOS

Quoi! vous laisser battre de la sorte!

MASCARILLE

Mon Dieu! je n'ai pas voulu faire semblant de rien; car
je suis violent, et je me serais emporté.

MAGDELON

Endurer un affront comme celui-là en notre présence!

MASCARILLE

Ce n'est rien : ne laissons pas d'achever. Nous nous
connaissons il y a longtemps; et, entre amis, on ne va pas
se piquer pour si peu de chose.

SCÈNE XV

DU CROISY, LA GRANGE, MASCARILLE,
JODELET, MAGDELON, CATHOS, LUCILE,
CÉLIMÈNE, MAROTTE, VIOLONS

LA GRANGE

Ma foi, marauds, vous ne vous rirez pas de nous, je
vous promets. Entrez, vous autres.

Trois ou quatre spadassins entrent.

MAGDELON

Quelle est donc cette audace, de venir nous troubler de la sorte dans notre maison?

DU CROISY

Comment! Mesdames, nous endurerons que nos laquais soient mieux reçus que nous? qu'ils viennent vous faire l'amour à nos dépens, et vous donnent le bal?

MAGDELON

Vos laquais?

LA GRANGE

Oui, nos laquais; et cela n'est ni beau ni honnête de nous les débaucher comme vous faites.

MAGDELON

O Ciel! quelle insolence!

LA GRANGE

Mais ils n'auront pas l'avantage de se servir de nos habits pour vous donner dans la vue; et, si vous les voulez aimer, ce sera, ma foi, pour leurs beaux yeux. Vite, qu'on les dépouille sur-le-champ.

JODELET

Adieu notre braverie!

MASCARILLE

Voilà le marquisat et la vicomté à bas.

DU CROISY

Ha! ha! coquins, vous avez l'audace d'aller sur nos brisées! Vous irez chercher autre part de quoi vous rendre agréables aux yeux de vos belles, je vous en assure.

LA GRANGE

C'est trop que de nous supplanter, et de nous supplanter avec nos propres habits.

MASCARILLE

O Fortune! quelle est ton inconstance!

DU CROISY

Vite, qu'on leur ôte jusqu'à la moindre chose.

LA GRANGE

Qu'on emporte toutes ces hardes, dépêchez. Maintenant, Mesdames, en l'état qu'ils sont, vous pouvez continuer vos amours avec eux tant qu'il vous plaira; nous vous laisserons toute sorte de liberté pour cela, et nous vous protestons, Monsieur et moi, que nous ne serons aucunement jaloux.

Du Croisy, La Grange, Lucile, Célimène et Marotte sortent.

CATHOS

Ah! quelle confusion!

MAGDELON

Je crève de dépit.

VIOLONS, *au Marquis.*

Qu'est-ce donc que ceci? Qui nous payera, nous autres?

MASCARILLE

Demandez à Monsieur le Vicomte.

VIOLONS, *au Vicomte.*

Qui est-ce qui nous donnera de l'argent?

JODELET

Demandez à Monsieur le Marquis.

SCÈNE XVI

GORGIBUS, MASCARILLE, MAGDELON,
CATHOS, JODELET, VIOLONS

GORGIBUS

Ah! coquines que vous êtes! vous nous mettez dans de beaux draps blancs, à ce que je vois; et je viens d'apprendre de belles affaires, vraiment, de ces Messieurs et de ces Dames qui sortent.

MAGDELON

Ah! mon père, c'est une pièce sanglante qu'ils nous ont faite.

GORGIBUS

Oui, c'est une pièce sanglante, mais qui est un effet de votre impertinence, infâmes! Ils se sont ressentis du traitement que vous leur avez fait; et cependant, malheureux que je suis! il faut que je boive l'affront.

MAGDELON

Ah! je jure que nous en serons vengées, ou que je mourrai en la peine. Et vous, marauds, osez-vous vous tenir ici après votre insolence?

MASCARILLE

Traiter comme cela un marquis! Voilà ce que c'est que du monde! la moindre disgrâce nous fait mépriser de ceux qui nous chérissaient. Allons, camarade, allons chercher fortune autre part; je vois bien qu'on n'aime ici que la vaine apparence, et qu'on n'y considère point la vertu toute nue.

Ils sortent tous deux.

SCÈNE XVII

GORGIBUS, MAGDELON, CATHOS, VIOLONS

VIOLONS

Monsieur, nous entendons que vous nous contentiez, à leur défaut, pour ce que nous avons joué ici.

GORGIBUS, *les battant.*

Oui, oui, je vous vais contenter, et voici la monnaie dont je vous veux payer. Et vous, pendardes, je ne sais qui me tient que je ne vous en fasse autant. Nous allons servir de fable et de risée à tout le monde, et voilà ce que vous vous êtes attiré par vos extravagances. Allez vous cacher, vilaines, allez vous cachez pour jamais. *(Seul.)* Et vous, qui êtes cause de leur folie, sottes billevesées, pernicieux amusements des esprits oisifs, romans, vers, chansons, sonnets et sonnettes[20], puissiez-vous être à tous les diables!

SGANARELLE

ou

LE COCU IMAGINAIRE

Comédie

représentée pour la première fois, sur le théâtre du Petit-Bourbon, le 25ᵉ jour de mai 1660, par la troupe de Monsieur, frère unique du Roi.

ACTEURS

GORGIBUS, bourgeois de Paris.   *L'Espy.*
CÉLIE, sa fille.   *Mlle du Parc.*
LÉLIE, amant de Célie.   *La Grange.*
GROS-RENÉ, valet de Lélie.   *Du Parc.*
SGANARELLE, bourgeois de Paris,   *Molière.*
  et cocu imaginaire.
SA FEMME.   *Mlle de Brie.*
VILLEBREQUIN, père de Valère.   *De Brie.*
LA SUIVANTE de Célie.   *Madeleine Béjart.*
UN PARENT de Sganarelle.

La scène est à Paris, dans une place publique.

GORGIBUS, CÉLIE,
SA SUIVANTE

CÉLIE, *sortant tout éplorée, et son père la suivant.*

Ah! n'espérez jamais que mon cœur y consente.

GORGIBUS

Que marmottez-vous là, petite impertinente?
Vous prétendez choquer ce que j'ai résolu?
Je n'aurai pas sur vous un pouvoir absolu?
Et par sottes raisons votre jeune cervelle
Voudrait régler ici la raison paternelle?
Qui de nous deux à l'autre a droit de faire loi?
À votre avis, qui mieux, ou de vous ou de moi?
O sotte, peut juger ce qui vous est utile?
Par la corbleu! gardez d'échauffer trop ma bile;
Vous pourriez éprouver, sans beaucoup de longueur,
Si mon bras sait encor montrer quelque vigueur.
Votre plus court sera, Madame la mutine,
D'accepter sans façons l'époux qu'on vous destine.
J'ignore, dites-vous, de quelle humeur il est,
Et dois auparavant consulter s'il vous plaît.
Informé du grand bien qui lui tombe en partage,
Dois-je prendre le soin d'en savoir davantage?
Et cet époux, ayant vingt mille bons ducats,
Pour être aimé de vous, doit-il manquer d'appas?
Allez, tel qu'il puisse être, avecque cette somme
Je vous suis caution qu'il est très honnête homme.

CÉLIE

Hélas!

GORGIBUS

Hé bien, « hélas! » Que veut dire ceci?
Voyez le bel hélas! qu'elle nous donne ici!
Hé! que si la colère une fois me transporte,
Je vous ferai chanter hélas! de belle sorte!
Voilà, voilà le fruit de ces empressements
Qu'on vous voit nuit et jour à lire vos romans;

De quolibets d'amour votre tête est remplie,
Et vous parlez de Dieu bien moins que de *Clélie*[1].
Jetez-moi dans le feu tous ces méchants écrits,
Qui gâtent tous les jours tant de jeunes esprits;
Lisez-moi, comme il faut, au lieu de ces sornettes,
Les *Quatrains* de Pibrac, et les doctes *Tablettes*
Du conseiller Matthieu, ouvrage de valeur,
Et plein de beaux dictons à réciter par cœur[2].
La Guide des pécheurs[3] est encore un bon livre;
C'est là qu'en peu de temps on apprend à bien vivre;
Et si vous n'aviez lu que ces moralités,
Vous sauriez un peu mieux suivre mes volontés.

CÉLIE

Quoi! vous prétendez donc, mon père, que j'oublie
La constante amitié que je dois à Lélie?
J'aurais tort si, sans vous, je disposais de moi;
Mais vous-même à ses vœux engageâtes ma foi.

GORGIBUS

Lui fût-elle engagée encore davantage,
Un autre est survenu dont le bien l'en dégage.
Lélie est fort bien fait; mais apprends qu'il n'est rien
Qui ne doive céder au soin d'avoir du bien;
Que l'or donne aux plus laids certain charme pour plaire,
Et que sans lui le reste est une triste affaire.
Valère, je crois bien, n'est pas de toi chéri;
Mais, s'il ne l'est amant, il le sera mari.
Plus que l'on ne le croit ce nom d'époux engage,
Et l'amour est souvent un fruit du mariage.
Mais suis-je pas bien fat de vouloir raisonner
Où de droit absolu j'ai pouvoir d'ordonner?
Trêve donc, je vous prie, à vos impertinences!
Que je n'entende plus vos sottes doléances.
Ce gendre doit venir vous visiter ce soir :
Manquez un peu, manquez à le bien recevoir;
Si je ne vous lui vois faire fort bon visage,
Je vous... Je ne veux pas en dire davantage.

SCÈNE II

CÉLIE, SA SUIVANTE

LA SUIVANTE

Quoi! refuser, Madame, avec cette rigueur,
Ce que tant d'autres gens voudraient de tout leur cœur!
A des offres d'hymen répondre par des larmes,
Et tarder tant à dire un oui si plein de charmes!
Hélas! que ne veut-on aussi me marier?
Ce ne serait pas moi qui se ferait prier;
Et, loin qu'un pareil oui me donnât de la peine,
Croyez que j'en dirais bien vite une douzaine.
Le précepteur qui fait répéter la leçon
A votre jeune frère a fort bonne raison
Lorsque, nous discourant des choses de la terre,
Il dit que la femelle est ainsi que le lierre,
Qui croît beau tant qu'à l'arbre il se tient bien serré,
Et ne profite point s'il en est séparé.
Il n'est rien de plus vrai, ma très chère maîtresse,
Et je l'éprouve en moi, chétive pécheresse.
Le bon Dieu fasse paix à mon pauvre Martin!
Mais j'avais, lui vivant, le teint d'un chérubin,
L'embonpoint merveilleux, l'œil gai, l'âme contente,
Et maintenant je suis ma commère dolente.
Pendant cet heureux temps, passé comme un éclair,
Je me couchais sans feu dans le fort de l'hiver;
Sécher même les draps me semblait ridicule,
Et je tremble à présent dedans la canicule.
Enfin il n'est rien tel, Madame, croyez-moi,
Que d'avoir un mari la nuit auprès de soi,
Ne fût-ce que pour l'heur d'avoir qui vous salue
D'un « Dieu vous soit en aide! » alors qu'on éternue.

CÉLIE

Peux-tu me conseiller de commettre un forfait,
D'abandonner Lélie, et prendre ce mal fait?

LA SUIVANTE

Votre Lélie aussi n'est, ma foi, qu'une bête,
Puisque si hors de temps son voyage l'arrête;
Et la grande longueur de son éloignement
Me le fait soupçonner de quelque changement.

CÉLIE, *lui montrant le portrait de Lélie.*

Ah! ne m'accable point par ce triste présage.
Vois attentivement les traits de ce visage :
Ils jurent à mon cœur d'éternelles ardeurs;
Je veux croire, après tout, qu'ils ne sont pas menteurs,
Et, comme c'est celui que l'art y représente,
Il conserve à mes feux une amitié constante.

LA SUIVANTE

Il est vrai que ces traits marquent un digne amant,
Et que vous avez lieu de l'aimer tendrement.

CÉLIE

Et cependant il faut... Ah! soutiens-moi.

Laissant tomber le portrait de Lélie.

LA SUIVANTE

Madame,
D'où vous pourrait venir?... Ah! bons Dieux! elle pâme.
Hé! vite! Holà! quelqu'un!

SCÈNE III

CÉLIE, LA SUIVANTE, SGANARELLE

SGANARELLE

Qu'est-ce donc? Me voilà.

LA SUIVANTE

Ma maîtresse se meurt.

SGANARELLE

Quoi! n'est-ce que cela?
Je croyais tout perdu, de crier de la sorte;

Mais approchons pourtant. Madame, êtes-vous morte ?
Hay ! elle ne dit mot.

LA SUIVANTE

Daignez me l'apporter.
Il lui faut du vinaigre et j'en cours apprêter.

SCÈNE IV

CÉLIE, SGANARELLE, SA FEMME

SGANARELLE, *en lui passant la main sur le sein.*

Elle est froide partout, et je ne sais qu'en dire.
Approchons-nous pour voir si sa bouche respire.
Ma foi, je ne sais pas, mais j'y trouve encor, moi,
Quelque signe de vie.

LA FEMME DE SGANARELLE,
regardant par la fenêtre.

Ah ! qu'est-ce que je voi ?
Mon mari dans ses bras !... Mais je m'en vais descendre :
Il me trahit sans doute, et je veux le surprendre.

SGANARELLE

Il faut se dépêcher de l'aller secourir.
Certes, elle aurait tort de se laisser mourir ;
Aller en l'autre monde est très grande sottise,
Tant que dans celui-ci l'on peut être de mise.

Il l'emporte.

SCÈNE V

LA FEMME DE SGANARELLE, *seule.*

Il s'est subitement éloigné de ces lieux,
Et sa fuite a trompé mon désir curieux ;
Mais de sa trahison je ne suis plus en doute,
Et le peu que j'ai vu me la découvre toute.
Je ne m'étonne plus de l'étrange froideur

Dont je le vois répondre à ma pudique ardeur;
Il réserve, l'ingrat, ses caresses à d'autres
Et nourrit leurs plaisirs par le jeûne des nôtres.
Voilà de nos maris le procédé commun :
Ce qui leur est permis leur devient importun.
Dans les commencements ce sont toutes merveilles;
Ils témoignent pour nous des ardeurs non pareilles;
Mais les traîtres bientôt se lassent de nos feux,
Et portent autre part ce qu'ils doivent chez eux.
Ah! que j'ai de dépit que la loi n'autorise
A changer de mari comme on fait de chemise!
Cela serait commode; et j'en sais telle ici
Qui comme moi, ma foi, le voudrait bien aussi.

En ramassant le portrait que Célie avait laissé tomber.

Mais quel est ce bijou que le sort me présente?
L'émail en est fort beau, la gravure charmante.
Ouvrons.

SCÈNE VI

SGANARELLE ET SA FEMME

SGANARELLE, *se croyant seul.*

    On la croyait morte, et ce n'était rien.
Il n'en faut plus qu'autant, elle se porte bien.
Mais j'aperçois ma femme.

SA FEMME, *se croyant seule.*

            O Ciel! c'est mignature,
Et voilà d'un bel homme une vive peinture.

SGANARELLE, *à part, et regardant sur l'épaule de sa femme.*

Que considère-t-elle avec attention?
Ce portrait, mon honneur, ne nous dit rien de bon.
D'un fort vilain soupçon je me sens l'âme émue.

SA FEMME, *sans l'apercevoir, continue.*

Jamais rien de plus beau ne s'offrit à ma vue;
Le travail plus que l'or s'en doit encore priser.
Ho! que cela sent bon!

SGANARELLE, *à part.*

Quoi! peste! le baiser!
Ah! j'en tiens.

SA FEMME, *poursuit.*

Avouons qu'on doit être ravie
Quand d'un homme ainsi fait on se peut voir servie,
Et que, s'il en contait avec attention,
Le penchant serait grand à la tentation.
Ah! que n'ai-je un mari d'une aussi bonne mine,
Au lieu de mon pelé, de mon rustre!...

SGANARELLE, *lui arrachant le portrait.*

Ah! mâtine!
Nous vous y surprenons en faute contre nous,
Et diffamant l'honneur de votre cher époux.
Donc, à votre calcul, ô ma trop digne femme,
Monsieur, tout bien compté, ne vaut pas bien Madame?
Et, de par Belzébut, qui vous puisse emporter!
Quel plus rare parti pourriez-vous souhaiter?
Qui peut trouver en moi quelque chose à redire?
Cette taille, ce port que tout le monde admire,
Ce visage si propre à donner de l'amour,
Pour qui mille beautés soupirent nuit et jour;
Bref, en tout et partout, ma personne charmante
N'est donc pas un morceau dont vous soyez contente?
Et, pour rassasier votre appétit gourmand,
Il faut à son mari le ragoût d'un galant?

SA FEMME

J'entends à demi-mot où va la raillerie,
Tu crois par ce moyen...

SGANARELLE

A d'autres, je vous prie!
La chose est avérée, et je tiens dans mes mains
Un bon certificat du mal dont je mè plains.

SA FEMME

Mon courroux n'a déjà que trop de violence,
Sans le charger encor d'une nouvelle offense.
Ecoute, ne crois pas retenir mon bijou,
Et songe un peu...

SGANARELLE

　　　　　Je songe à te rompre le cou.
Que ne puis-je, aussi bien que je tiens la copie,
Tenir l'original!

SA FEMME

　　Pourquoi?

SGANARELLE

　　　　　Pour rien, m'amie :
Doux objet de mes vœux, j'ai grand tort de crier,
Et mon front de vos dons vous doit remercier.

Regardant le portrait de Lélie.

Le voilà, le beau fils, le mignon de couchette,
Le malheureux tison de ta flamme secrète,
Le drôle avec lequel...

SA FEMME

　　　　Avec lequel?... Poursuis.

SGANARELLE

Avec lequel, te dis-je,... et j'en crève d'ennuis...

SA FEMME

Que me veut donc conter par là ce maître ivrogne?

SGANARELLE

Tu ne m'entends que trop, Madame la carogne.
Sganarelle est un nom qu'on ne me dira plus,
Et l'on va m'appeler seigneur Corneillius[4] :
J'en suis pour mon honneur; mais à toi qui me l'ôtes,
Je t'en ferais du moins pour un bras ou deux côtes.

SA FEMME

Et tu m'oses tenir de semblables discours?

SGANARELLE

Et tu m'oses jouer de ces diables de tours?

SA FEMME

Et quels diables de tours? Parle donc sans rien feindre.

SGANARELLE

Ah! cela ne vaut pas la peine de se plaindre!
D'un panache de cerf sur le front me pourvoir,
Hélas! voilà vraiment un beau venez-y voir!

SA FEMME

Donc, après m'avoir fait la plus sensible offense
Qui puisse d'une femme exciter la vengeance,
Tu prends d'un feint courroux le vain amusement
Pour prévenir l'effet de mon ressentiment?
D'un pareil procédé l'insolence est nouvelle :
Celui qui fait l'offense est celui qui querelle.

SGANARELLE

Eh! la bonne effrontée! A voir ce fier maintien,
Ne la croirait-on pas une femme de bien?

SA FEMME

Va, va, suis ton chemin, cajole tes maîtresses,
Adresse-leur tes vœux, et fais-leur des caresses;
Mais rends-moi mon portrait sans te jouer de moi.

Elle lui arrache le portrait et s'enfuit.

SGANARELLE, *courant après elle.*

Oui, tu crois m'échapper; je l'aurai malgré toi.

SCÈNE VII

LÉLIE, GROS-RENÉ

GROS-RENÉ

Enfin, nous y voici. Mais, Monsieur, si je l'ose,
Je voudrais vous prier de me dire une chose.

LÉLIE

Hé bien! parle.

GROS-RENÉ

Avez-vous le diable dans le corps
Pour ne pas succomber à de pareils efforts?
Depuis huit jours entiers, avec vos longues traites,
Nous sommes à piquer de chiennes de mazettes,
De qui le train maudit nous a tant secoués
Que je m'en sens, pour moi, tous les membres roués
Sans préjudice encor d'un accident bien pire,
Qui m'afflige un endroit que je ne veux pas dire;
Cependant, arrivé, vous sortez bien et beau,
Sans prendre de repos, ni manger un morceau.

LÉLIE

Ce grand empressement n'est pas digne de blâme;
De l'hymen de Célie on alarme mon âme;
Tu sais que je l'adore; et je veux être instruit,
Avant tout autre soin, de ce funeste bruit.

GROS-RENÉ

Oui, mais un bon repas vous serait nécessaire,
Pour s'aller éclaircir, Monsieur, de cette affaire;
Et votre cœur, sans doute, en deviendrait plus fort
Pour pouvoir résister aux attaques du sort.
J'en juge par moi-même; et la moindre disgrâce,
Lorsque je suis à jeun, me saisit, me terrasse;
Mais quand j'ai bien mangé, mon âme est ferme à tout,
Et les plus grands revers n'en viendraient pas à bout.
Croyez-moi, bourrez-vous, et sans réserve aucune,
Contre les coups que peut vous porter la fortune;
Et, pour fermer chez vous l'entrée à la douleur,
De vingt verres de vin entourez votre cœur.

LÉLIE

Je ne saurais manger.

GROS-RENÉ, *à part ce demi-vers.*
Si ferai bien, je meure.
Votre dîner pourtant serait prêt tout à l'heure.

LÉLIE

Tais-toi, je te l'ordonne.

GROS-RENÉ
>   Ah! quel ordre inhumain!

LÉLIE

J'ai de l'inquiétude, et non pas de la faim.

GROS-RENÉ

Et moi, j'ai de la faim, et de l'inquiétude
De voir qu'un sot amour fait toute votre étude.

LÉLIE

Laisse-moi m'informer de l'objet de mes vœux,
Et, sans m'importuner, va manger si tu veux.

GROS-RENÉ

Je ne réplique point à ce qu'un maître ordonne.

SCÈNE VIII

LÉLIE, *seul.*

Non, non, à trop de peur mon âme s'abandonne :
Le père m'a promis, et la fille a fait voir
Des preuves d'un amour qui soutient mon espoir.

SCÈNE IX

SGANARELLE, LÉLIE

SGANARELLE, *sans voir Lélie, et tenant dans ses mains le portrait.*

Nous l'avons, et je puis voir à l'aise la trogne
Du malheureux pendard qui cause ma vergogne.
Il ne m'est point connu.

LÉLIE, *à part.*
>   Dieu! qu'aperçois-je ici?
Et, si c'est mon portrait, que dois-je croire aussi?

SGANARELLE, *continue sans voir Lélie.*

Ah! pauvre Sganarelle! à quelle destinée
Ta réputation est-elle condamnée!

Apercevant Lélie qui le regarde, il se retourne d'un autre côté.

Faut...

LÉLIE, *à part.*

Ce gage ne peut, sans alarmer ma foi,
Etre sorti des mains qui le tenaient de moi.

SGANARELLE, *à part.*

Faut-il que désormais à deux doigts on te montre,
Qu'on te mette en chansons, et qu'en toute rencontre
On te rejette au nez le scandaleux affront
Qu'une femme mal née imprime sur ton front?

LÉLIE, *à part.*

Me trompé-je?

SGANARELLE, *à part.*

Ah! truande! as-tu bien le courage
De m'avoir fait cocu dans la fleur de mon âge?
Et, femme d'un mari qui peut passer pour beau,
Faut-il qu'un marmouset, un maudit étourneau?...

LÉLIE, *à part et regardant encore son portrait.*

Je ne m'abuse point; c'est mon portrait lui-même.

SGANARELLE, *lui tourne le dos.*

Cet homme est curieux.

LÉLIE, *à part.*

Ma surprise est extrême.

SGANARELLE

A qui donc en a-t-il?

LÉLIE, *à part.*

Je le veux accoster.

Haut.

Puis-je?...

Sganarelle veut s'éloigner.

  Hé! de grâce un mot.

   SGANARELLE, *le fuit encore.*

     Que me veut-il conter?

    LÉLIE

Puis-je obtenir de vous de savoir l'aventure
Qui fait dedans vos mains trouver cette peinture?

  SGANARELLE, *à part, et examinant le portrait qu'il tient et Lélie.*

D'où lui vient ce désir? Mais je m'avise ici...
Ah! ma foi, me voilà de son trouble éclairci;
Sa surprise à présent n'étonne plus mon âme;
C'est mon homme, ou plutôt c'est celui de ma femme.

    LÉLIE

Retirez-moi de peine, et dites d'où vous vient...

    SGANARELLE

Nous savons, Dieu merci, le souci qui vous tient.
Ce portrait qui vous fâche est votre ressemblance;
Il était en des mains de votre connaissance,
Et ce n'est pas un fait qui soit secret pour nous
Que les douces ardeurs de la dame et de vous.
Je ne sais pas si j'ai, dans sa galanterie,
L'honneur d'être connu de Votre Seigneurie;
Mais faites-moi celui de cesser désormais
Un amour qu'un mari peut trouver fort mauvais,
Et songez que les nœuds du sacré mariage...

    LÉLIE

Quoi! celle, dites-vous, qui conservait ce gage...

    SGANARELLE

Est ma femme, et je suis son mari.

    LÉLIE

     Son mari?

SGANARELLE

Oui, son mari, vous dis-je, et mari très marri;
Vous en savez la cause, et je m'en vais l'apprendre
Sur l'heure à ses parents.

SCÈNE X

LÉLIE, *seul.*

                    Ah! que viens-je d'entendre!
On me l'avait bien dit, et que c'était de tous
L'homme le plus mal fait qu'elle avait pour époux.
Ah! quand mille serments de ta bouche infidèle
Ne m'auraient point promis une flamme éternelle,
Le seul mépris d'un choix si bas et si honteux
Devait bien soutenir l'intérêt de mes feux,
Ingrate, et quelque bien... Mais ce sensible outrage,
Se mêlant aux travaux d'un assez long voyage,
Me donne tout à coup un choc si violent,
Que mon cœur devient faible et mon corps chancelant.

SCÈNE XI

LÉLIE, LA FEMME DE SGANARELLE

LA FEMME DE SGANARELLE,
se tournant vers Lélie.

Malgré moi mon perfide... Hélas! quel mal vous presse?
Je vous vois prêt, Monsieur, à tomber en faiblesse.

LÉLIE

C'est un mal qui m'a pris assez subitement.

LA FEMME DE SGANARELLE

Je crains ici pour vous l'évanouissement;
Entrez dans cette salle, en attendant qu'il passe.

LÉLIE

Pour un moment ou deux j'accepte cette grâce.

SCÈNE XII

SGANARELLE
ET LE PARENT DE SA FEMME

LE PARENT

D'un mari sur ce point j'approuve le souci;
Mais c'est prendre la chèvre un peu bien vite aussi,
Et tout ce que de vous je viens d'ouïr contre elle
Ne conclut point, parent, qu'elle soit criminelle.
C'est un point délicat; et de pareils forfaits,
Sans les bien avérer, ne s'imputent jamais.

SGANARELLE

C'est-à-dire qu'il faut toucher au doigt la chose?

LE PARENT

Le trop de promptitude à l'erreur nous expose.
Sait-on comme en ses mains ce portrait est venu,
Et si l'homme, après tout, lui peut être connu?
Informez-vous-en mieux; et, si c'est ce qu'on pense,
Nous serons les premiers à punir son offense.

SCÈNE XIII

SGANARELLE, *seul.*

On ne peut pas mieux dire. En effet, il est bon
D'aller tout doucement. Peut-être, sans raison,
Me suis-je en tête mis ces visions cornues,
Et les sueurs au front m'en sont trop tôt venues.
Par ce portrait enfin, dont je suis alarmé,
Mon déshonneur n'est pas tout à fait confirmé.
Tâchons donc par nos soins...

SCÈNE XIV

SGANARELLE, SA FEMME,

LÉLIE, *sur la porte de Sganarelle, et parlant à sa femme.*

SGANARELLE, *à part, les voyant.*

Ah! que vois-je? Je meure!
Il n'est plus question de portrait à cette heure;
Voici, ma foi, la chose en propre original.

LA FEMME DE SGANARELLE, *à Lélie.*

C'est par trop vous hâter, Monsieur; et votre mal,
Si vous sortez si tôt, pourra bien vous reprendre.

LÉLIE

Non, non, je vous rends grâce, autant qu'on puisse rendre,
De l'obligeant secours que vous m'avez prêté.

SGANARELLE, *à part.*

La masque encore après lui fait civilité!

La femme de Sganarelle rentre dans sa maison.

SCÈNE XV

SGANARELLE, LÉLIE

SGANARELLE, *à part.*

Il m'aperçoit. Voyons ce qu'il me pourra dire.

LÉLIE, *à part.*

Ah! mon âme s'émeut, et cet objet m'inspire...
Mais je dois condamner cet injuste transport
Et n'imputer mes maux qu'aux rigueurs de mon sort.
Envions seulement le bonheur de sa flamme.

Passant auprès de lui et le regardant.

Oh! trop heureux d'avoir une si belle femme!

SCÈNE XVI

SGANARELLE, CÉLIE, *à sa fenêtre,*
voyant Lélie qui s'en va.

SGANARELLE, *sans voir Célie.*

Ce n'est point s'expliquer en termes ambigus.
Cet étrange propos me rend aussi confus
Que s'il m'était venu des cornes à la tête.

Il se tourne du côté que Lélie s'en vient d'en aller.

Allez, ce procédé n'est point du tout honnête.

CÉLIE, *à part en entrant.*

Quoi! Lélie a paru tout à l'heure à mes yeux.
Qui pourrait me cacher son retour en ces lieux?

SGANARELLE, *poursuit sans voir Célie.*

« Oh! trop heureux d'avoir une si belle femme! »
Malheureux bien plutôt de l'avoir, cette infâme,
Dont le coupable feu, trop bien vérifié,
Sans respect ni demi nous a cocufié!

Célie approche peu à peu de lui, et attend que son transport soit fini
pour lui parler.

Mais je le laisse aller après un tel indice,
Et demeure les bras croisés comme un jocrisse?
Ah! je devais du moins lui jeter son chapeau,
Lui ruer quelque pierre, ou crotter son manteau,
Et sur lui hautement, pour contenter ma rage,
Faire au larron d'honneur crier le voisinage.

CÉLIE, *à Sganarelle.*

Celui qui maintenant devers vous est venu,
Et qui vous a parlé, d'où vous est-il connu?

SGANARELLE

Hélas! ce n'est pas moi qui le connais, Madame;
C'est ma femme.

CÉLIE

Quel trouble agite ainsi votre âme?

SGANARELLE

Ne me condamnez point d'un deuil hors de saison,
Et laissez-moi pousser des soupirs à foison.

CÉLIE

D'où vous peuvent venir ces douleurs non communes?

SGANARELLE

Si je suis affligé, ce n'est pas pour des prunes;
Et je le donnerais à bien d'autres qu'à moi
De se voir sans chagrin au point où je me voi.
Des maris malheureux vous voyez le modèle :
On dérobe l'honneur au pauvre Sganarelle;
Mais c'est peu que l'honneur dans mon affliction,
L'on me dérobe encor la réputation.

CÉLIE

Comment?

SGANARELLE

Ce damoiseau, parlant par révérence,
Me fait cocu, Madame, avec toute licence;
Et j'ai su par mes yeux avérer aujourd'hui
Le commerce secret de ma femme et de lui.

CÉLIE

Celui qui maintenant...

SGANARELLE

Oui, oui, me déshonore :
Il adore ma femme, et ma femme l'adore.

CÉLIE

Ah! j'avais bien jugé que ce secret retour
Ne pouvait me couvrir que quelque lâche tour;
Et j'ai tremblé d'abord, en le voyant paraître,
Par un pressentiment de ce qui devait être.

SGANARELLE

Vous prenez ma défense avec trop de bonté;
Tout le monde n'a pas la même charité,
Et plusieurs qui tantôt ont appris mon martyre,
Bien loin d'y prendre part, n'en ont rien fait que rire.

CÉLIE

Est-il rien de plus noir que ta lâche action,
Et peut-on lui trouver une punition?
Dois-tu ne te pas croire indigne de la vie,
Après t'être souillé de cette perfidie?
O Ciel! est-il possible?

SGANARELLE

    Il est trop vrai pour moi.

CÉLIE

Ah! traître! scélérat! âme double et sans foi!

SGANARELLE

La bonne âme!

CÉLIE

    Non, non, l'enfer n'a point de gêne
Qui ne soit pour ton crime une trop douce peine.

SGANARELLE

Que voilà bien parler!

CÉLIE

    Avoir ainsi traité
Et la même innocence et la même bonté!

SGANARELLE, *soupire haut.*

Hay!

CÉLIE

    Un cœur qui jamais n'a fait la moindre chose
A mérité l'affront où ton mépris l'expose?

SGANARELLE

Il est vrai.

CÉLIE

Qui bien loin... Mais c'est trop, et ce cœur
Ne saurait y songer sans mourir de douleur.

SGANARELLE

Ne vous fâchez pas tant, ma très chère Madame;
Mon mal vous touche trop, et vous me percez l'âme.

CÉLIE

Mais ne t'abuse pas jusqu'à te figurer
Qu'à des plaintes sans fruit j'en veuille demeurer :
Mon cœur, pour se venger, sait ce qu'il te faut faire,
Et j'y cours de ce pas; rien ne m'en peut distraire.

SCÈNE XVII

SGANARELLE, *seul.*

Que le Ciel la préserve à jamais de danger!
Voyez quelle bonté de vouloir me venger!
En effet, son courroux, qu'excite ma disgrâce,
M'enseigne hautement ce qu'il faut que je fasse;
Et l'on ne doit jamais souffrir sans dire mot
De semblables affronts, à moins qu'être un vrai sot;
Courons donc le chercher, ce pendard qui m'affronte;
Montrons notre courage à venger notre honte.
Vous apprendrez, maroufle, à rire à nos dépens,
Et sans aucun respect faire cocus les gens!

Il se retourne, ayant fait trois ou quatre pas.

Doucement, s'il vous plaît! Cet homme a bien la mine
D'avoir le sang bouillant et l'âme un peu mutine;
Il pourrait bien, mettant affront dessus affront,
Charger de bois mon dos comme il a fait mon front.
Je hais de tout mon cœur les esprits colériques,
Et porte grand amour aux hommes pacifiques;
Je ne suis point battant, de peur d'être battu,
Et l'humeur débonnaire est ma grande vertu.
Mais mon honneur me dit que d'une telle offense
Il faut absolument que je prenne vengeance.

Ma foi, laissons-le dire autant qu'il lui plaira :
Au diantre qui pourtant rien du tout en fera!
Quand j'aurai fait le brave, et qu'un fer, pour ma peine,
M'aura d'un vilain coup transpercé la bedaine,
Que par la ville ira le bruit de mon trépas,
Dites-moi, mon honneur, en serez-vous plus gras?
La bière est un séjour par trop mélancolique,
Et trop malsain pour ceux qui craignent la colique;
Et quant à moi, je trouve, ayant tout compassé,
Qu'il vaut mieux être encor cocu que trépassé.
Quel mal cela fait-il? La jambe en devient-elle
Plus tortue, après tout, et la taille moins belle?
Peste soit qui premier trouva l'invention
De s'affliger l'esprit de cette vision,
Et d'attacher l'honneur de l'homme le plus sage
Aux choses que peut faire une femme volage!
Puisqu'on tient, à bon droit, tout crime personnel,
Que fait là notre honneur pour être criminel?
Des actions d'autrui l'on nous donne le blâme,
Si nos femmes sans nous ont un commerce infâme,
Il faut que tout le mal tombe sur notre dos!
Elles font la sottise, et nous sommes les sots!
C'est un vilain abus, et les gens de police
Nous devraient bien régler une telle injustice.
N'avons-nous pas assez des autres accidents
Qui nous viennent happer en dépit de nos dents?
Les querelles, procès, faim, soif et maladie,
Troublent-ils pas assez le repos de la vie,
Sans s'aller, de surcroît, aviser sottement
De se faire un chagrin qui n'a nul fondement?
Moquons-nous de cela, méprisons les alarmes,
Et mettons sous nos pieds les soupirs et les larmes.
Si ma femme a failli, qu'elle pleure bien fort.
Mais pourquoi moi pleurer, puisque je n'ai point tort?
En tout cas, ce qui peut m'ôter ma fâcherie,
C'est que je ne suis pas seul de ma confrérie :
Voir cajoler sa femme et n'en témoigner rien
Se pratique aujourd'hui par force gens de bien.
N'allons donc point chercher à faire une querelle
Pour un affront qui n'est que pure bagatelle.
L'on m'appellera sot de ne me venger pas;
Mais je le serais fort de courir au trépas.

Mettant la main sur son estomac.

Je me sens là pourtant remuer une bile
Qui veut me conseiller quelque action virile.
Oui, le courroux me prend; c'est trop être poltron :
Je veux résolument me venger du larron.
Déjà, pour commencer, dans l'ardeur qui m'enflamme,
Je vais dire partout qu'il couche avec ma femme.

SCÈNE XVIII

GORGIBUS, CÉLIE, LA SUIVANTE

CÉLIE

Oui, je veux bien subir une si juste loi.
Mon père, disposez de mes vœux et de moi;
Faites, quand vous voudrez, signer cet hyménée;
A suivre mon devoir je suis déterminée,
Je prétends gourmander mes propres sentiments,
Et me soumettre en tout à vos commandements.

GORGIBUS

Ah! voilà qui me plaît, de parler de la sorte.
Parbleu! si grande joie à l'heure me transporte,
Que mes jambes sur l'heure en cabrioleraient,
Si nous n'étions point vus de gens qui s'en riraient.
Approche-toi de moi, viens çà que je t'embrasse.
Une telle action n'a pas mauvaise grâce;
Un père, quand il veut, peut sa fille baiser,
Sans que l'on ait sujet de s'en scandaliser.
Va, le contentement de te voir si bien née
Me fera rajeunir de dix fois une année.

SCÈNE XIX

CÉLIE, LA SUIVANTE

LA SUIVANTE

Ce changement m'étonne.

CÉLIE

Et lorsque tu sauras
Par quel motif j'agis, tu m'en estimeras.

LA SUIVANTE

Cela pourrait bien être.

CÉLIE

Apprends donc que Lélie
A pu blesser mon cœur par une perfidie;
Qu'il était en ces lieux sans...

LA SUIVANTE

Mais il vient à nous.

SCÈNE XX

CÉLIE, LÉLIE, LA SUIVANTE

LÉLIE

Avant que pour jamais je m'éloigne de vous,
Je veux vous reprocher au moins en cette place...

CÉLIE

Quoi! me parler encore? avez-vous cette audace?

LÉLIE

Il est vrai qu'elle est grande; et votre choix est tel
Qu'à vous rien reprocher je serais criminel.
Vivez, vivez contente, et bravez ma mémoire
Avec le digne époux qui vous comble de gloire.

CÉLIE

Oui, traître! j'y veux vivre; et mon plus grand désir,
Ce serait que ton cœur en eût du déplaisir.

LÉLIE

Qui rend donc contre moi ce courroux légitime?

CÉLIE

Quoi! tu fais le surpris et demandes ton crime?

SCÈNE XXI

CÉLIE, LÉLIE, SGANARELLE,
LA SUIVANTE

SGANARELLE *entre armé.*

Guerre, guerre mortelle à ce larron d'honneur
Qui sans miséricorde a souillé notre honneur !

CÉLIE, *à Lélie, lui montrant Sganarelle.*

Tourne, tourne les yeux sans me faire répondre.

LÉLIE

Ah ! je vois...

CÉLIE

Cet objet suffit pour te confondre.

LÉLIE

Mais pour vous obliger bien plutôt à rougir.

SGANARELLE, *à part.*

Ma colère à présent est en état d'agir ;
Dessus ses grands chevaux est monté mon courage,
Et, si je le rencontre, on va voir du carnage.
Oui, j'ai juré sa mort ; rien ne peut m'empêcher :
Où je le trouverai, je le veux dépêcher.
Au beau milieu du cœur il faut que je lui donne...

Tirant son épée à demi, il approche de Lélie.

LÉLIE, *se retournant.*

A qui donc en veut-on ?

SGANARELLE

Je n'en veux à personne.

LÉLIE

Pourquoi ces armes-là ?

SGANARELLE

C'est un habillement
Que j'ai pris pour la pluie.

A part.

Ah! quel contentement
J'aurais à le tuer! Prenons-en le courage.

LÉLIE, *se retournant encore.*

Hay?

SGANARELLE, *se donnant des coups de poing sur l'estomac et des
soufflets pour s'exciter.*

Je ne parle pas.

A part.

Ah! poltron dont j'enrage!
Lâche! vrai cœur de poule!

CÉLIE, *à Lélie.*

Il t'en doit dire assez,
Cet objet dont tes yeux nous paraissent blessés.

LÉLIE

Oui, je connais par là que vous êtes coupable
De l'infidélité la plus inexcusable
Qui jamais d'un amant puisse outrager la foi.

SGANARELLE, *à part.*

Que n'ai-je un peu de cœur!

CÉLIE

Ah! cesse devant moi,
Traître, de ce discours l'insolence cruelle.

SGANARELLE, *à part.*

Sganarelle, tu vois qu'elle prend ta querelle;
Courage, mon enfant, sois un peu vigoureux.
Là, hardi! tâche à faire un effort généreux,
En le tuant tandis qu'il tourne le derrière.

LÉLIE, *faisant deux ou trois pas sans dessein, fait retourner Sgana-*
relle qui s'approchait pour le tuer.

Puisqu'un pareil discours émeut votre colère,
Je dois de votre cœur me montrer satisfait
Et l'applaudir ici du beau choix qu'il a fait.

CÉLIE

Oui, oui, mon choix est tel qu'on n'y peut rien reprendre.

LÉLIE

Allez, vous faites bien de le vouloir défendre.

SGANARELLE

Sans doute, elle fait bien de défendre mes droits.
Cette action, Monsieur, n'est point selon les lois;
J'ai raison de m'en plaindre, et, si je n'étais sage,
On verrait arriver un étrange carnage.

LÉLIE

D'où vous naît cette plainte, et quel chagrin brutal?...

SGANARELLE

Suffit. Vous savez bien où le bât me fait mal;
Mais votre conscience et le soin de votre âme
Vous devraient mettre aux yeux que ma femme est ma
Et vouloir à ma barbe en faire votre bien   [femme,
Que ce n'est pas du tout agir en bon chrétien.

LÉLIE

Un semblable soupçon est bas et ridicule.
Allez, dessus ce point n'ayez aucun scrupule :
Je sais qu'elle est à vous; et, bien loin de brûler...

CÉLIE

Ah! qu'ici tu sais bien, traître, dissimuler!

LÉLIE

Quoi! me soupçonnez-vous d'avoir une pensée
Dont son âme ait sujet de se croire offensée?
De cette lâcheté voulez-vous me noircir?

CÉLIE

Parle, parle à lui-même, il pourra t'éclaircir.

SGANARELLE, *à Célie.*

Non, non, vous dites mieux que je ne saurais faire,
Et du biais qu'il faut vous prenez cette affaire.

SCÈNE XXII

CÉLIE, LÉLIE, SGANARELLE,
SA FEMME, LA SUIVANTE

LA FEMME DE SGANARELLE, *à Célie.*

Je ne suis point d'humeur à vouloir contre vous
Faire éclater, Madame, un esprit trop jaloux;
Mais je ne suis point dupe, et vois ce qui se passe:
Il est de certains feux de fort mauvaise grâce,
Et votre âme devrait prendre un meilleur emploi
Que de séduire un cœur qui doit n'être qu'à moi.

CÉLIE

La déclaration est assez ingénue.

SGANARELLE, *à sa femme.*

L'on ne demandait pas, carogne, ta venue:
Tu la viens quereller lorsqu'elle me défend,
Et tu trembles de peur qu'on t'ôte ton galant.

CÉLIE

Allez, ne croyez pas que l'on en ait envie.

Se tournant vers Lélie.

Tu vois si c'est mensonge; et j'en suis fort ravie.

LÉLIE

Que me veut-on conter?

LA SUIVANTE

Ma foi, je ne sais pas
Quand on verra finir ce galimatias;
Déjà depuis longtemps je tâche à le comprendre,
Et si plus je l'écoute, et moins je puis l'entendre;
Je vois bien à la fin que je m'en dois mêler.

Allant se mettre entre Lélie et sa maîtresse.

Répondez-moi par ordre, et me laissez parler.

A Lélie.

Vous, qu'est-ce qu'à son cœur peut reprocher le vôtre?

LÉLIE

Que l'infidèle a pu me quitter pour un autre;
Que lorsque, sur le bruit de son hymen fatal,
J'accours tout transporté d'un amour sans égal,
Dont l'ardeur résistait à se croire oubliée,
Mon abord en ces lieux la trouve mariée.

LA SUIVANTE

Mariée! à qui donc?

LÉLIE, *montrant Sganarelle.*

A lui.

LA SUIVANTE

Comment, à lui?

LÉLIE

Oui-da.

LA SUIVANTE

Qui vous l'a dit?

LÉLIE

C'est lui-même, aujourd'hui.

LA SUIVANTE, *à Sganarelle.*

Est-il vrai?

SGANARELLE

Moi, j'ai dit que c'était à ma femme
Que j'étais marié.

LÉLIE

Dans un grand trouble d'âme
Tantôt de mon portrait je vous ai vu saisi.

SGANARELLE

Il est vrai; le voilà.

LÉLIE

Vous m'avez dit aussi
Que celle aux mains de qui vous avez pris ce gage
Était liée à vous des nœuds du mariage.

SGANARELLE, *montrant sa femme.*

Sans doute; et je l'avais de ses mains arraché,
Et n'eusse pas sans lui découvert son péché.

LA FEMME DE SGANARELLE

Que me viens-tu conter par ta plainte importune?
Je l'avais sous mes pieds rencontré par fortune;
Et même quand, après ton injuste courroux,

Montrant Lélie.

J'ai fait dans sa faiblesse entrer Monsieur chez nous,
Je n'ai pas reconnu les traits de sa peinture.

CÉLIE

C'est moi qui du portrait ai causé l'aventure;
Et je l'ai laissé choir en cette pâmoison

A Sganarelle.

Qui m'a fait par vos soins remettre à la maison.

LA SUIVANTE

Vous le voyez, sans moi vous y seriez encore,
Et vous aviez besoin de mon peu d'ellébore.

SGANARELLE, *à part.*

Prendrons-nous tout ceci pour de l'argent comptant?
Mon front l'a, sur mon âme, eu bien chaude pourtant!

SA FEMME

Ma crainte toutefois n'est pas trop dissipée,
Et, doux que soit le mal, je crains d'être trompée.

SGANARELLE, *à sa femme.*

Hé! mutuellement croyons-nous gens de bien :
Je risque plus du mien que tu ne fais du tien;
Accepte sans façon le parti qu'on propose.

SA FEMME

Soit. Mais gare le bois si j'apprends quelque chose!

CÉLIE, *à Lélie, après avoir parlé bas ensemble.*

Ah! Dieu! s'il est ainsi, qu'est-ce donc que j'ai fait?
Je dois de mon courroux appréhender l'effet.
Oui, vous croyant sans foi, j'ai pris pour ma vengeance
Le malheureux secours de mon obéissance,
Et, depuis un moment, mon cœur vient d'accepter
Un hymen que toujours j'eus lieu de rebuter;
J'ai promis à mon père; et ce qui me désole...
Mais je le vois venir.

LÉLIE

Il me tiendra parole.

SCÈNE XXIII

CÉLIE, LÉLIE, GORGIBUS, SGANARELLE,
SA FEMME, LA SUIVANTE

LÉLIE

Monsieur, vous me voyez en ces lieux de retour,
Brûlant des mêmes feux; et mon ardente amour
Verra, comme je crois, la promesse accomplie
Qui me donna l'espoir de l'hymen de Célie.

GORGIBUS

Monsieur, que je revois en ces lieux de retour,
Brûlant des mêmes feux, et dont l'ardente amour
Verra, que vous croyez, la promesse accomplie
Qui vous donna l'espoir de l'hymen de Célie,
Très humble serviteur à Votre Seigneurie.

LÉLIE

Quoi! Monsieur est-ce ainsi qu'on trahit mon espoir?

GORGIBUS

Oui, Monsieur, c'est ainsi que je fais mon devoir;
Ma fille en suit les lois.

CÉLIE

        Mon devoir m'intéresse,
Mon père, à dégager vers lui votre promesse.

GORGIBUS

Est-ce répondre en fille à mes commandements?
Tu te démens bientôt de tes bons sentiments!
Pour Valère tantôt... Mais j'aperçois son père :
Il vient assurément pour conclure l'affaire.

SCÈNE DERNIÈRE

CÉLIE, LÉLIE, GORGIBUS,
SGANARELLE, SA FEMME,
VILLEBREQUIN, LA SUIVANTE

GORGIBUS

Qui vous amène ici, seigneur Villebrequin?

VILLEBREQUIN

Un secret important que j'ai su ce matin,
Qui rompt absolument ma parole donnée.
Mon fils, dont votre fille acceptait l'hyménée,
Sous des liens cachés trompant les yeux de tous,
Vit, depuis quatre mois, avec Lise en époux;

Et comme des parents le bien et la naissance
M'ôtent tout le pouvoir de casser l'alliance,
Je vous viens...

GORGIBUS

Brisons là. Si sans votre congé
Valère votre fils ailleurs s'est engagé,
Je ne vous puis celer que ma fille Célie
Dès longtemps par moi-même est promise à Lélie;
Et que, riche en vertus, son retour aujourd'hui
M'empêche d'agréer un autre époux que lui.

VILLEBREQUIN

Un tel choix me plaît fort.

LÉLIE

Et cette juste envie
D'un bonheur éternel va couronner ma vie.

GORGIBUS

Allons choisir le jour pour se donner la foi.

SGANARELLE, *seul.*

A-t-on mieux cru jamais être cocu que moi?
Vous voyez qu'en ce fait la plus forte apparence
Peut jeter dans l'esprit une fausse créance.
De cet exemple-ci ressouvenez-vous bien;
Et, quand vous verriez tout, ne croyez jamais rien.

DOM GARCIE DE NAVARRE
ou
LE PRINCE JALOUX

Comédie héroïque

représentée pour la première fois, sur le théâtre du Palais-
Royal, le 4ᵉ février 1661, par la troupe de Monsieur, frère
unique du Roi.

PERSONNAGES

DOM GARCIE, prince de Navarre, amant d'Elvire.   *Molière.*
ELVIRE, princesse de Léon.   *Madeleine Béjart.*
ÉLISE, confidente d'Elvire.
DOM ALPHONSE, prince de Léon, cru prince de
    Castille, sous le nom de DOM SYLVE.   *Du Parc.*
IGNÈS, comtesse, amante de Dom Sylve, aimée
    par Mauregat, usurpateur de l'État de Léon.
DOM ALVAR, confident de Dom Garcie, amant
    d'Élise.
DOM LOPE, autre confident de Dom Garcie,
    amant rebuté d'Élise.
DOM PÈDRE, écuyer d'Ignès.

La scène est dans Astorgue, ville d'Espagne, dans le royaume de Léon.

ACTE PREMIER

SCÈNE PREMIÈRE

DONE ELVIRE, ÉLISE

DONE ELVIRE

Non, ce n'est point un choix qui pour ces deux amants
Sut régler de mon cœur les secrets sentiments ;
Et le prince n'a point, dans tout ce qu'il peut être,
Ce qui fit préférer l'amour qu'il fait paraître.
Dom Sylve, comme lui, fit briller à mes yeux
Toutes les qualités d'un héros glorieux ;
Même éclat de vertus, joint à même naissance,
Me parlait en tous deux pour cette préférence ;
Et je serais encore à nommer le vainqueur,
Si le mérite seul prenait droit sur un cœur.
Mais ces chaînes du ciel qui tombent sur nos âmes
Décidèrent en moi le destin de leurs flammes,
Et toute mon estime, égale entre les deux,
Laissa vers Dom Garcie entraîner tous mes vœux.

ÉLISE

Cet amour que pour lui votre astre vous inspire
N'a sur vos actions pris que bien peu d'empire,
Puisque nos yeux, Madame, ont pu longtemps douter
Qui de ces deux amants vous vouliez mieux traiter.

DONE ELVIRE

De ces nobles rivaux l'amoureuse poursuite
A de fâcheux combats, Elise, m'a réduite.
Quand je regardais l'un, rien ne me reprochait
Le tendre mouvement où mon âme penchait ;
Mais je me l'imputais à beaucoup d'injustice
Quand de l'autre à mes yeux s'offrait le sacrifice ;
Et Dom Sylve, après tout, dans ses soins amoureux
Me semblait mériter un destin plus heureux.
Je m'opposais encor ce qu'au sang de Castille

Du feu roi de Léon semble devoir la fille,
Et la longue amitié qui d'un étroit lien
Joignit les intérêts de son père et du mien.
Ainsi, plus dans mon âme un autre prenait place,
Plus de tous ses respects je plaignais la disgrâce;
Ma pitié, complaisante à ses brûlants soupirs,
D'un dehors favorable amusait ses désirs,
Et voulait réparer, par ce faible avantage,
Ce qu'au fond de mon cœur je lui faisais d'outrage.

ÉLISE

Mais son premier amour, que vous avez appris,
Doit de cette contrainte affranchir vos esprits;
Et, puisqu'avant ces soins, où pour vous il s'engage,
Done Ignès de son cœur avait reçu l'hommage,
Et que, par des liens aussi fermes que doux,
L'amitié vous unit, cette comtesse et vous,
Son secret révélé vous est une matière
A donner à vos vœux liberté tout entière;
Et vous pouvez, sans crainte, à cet amant confus
D'un devoir d'amitié couvrir tous vos refus.

DONE ELVIRE

Il est vrai que j'ai lieu de chérir la nouvelle
Qui m'apprit que Dom Sylve était un infidèle,
Puisque par ses ardeurs mon cœur tyrannisé
Contre elles à présent se voit autorisé,
Qu'il en peut justement combattre les hommages,
Et, sans scrupule, ailleurs donner tous ses suffrages.
Mais enfin quelle joie en peut prendre ce cœur,
Si d'une autre contrainte il souffre la rigueur,
Si d'un prince jaloux l'éternelle faiblesse
Reçoit indignement les soins de ma tendresse,
Et semble préparer, dans mon juste courroux,
Un éclat à briser tout commerce entre nous?

ÉLISE

Mais si de votre bouche il n'a point su sa gloire,
Est-ce un crime pour lui que de n'oser la croire?
Et ce qui d'un rival a pu flatter les feux
L'autorise-t-il pas à douter de vos vœux?

DONE ELVIRE

Non, non, de cette sombre et lâche jalousie
Rien ne peut excuser l'étrange frénésie,
Et par mes actions je l'ai trop informé
Qu'il peut bien se flatter du bonheur d'être aimé.
Sans employer la langue, il est des interprètes
Qui parlent clairement des atteintes secrètes :
Un soupir, un regard, une simple rougeur,
Un silence est assez pour expliquer un cœur.
Tout parle dans l'amour; et, sur cette matière,
Le moindre jour doit être une grande lumière,
Puisque chez notre sexe, où l'honneur est puissant,
On ne montre jamais tout ce que l'on ressent.
J'ai voulu, je l'avoue, ajuster ma conduite,
Et voir d'un œil égal l'un et l'autre mérite;
Mais que contre ses vœux on combat vainement,
Et que la différence est connue aisément
De toutes ces faveurs qu'on fait avec étude
A celles où du cœur fait pencher l'habitude!
Dans les unes toujours on paraît se forcer;
Mais les autres, hélas! se font sans y penser,
Semblables à ces eaux si pures et si belles
Qui coulent sans effort des sources naturelles.
Ma pitié pour Dom Sylve avait beau l'émouvoir,
J'en trahissais les soins sans m'en apercevoir;
Et mes regards au Prince, en un pareil martyre,
En disaient toujours plus que je n'en voulais dire.

ÉLISE

Enfin, si les soupçons de cet illustre amant,
Puisque vous le voulez, n'ont point de fondement,
Pour le moins font-ils foi d'une âme bien atteinte,
Et d'autres chériraient ce qui fait votre plainte.
De jaloux mouvements doivent être odieux,
S'ils partent d'un amour qui déplaise à nos yeux;
Mais tout ce qu'un amant nous peut montrer d'alarmes
Doit, lorsque nous l'aimons, avoir pour nous des charmes;
C'est par là que son feu se peut mieux exprimer,
Et plus il est jaloux, plus nous devons l'aimer.
Ainsi, puisqu'en votre âme un Prince magnanime...

DONE ELVIRE

Ah! ne m'avancez point cette étrange maxime.
Partout la jalousie est un monstre odieux :

Rien n'en peut adoucir les traits injurieux;
Et plus l'amour est cher qui lui donne naissance,
Plus on doit ressentir les coups de cette offense.
Voir un Prince emporté, qui perd à tous moments
Le respect que l'amour inspire aux vrais amants;
Qui, dans les soins jaloux où son âme se noie,
Querelle également mon chagrin et ma joie,
Et dans tous mes regards ne peut rien remarquer
Qu'en faveur d'un rival il ne veuille expliquer!
Non, non, par ces soupçons je suis trop offensée,
Et sans déguisement je te dis ma pensée :
Le Prince Dom Garcie est cher à mes désirs,
Il peut d'un cœur illustre échauffer les soupirs;
Au milieu de Léon on a vu son courage
Me donner de sa flamme un noble témoignage,
Braver en ma faveur des périls les plus grands,
M'enlever aux desseins de nos lâches tyrans,
Et, dans ces murs forcés, mettre ma destinée
A couvert des horreurs d'un indigne hyménée;
Et je ne cèle point que j'aurais de l'ennui
Que la gloire en fût due à quelque autre qu'à lui;
Car un cœur amoureux prend un plaisir extrême
A se voir redevable, Elise, à ce qu'il aime,
Et sa flamme timide ose mieux éclater,
Lorsqu'en favorisant elle croit s'acquitter.
Oui, j'aime qu'un secours, qui hasarde sa tête,
Semble à sa passion donner droit de conquête;
J'aime que mon péril m'ait jetée en ses mains;
Et si les bruits communs ne sont pas des bruits vains,
Si la bonté du Ciel nous ramène mon frère,
Les vœux les plus ardents que mon cœur puisse faire,
C'est que son bras encor sur un perfide sang
Puisse aider à ce frère à reprendre son rang,
Et par d'heureux succès d'une haute vaillance
Mériter tous les soins de sa reconnaissance.
Mais, avec tout cela, s'il pousse mon courroux,
S'il ne purge ses feux de leurs transports jaloux
Et ne les range aux lois que je lui veux prescrire,
C'est inutilement qu'il prétend Done Elvire :
L'hymen ne peut nous joindre, et j'abhorre des nœuds
Qui deviendraient sans doute un enfer pour tous deux.

ÉLISE

Bien que l'on pût avoir des sentiments tout autres,

C'est au Prince, Madame, à se régler aux vôtres;
Et dans votre billet ils sont si bien marqués,
Que quand il les verra de la sorte expliqués...

DONE ELVIRE

Je n'y veux point, Elise, employer cette lettre;
C'est un soin qu'à ma bouche il me vaut mieux commettre.
La faveur d'un écrit laisse aux mains d'un amant
Des témoins trop constants de notre attachement.
Ainsi donc empêchez qu'au Prince on ne la livre.

ÉLISE

Toutes vos volontés sont des lois qu'on doit suivre.
J'admire cependant que le Ciel ait jeté
Dans le goût des esprits tant de diversité,
Et que ce que les uns regardent comme outrage
Soit vu par d'autres yeux sous un autre visage.
Pour moi, je trouverais mon sort tout à fait doux
Si j'avais un amant qui pût être jaloux;
Je saurai m'applaudir de son inquiétude;
Et ce qui pour mon âme est souvent un peu rude,
C'est de voir Dom Alvar ne prendre aucun souci...

DONE ELVIRE

Nous ne le croyions pas si proche : le voici.

SCÈNE II

DONE ELVIRE, DOM ALVAR,
ÉLISE

DONE ELVIRE

Votre retour surprend : qu'avez-vous à m'apprendre?
Dom Alphonse vient-il? a-t-on lieu de l'attendre?

DOM ALVAR

Oui, Madame; et ce frère en Castille élevé
De rentrer dans ses droits voit le temps arrivé.
Jusqu'ici Dom Louis, qui vit à sa prudence
Par le feu Roi mourant commettre son enfance,

A caché ses destins aux yeux de tout l'Etat,
Pour l'ôter aux fureurs du traître Mauregat;
Et bien que le tyran, depuis sa lâche audace,
L'ait souvent demandé pour lui rendre sa place,
Jamais son zèle ardent n'a pris de sûreté
A l'appas dangereux de sa fausse équité.
Mais, les peuples émus par cette violence
Que vous a voulu faire une injuste puissance,
Ce généreux vieillard a cru qu'il était temps
D'éprouver le succès d'un espoir de vingt ans :
Il a tenté Léon, et ses fidèles trames
Des grands comme du peuple ont pratiqué les âmes,
Tandis que la Castille armait dix mille bras
Pour redonner ce Prince aux vœux de ses Etats;
Il fait auparavant semer sa renommée,
Et ne veut le montrer qu'en tête d'une armée,
Que tout prêt à lancer le foudre punisseur
Sous qui doit succomber un lâche ravisseur.
On investit Léon, et Dom Sylve en personne
Commande le secours que son père vous donne.

DONE ELVIRE

Un secours si puissant doit flatter notre espoir;
Mais je crains que mon frère y puisse trop devoir.

DOM ALVAR

Mais, Madame, admirez que, malgré la tempête
Que votre usurpateur oit gronder sur sa tête,
Tous les bruits de Léon annoncent pour certain
Qu'à la Comtesse Ignès il va donner la main.

DONE ELVIRE

Il cherche dans l'hymen de cette illustre fille
L'appui du grand crédit où se voit sa famille.
Je ne reçois rien d'elle, et j'en suis en souci;
Mais son cœur au tyran fut toujours endurci.

ÉLISE

De trop puissants motifs d'honneur et de tendresse
Opposent ses refus aux nœuds dont on la presse
Pour...

DOM ALVAR

Le Prince entre ici.

SCÈNE III

DOM GARCIE, DONE ELVIRE,
DOM ALVAR, ÉLISE

DOM GARCIE

Je viens m'intéresser,
Madame, au doux espoir qu'il vous vient d'annoncer.
Ce frère qui menace un tyran plein de crimes
Flatte de mon amour les transports légitimes;
Son sort offre à mon bras des périls glorieux
Dont je puis faire hommage à l'éclat de vos yeux,
Et par eux m'acquérir, si le Ciel m'est propice,
La gloire d'un revers que vous doit sa justice,
Qui va faire à vos pieds choir l'infidélité,
Et rendre à votre sang toute sa dignité.
Mais ce qui plus me plaît d'une attente si chère,
C'est que pour être Roi, le Ciel vous rend ce frère,
Et qu'ainsi mon amour peut éclater au moins
Sans qu'à d'autres motifs on impute ses soins,
Et qu'il soit soupçonné que dans votre personne
Il cherche à me gagner les droits d'une couronne.
Oui, tout mon cœur voudrait montrer aux yeux de tous
Qu'il ne regarde en vous autre chose que vous;
Et cent fois, si je puis le dire sans offense,
Ses vœux se sont armés contre votre naissance;
Leur chaleur indiscrète a d'un destin plus bas
Souhaité le partage à vos divins appas,
Afin que de ce cœur le noble sacrifice
Pût du Ciel envers vous réparer l'injustice,
Et votre sort tenir des mains de mon amour
Tout ce qu'il doit au sang dont vous tenez le jour[1].
Mais puisque enfin les Cieux de tout ce juste hommage
A mes feux prévenus dérobent l'avantage,
Trouvez bon que ces feux prennent un peu d'espoir
Sur la mort que mon bras s'apprête à faire voir,
Et qu'ils osent briguer par d'illustres services
D'un frère et d'un Etat les suffrages propices.

DONE ELVIRE

Je sais que vous pouvez, Prince, en vengeant nos droits
Faire par votre amour parler cent beaux exploits.
Mais ce n'est pas assez, pour le prix qu'il espère,
Que l'aveu d'un Etat et la faveur d'un frère;
Done Elvire n'est pas au bout de cet effort,
Et je vous vois à vaincre un obstacle plus fort.

DOM GARCIE

Oui, Madame, j'entends ce que vous voulez dire;
Je sais bien que pour vous mon cœur en vain soupire;
Et l'obstacle puissant qui s'oppose à mes feux,
Sans que vous le nommiez, n'est pas secret pour eux.

DONE ELVIRE

Souvent on entend mal ce qu'on croit bien entendre,
Et par trop de chaleur, Prince, on se peut méprendre;
Mais, puisqu'il faut parler, désirez-vous savoir
Quand vous pourrez me plaire et prendre quelque espoir?

DOM GARCIE

Ce me sera, Madame, une faveur extrême.

DONE ELVIRE

Quand vous saurez m'aimer comme il faut que l'on aime[2].

DOM GARCIE

Et que peut-on, hélas! observer sous les cieux
Qui ne cède à l'ardeur que m'inspirent vos yeux?

DONE ELVIRE

Quand votre passion ne fera rien paraître
Dont se puisse indigner celle qui l'a fait naître.

DOM GARCIE

C'est là son plus grand soin.

DONE ELVIRE

      Quand tous ses mouvements
Ne prendront point de moi de trop bas sentiments.

DOM GARCIE

Ils vous révèrent trop.

DONE ELVIRE

                    Quand d'un injuste ombrage
Votre raison saura me réparer l'outrage,
Et que vous bannirez enfin ce monstre affreux
Qui de son noir venin empoisonne vos feux,
Cette jalouse humeur dont l'importun caprice
Aux vœux que vous m'offrez rend un mauvais office,
S'oppose à leur attente, et contre eux, à tous coups,
Arme les mouvements de mon juste courroux.

DOM GARCIE

Ah! Madame, il est vrai, quelque effort que je fasse,
Qu'un peu de jalousie en mon cœur trouve place,
Et qu'un rival, absent de vos divins appas,
Au repos de ce cœur vient livrer des combats.
Soit caprice ou raison, j'ai toujours la croyance
Que votre âme en ces lieux souffre de son absence,
Et que, malgré mes soins, vos soupirs amoureux
Vont trouver à tous coups ce rival trop heureux.
Mais si de tels soupçons ont de quoi vous déplaire,
Il vous est bien facile, hélas! de m'y soustraire;
Et leur bannissement, dont j'accepte la loi,
Dépend bien plus de vous qu'il ne dépend de moi.
Oui, c'est vous qui pouvez, par deux mots pleins de
Contre la jalousie armer toute mon âme,   [flamme,
Et des pleines clartés d'un glorieux espoir
Dissiper les horreurs que ce monstre y fait choir.
Daignez donc étouffer le doute qui m'accable,
Et faites qu'un aveu d'une bouche adorable
Me donne l'assurance, au fort de tant d'assauts,
Que je ne puis trouver dans le peu que je vaux.

DONE ELVIRE

Prince, de vos soupçons la tyrannie est grande :
Au moindre mot qu'il dit, un cœur veut qu'on l'entende.
Et n'aime pas ces feux dont l'importunité
Demande qu'on s'explique avec tant de clarté.
Le premier mouvement qui découvre notre âme
Doit d'un amant discret satisfaire la flamme;
Et c'est à s'en dédire autoriser nos vœux

Que vouloir plus avant pousser de tels aveux.
Je ne dis point quel choix, s'il m'était volontaire,
Entre Dom Sylve et vous mon âme pourrait faire;
Mais vouloir vous contraindre à n'être point jaloux
Aurait dit quelque chose à tout autre que vous;
Et je croyais cet ordre un assez doux langage
Pour n'avoir pas besoin d'en dire davantage.
Cependant votre amour n'est pas encor content;
Il demande un aveu qui soit plus éclatant.
Pour l'ôter de scrupule, il me faut à vous-même,
En des termes exprès, dire que je vous aime;
Et peut-être qu'encor, pour vous en assurer,
Vous vous obstineriez à m'en faire jurer.

DOM GARCIE

Hé bien! Madame, hé bien! je suis trop téméraire:
De tout ce qui vous plaît je dois me satisfaire;
Je ne demande point de plus grande clarté;
Je crois que vous avez pour moi quelque bonté,
Que d'un peu de pitié mon feu vous sollicite,
Et je me vois heureux plus que je ne mérite.
C'est en fait, je renonce à mes soupçons jaloux;
L'arrêt qui les condamne est un arrêt bien doux,
Et je reçois la loi qu'il daigne me prescrire
Pour affranchir mon cœur de leur injuste empire.

DONE ELVIRE

Vous promettez beaucoup, Prince, et je doute fort
Si vous pourrez sur vous faire ce grand effort.

DOM GARCIE

Ah! Madame, il suffit pour me rendre croyable,
Que ce qu'on vous promet doit être inviolable,
Et que l'heur d'obéir à sa divinité
Ouvre aux plus grands efforts trop de facilité.
Que le Ciel me déclare une éternelle guerre,
Que je tombe à vos pieds d'un éclat de tonnerre,
Ou, pour périr encor par de plus rudes coups,
Puissé-je voir sur moi fondre votre courroux,
Si jamais mon amour descend à la faiblesse
De manquer aux devoirs d'une telle promesse;
Si jamais dans mon âme aucun jaloux transport
Fait...

Dom Pèdre apporte un billet.

DONE ELVIRE

J'en étais en peine, et tu m'obliges fort.
Que le courrier attende.

Bas, à part.

A ces regards qu'il jette,
Vois-je pas que déjà cet écrit l'inquiète?
Prodigieux effet de son tempérament!

Haut.

Qui vous arrête, Prince, au milieu du serment?

DOM GARCIE

J'ai cru que vous aviez quelque secret ensemble,
Et je ne voulais pas l'interrompre.

DONE ELVIRE

Il me semble
Que vous me répondez d'un ton fort altéré;
Je vous vois tout à coup le visage égaré.
Ce changement soudain a lieu de me surprendre;
D'où peut-il provenir? Le pourrait-on apprendre?

DOM GARCIE

D'un mal qui tout à coup vient d'attaquer mon cœur.

DONE ELVIRE

Souvent plus qu'on ne croit ces maux ont de rigueur,
Et quelque prompt secours vous serait nécessaire.
Mais encor, dites-moi, vous prend-il d'ordinaire?

DOM GARCIE

Parfois.

DONE ELVIRE

Ah! Prince faible! Hé bien! par cet écrit
Guérissez-le, ce mal : il n'est que dans l'esprit.

DOM GARCIE

Par cet écrit, Madame! Ah! ma main le refuse :
Je vois votre pensée, et de quoi l'on m'accuse.
Si...

DONE ELVIRE

Lisez-le, vous dis-je, et satisfaites-vous.

DOM GARCIE

Pour me traiter après de faible, de jaloux ?
Non, non. Je dois ici vous rendre un témoignage
Qu'à mon cœur cet écrit n'a point donné d'ombrage ;
Et bien que, vos bontés m'en laissent le pouvoir,
Pour me justifier je ne veux point le voir.

DONE ELVIRE

Si vous vous obstinez à cette résistance,
J'aurais tort de vouloir vous faire violence ;
Et c'est assez enfin que vous avoir pressé
De voir de quelle main ce billet m'est tracé.

DOM GARCIE

Ma volonté toujours vous doit être soumise :
Si c'est votre plaisir que pour vous je le lise,
Je consens volontiers à prendre cet emploi.

DONE ELVIRE

Oui, oui, Prince, tenez : vous le lirez pour moi.

DOM GARCIE

C'est pour vous obéir, au moins, et je puis dire...

DONE ELVIRE

C'est ce que vous voudrez ; dépêchez-vous de lire.

DOM GARCIE

Il est de Done Ignès, à ce que je connoi.

DONE ELVIRE

Oui. Je m'en réjouis et pour vous et pour moi.

DOM GARCIE *lit* :

Malgré l'effort d'un long mépris,
Le tyran toujours m'aime, et, depuis votre absence,
Vers moi, pour me porter au dessein qu'il a pris,
Il semble avoir tourné toute sa violence,

> *Dont il poursuit l'alliance*
> *De vous et de son fils.*
> *Ceux qui sur moi peuvent avoir empire,*
> *Par de lâches motifs qu'un faux honneur inspire,*
> *Approuvent tous cet indigne lien.*
> *J'ignore encore par où finira mon martyre;*
> *Mais je mourrai plutôt que de consentir rien.*
> *Puissiez-vous jouir, belle Elvire,*
> *D'un destin plus doux que le mien!*

DONE IGNÈS

Il continue.

Dans la haute vertu son âme est affermie.

DONE ELVIRE

Je vais faire réponse à cette illustre amie.
Cependant apprenez, Prince, à vous mieux armer
Contre ce qui prend droit de vous trop alarmer.
J'ai calmé votre trouble avec cette lumière,
Et la chose a passé d'une douce manière;
Mais, à n'en point mentir, il serait des moments
Où je pourrais entrer dans d'autres sentiments.

DOM GARCIE

Hé quoi! vous croyez donc...

DONE ELVIRE

                Je crois ce qu'il faut croire.
Adieu. De mes avis conservez la mémoire;
Et s'il est vrai pour moi que votre amour soit grand,
Donnez-en à mon cœur les preuves qu'il prétend.

DOM GARCIE

Croyez que désormais c'est toute mon envie
Et qu'avant qu'y manquer je veux perdre la vie.

ACTE II

SCÈNE PREMIÈRE

ÉLISE, DOM LOPE

ÉLISE

Tout ce que fait le Prince, à parler franchement,
N'est pas ce qui me donne un grand étonnement;
Car que d'un noble amour une âme bien saisie
En pousse les transports jusqu'à la jalousie,
Que de doutes fréquents ses vœux soient traversés,
Il est fort naturel, et je l'approuve assez;
Mais ce qui me surprend, Dom Lope, c'est d'entendre
Que vous lui préparez les soupçons qu'il doit prendre,
Que votre âme les forme, et qu'il n'est en ces lieux
Fâcheux que par vos soins, jaloux que par vos yeux.
Encore un coup, Dom Lope, une âme bien éprise
Des soupçons qu'elle prend ne me rend point surprise;
Mais qu'on ait sans amour tous les soins d'un jaloux,
C'est une nouveauté qui n'appartient qu'à vous.

DOM LOPE

Que sur cette conduite à son aise l'on glose.
Chacun règle la sienne au but qu'il se propose;
Et, rebuté par vous des soins de mon amour,
Je songe auprès du Prince à bien faire ma cour.

ÉLISE

Mais savez-vous qu'enfin il fera mal la sienne,
S'il faut qu'en cette humeur votre esprit l'entretienne?

DOM LOPE

Et quand, charmante Elise, a-t-on vu, s'il vous plaît,
Qu'on cherche auprès des grands que son propre intérêt.
Qu'un parfait courtisan veuille charger leur suite
D'un censeur des défauts qu'on trouve en leur conduite,

Et s'aille inquiéter si son discours leur nuit,
Pourvu que sa fortune en tire quelque fruit?
Tout ce qu'on fait ne va qu'à se mettre en leur grâce :
Par la plus courte voie on y cherche une place;
Et les plus prompts moyens de gagner leur faveur,
C'est de flatter toujours le faible de leur cœur,
D'applaudir en aveugle à ce qu'ils veulent faire,
Et n'appuyer jamais ce qui peut leur déplaire :
C'est là le vrai secret d'être bien auprès d'eux.
Les utiles conseils font passer pour fâcheux,
Et vous laissent toujours hors de la confidence
Où vous jette d'abord l'adroite complaisance.
Enfin on voit partout que l'art des courtisans
Ne tend qu'à profiter des faiblesses des grands,
A nourrir leurs erreurs, et jamais dans leur âme
Ne porter les avis des choses qu'on y blâme[3].

ÉLISE

Ces maximes un temps leur peuvent succéder;
Mais il est des revers qu'on doit appréhender;
Et dans l'esprit des grands, qu'on tâche de surprendre,
Un rayon de lumière à la fin peut descendre,
Qui sur tous ces flatteurs venge équitablement
Ce qu'a fait à leur gloire un long aveuglement.
Cependant je dirai que votre âme s'explique
Un peu bien librement sur votre politique;
Et ces nobles motifs, au prince rapportés,
Serviraient assez mal vos assiduités.

DOM LOPE

Outre que je pourrais désavouer sans blâme
Ces libres vérités sur quoi s'ouvre mon âme,
Je sais fort bien qu'Elise a l'esprit trop discret
Pour aller divulguer cet entretien secret.
Qu'ai-je dit, après tout, que sans moi l'on ne sache?
Et dans mon procédé que faut-il que je cache?
On peut craindre une chute avec quelque raison,
Quand on met en usage ou ruse ou trahison;
Mais qu'ai-je à redouter, moi, qui partout n'avance
Que les soins approuvés d'un peu de complaisance,
Et qui suis seulement par d'utiles leçons
La pente qu'a le prince à de jaloux soupçons?
Son âme semble en vivre, et je mets mon étude

A trouver des raisons à son inquiétude,
A voir de tous côtés s'il ne se passe rien,
A fournir le sujet d'un secret entretien;
Et quand je puis venir, enflé d'une nouvelle,
Donner à son repos une atteinte mortelle,
C'est lors que plus il m'aime, et je vois sa raison
D'une audience avide avaler ce poison,
Et m'en remercier comme d'une victoire
Qui comblerait ses jours de bonheur et de gloire.
Mais mon rival paraît : je vous laisse tous deux;
Et, bien que je renonce à l'espoir de vos vœux,
J'aurais un peu de peine à voir qu'en ma présence
Il reçût des effets de quelque préférence,
Et je veux, si je puis, m'épargner ce souci.

ÉLISE

Tout amant de bon sens en doit user ainsi.

SCÈNE II

DOM ALVAR, ÉLISE

DOM ALVAR

Enfin nous apprenons que le Roi de Navarre
Pour les désirs du Prince aujourd'hui se déclare,
Et qu'un nouveau renfort de troupes nous attend
Pour le fameux service où son amour prétend.
Je suis surpris, pour moi, qu'avec tant de vitesse
On ait fait avancer... Mais...

SCÈNE III

DOM GARCIE, ÉLISE,
DOM ALVAR

DOM GARCIE

Que fait la princesse?

ÉLISE

Quelques lettres, Seigneur; je le présume ainsi.
Mais elle va savoir que vous êtes ici.

SCÈNE IV

DOM GARCIE, *seul.*

J'attendrai qu'elle ait fait. Près de souffrir sa vue,
D'un trouble tout nouveau je me sens l'âme émue;
Et la crainte, mêlée à son ressentiment,
Jette par tout mon corps un soudain tremblement.
Prince, prends garde au moins qu'un aveugle caprice
Ne te conduise ici dans quelque précipice,
Et que de ton esprit les désordres puissants
Ne donnent un peu trop au rapport de tes sens.
Consulte ta raison, prends sa clarté pour guide;
Vois si de tes soupçons l'apparence est solide,
Ne démens pas leur voix; mais aussi garde bien
Que, pour les croire trop, ils ne t'imposent rien,
Qu'à tes premiers transports ils n'osent trop permettre,
Et relis posément cette moitié de lettre.
Ha! qu'est-ce que mon cœur, trop digne de pitié,
Ne voudrait pas donner pour son autre moitié?
Mais, après tout, que dis-je? il suffit bien de l'une,
Et n'en voilà que trop pour voir mon infortune.

> *Quoique votre rival...*
> *Vous devez toutefois vous...*
> *Et vous avez en vous à...*
> *L'obstacle le plus grand...*
>
> *Je chéris tendrement ce...*
> *Pour me tirer des mains de...*
> *Son amour, ses devoirs...*
> *Mais il m'est odieux avec...*
>
> *Otez donc à vos feux ce...*
> *Méritez les regards que l'on...*
> *Et lorsqu'on vous oblige...*
> *Ne vous obstinez point à...*

Oui, mon sort par ces mots est assez éclairci;
Son cœur, comme sa main, se fait connaître ici;
Et les sens imparfaits de cet écrit funeste
Pour s'expliquer à moi n'ont pas besoin du reste.
Toutefois, dans l'abord agissons doucement,
Couvrons à l'infidèle un vif ressentiment,
Et, de ce que je tiens ne donnant point l'indice,
Confondons son esprit par son propre artifice.
La voici. Ma raison, renferme mes transports,
Et rends-toi pour un temps maîtresse du dehors.

SCÈNE V

DONE ELVIRE, DOM GARCIE

DONE ELVIRE

Vous avez bien voulu que je vous fisse attendre?

DOM GARCIE, *bas, à part*.

Ha! qu'elle cache bien!

DONE ELVIRE

On vient de nous apprendre
Que le Roi votre père approuve vos projets
Et veut bien que son fils nous rende nos sujets;
Et mon âme en a pris une allégresse extrême.

DOM GARCIE

Oui, Madame, et mon cœur s'en réjouit de même;
Mais...

DONE ELVIRE

Le tyran sans doute aura peine à parer
Les foudres que partout il entend murmurer;
Et j'ose me flatter que le même courage
Qui put bien me soustraire à sa brutale rage,
Et dans les murs d'Astorgue, arrachés de ses mains
Me faire un sûr asile à braver ses desseins,
Pourra, de tout Léon achevant la conquête,
Sous ses nobles efforts faire choir cette tête.

DOM GARCIE

Le succès en pourra parler dans quelques jours;
Mais, de grâce, passons à quelque autre discours.
Puis-je, sans trop oser, vous prier de me dire
A qui vous avez pris, Madame, soin d'écrire,
Depuis que le destin nous a conduits ici?

DONE ELVIRE

Pourquoi cette demande, et d'où vient ce souci?

DOM GARCIE

D'un désir curieux de pure fantaisie.

DONE ELVIRE

La curiosité naît de la jalousie.

DOM GARCIE

Non, ce n'est rien du tout de ce que vous pensez;
Vos ordres de ce mal me défendent assez.

DONE ELVIRE

Sans chercher plus avant quel intérêt vous presse,
J'ai deux fois à Léon écrit à la Comtesse,
Et deux fois au marquis Dom Louis à Burgos.
Avec cette réponse êtes-vous en repos?

DOM GARCIE

Vous n'avez point écrit à quelque autre personne,
Madame?

DONE ELVIRE

Non, sans doute, et ce discours m'étonne.

DOM GARCIE

De grâce, songez bien avant que d'assurer;
En manquant de mémoire on peut se parjurer.

DONE ELVIRE

Ma bouche sur ce point ne peut être parjure.

DOM GARCIE

Elle a dit toutefois une haute imposture.

DONE ELVIRE

Prince!

DOM GARCIE

Madame!

DONE ELVIRE

O Ciel! quel est ce mouvement?
Avez-vous, dites-moi, perdu le jugement?

DOM GARCIE

Oui, oui, je l'ai perdu, lorsque dans votre vue[4]
J'ai pris, pour mon malheur, le poison qui me tue,
Et que j'ai cru trouver quelque sincérité
Dans les traîtres appas dont je fus enchanté.

DONE ELVIRE

De quelle trahison pouvez-vous donc vous plaindre?

DOM GARCIE

Ah! que ce cœur est double et sait bien l'art de feindre!
Mais tous moyens de fuir lui vont être soustraits.
Jetez ici les yeux, et connaissez vos traits :
Sans avoir vu le reste, il m'est assez facile
De découvrir pour qui vous employez ce style.

DONE ELVIRE

Voilà donc le sujet qui vous trouble l'esprit?

DOM GARCIE

Vous ne rougissez pas en voyant cet écrit?

DONE ELVIRE

L'innocence à rougir n'est point accoutumée.

DOM GARCIE

Il est vrai qu'en ces lieux on la voit opprimée.
Ce billet démenti pour n'avoir point de seing...

DONE ELVIRE

Pourquoi le démentir, puisqu'il est de ma main?

DOM GARCIE

Encore est-ce beaucoup que, de franchise pure,
Vous demeuriez d'accord que c'est votre écriture;
Mais ce sera, sans doute, et j'en serais garant,
Un billet qu'on envoie à quelque indifférent;
Ou, du moins ce qu'il a de tendresse évidente
Sera pour une amie ou pour quelque parente.

DONE ELVIRE

Non, c'est pour un amant que ma main l'a formé,
Et j'ajoute de plus, pour un amant aimé.

DOM GARCIE

Et je puis, ô perfide!...

DONE ELVIRE

　　　　　Arrêtez, Prince indigne,
De ce lâche transport l'égarement insigne.
Bien que de vous mon cœur ne prenne point de loi
Et ne doive en ces lieux aucun compte qu'à soi,
Je veux bien me purger, pour votre seul supplice,
Du crime que m'impose un insolent caprice.
Vous serez éclairci, n'en doutez nullement.
J'ai ma défense prête en ce même moment.
Vous allez recevoir une pleine lumière;
Mon innocence ici paraîtra tout entière;
Et je veux, vous mettant juge en votre intérêt,
Vous faire prononcer vous-même votre arrêt.

DOM GARCIE

Ce sont propos obscurs, qu'on ne saurait comprendre.

DONE ELVIRE

Bientôt à vos dépens vous me pourrez entendre.
Elise, holà!

SCÈNE VI

DOM GARCIE, DONE ELVIRE, ÉLISE

ÉLISE

　　Madame.

DONE ELVIRE, *à Dom Garcie.*

Observez bien au moins
Si j'ose à vous tromper employer quelques soins;
Si, par un seul coup d'œil, ou geste qui l'instruise,
Je cherche de ce coup à parer la surprise.

A Élise.

Le billet que tantôt ma main avait tracé,
Répondez promptement, où l'avez-vous laissé?

ÉLISE

Madame, j'ai sujet de m'avouer coupable,
Je ne sais comme il est demeuré sur ma table;
Mais on vient de m'apprendre en ce même moment
Que Dom Lope, venant dans mon appartement,
Par une liberté qu'on lui voit se permettre,
A fureté partout et trouvé cette lettre.
Comme il la dépliait, Léonor a voulu
S'en saisir promptement avant qu'il eût rien lu;
Et, se jetant sur lui, la lettre contestée
En deux justes moitiés dans leurs mains est restée;
Et Dom Lope aussitôt, prenant un prompt essor,
A dérobé la sienne aux soins de Léonor.

DONE ELVIRE

Avez-vous ici l'autre?

ÉLISE

Oui, la voilà, Madame.

DONE ELVIRE, *à Dom Garcie.*

Donnez. Nous allons voir qui mérite le blâme.
Avec votre moitié rassemblez celle-ci.
Lisez, et hautement : je veux l'entendre aussi.

DOM GARCIE

Au prince Dom Garcie. Ah!

DONE ELVIRE

Achevez de lire :
Votre âme pour ce mot ne doit pas s'interdire.

DOM GARCIE *lit :*

Quoique votre rival, Prince, alarme votre âme,
Vous devez toutefois vous craindre plus que lui ;
Et vous avez en vous à détruire aujourd'hui
L'obstacle le plus grand que trouve votre flamme.

Je chéris tendrement ce qu'a fait Dom Garcie
Pour me tirer des mains de nos fiers ravisseurs ;
Son amour, ses devoirs ont pour moi des douceurs ;
Mais il m'est odieux avec sa jalousie.

Otez donc à vos feux ce qu'ils en font paraître ;
Méritez les regards que l'on jette sur eux ;
Et lorsqu'on vous oblige à vous tenir heureux,
Ne vous obstinez point à ne pas vouloir l'être.

DONE ELVIRE

Hé bien ! que dites-vous ?

DOM GARCIE

Ha ! Madame, je dis
Qu'à cet objet mes sens demeurent interdits ;
Que je vois dans ma plainte une horrible injustice,
Et qu'il n'est point pour moi d'assez cruel supplice.

DONE ELVIRE

Il suffit. Apprenez que si j'ai souhaité
Qu'à vos yeux cet écrit pût être présenté,
C'est pour le démentir et cent fois me dédire
De tout ce que pour vous vous y venez de lire.
Adieu, Prince.

DOM GARCIE

Madame, hélas ! où fuyez-vous ?

DONE ELVIRE

Où vous ne serez point, trop odieux jaloux.

DOM GARCIE

Ha ! Madame, excusez un amant misérable,
Qu'un sort prodigieux a fait vers vous coupable,
Et qui, bien qu'il vous cause un courroux si puissant,

Eût été plus blâmable à rester innocent.
Car enfin, peut-il être une âme bien atteinte
Dont l'espoir le plus doux ne soit mêlé de crainte?
Et pourriez-vous penser que mon cœur eût aimé,
Si ce billet fatal ne l'eût point alarmé,
S'il n'avait point frémi des coups de cette foudre,
Dont je me figurais tout mon bonheur en poudre?
Vous-même, dites-moi si cet événement
N'eût pas dans mon erreur jeté tout autre amant,
Si d'une preuve, hélas! qui me semblait si claire,
Je pouvais démentir...

DONE ELVIRE

     Oui, vous le pouviez faire;
Et dans mes sentiments, assez bien déclarés,
Vos doutes rencontraient des garants assurés;
Vous n'aviez rien à craindre; et d'autres, sur ce gage,
Auraient du monde entier bravé le témoignage.

DOM GARCIE

Moins on mérite un bien qu'on nous fait espérer[5],
Plus notre âme a de peine à pouvoir s'assurer.
Un sort trop plein de gloire à nos yeux est fragile,
Et nous laisse aux soupçons une pente facile.
Pour moi, qui crois si peu mériter vos bontés,
J'ai douté du bonheur de mes témérités;
J'ai cru que dans ces lieux rangés sous ma puissance
Votre âme se forçait à quelque complaisance,
Que, déguisant pour moi votre sévérité...

DONE ELVIRE

Et je pourrais descendre à cette lâcheté!
Moi, prendre le parti d'une honteuse feinte!
Agir par les motifs d'une servile crainte!
Trahir mes sentiments! et, pour être en vos mains,
D'un masque de faveur vous couvrir mes dédains!
La gloire sur mon cœur aurait si peu d'empire!
Vous pouvez le penser, et vous me l'osez dire!
Apprenez que ce cœur ne sait point s'abaisser,
Qu'il n'est rien sous les cieux qui puisse l'y forcer,
Et, s'il vous a fait voir, par une erreur insigne,
Des marques de bonté dont vous n'étiez pas digne,
Qu'il saura bien montrer, malgré votre pouvoir,

La haine que pour vous il se résout d'avoir,
Braver votre furie, et vous faire connaître
Qu'il n'a point été lâche, et ne veut jamais l'être.

DOM GARCIE

Hé bien! je suis coupable, et ne m'en défends pas;
Mais je demande grâce à vos divins appas;
Je la demande au nom de la plus vive flamme
Dont jamais deux beaux yeux aient fait brûler une âme.
Que si votre courroux ne peut être apaisé[6],
Si mon crime est trop grand pour se voir excusé,
Si vous ne regardez ni l'amour qui le cause,
Ni le vif repentir que mon cœur vous expose,
Il faut qu'un coup heureux, en me faisant mourir,
M'arrache à des tourments que je ne puis souffrir.
Non, ne présumez pas qu'ayant su vous déplaire,
Je puisse vivre une heure avec votre colère.
Déjà de ce moment la barbare longueur
Sous ses cuisants remords fait succomber mon cœur,
Et de mille vautours les blessures cruelles
N'ont rien de comparable à ses douleurs mortelles.
Madame, vous n'avez qu'à me le déclarer;
S'il n'est point de pardon que je doive espérer,
Cette épée aussitôt, par un coup favorable,
Va percer, à vos yeux, le cœur d'un misérable,
Ce cœur, ce traître cœur, dont les perplexités
Ont si fort outragé vos extrêmes bontés :
Trop heureux, en mourant, si ce coup légitime
Efface en votre esprit l'image de mon crime,
Et ne laisse aucuns traits de votre aversion
Au faible souvenir de mon affection!
C'est l'unique faveur que demande ma flamme.

DONE ELVIRE

Ha! Prince trop cruel!

DOM GARCIE

          Dites, parlez, Madame.

DONE ELVIRE

Faut-il encor pour vous conserver des bontés,
Et vous voir m'outrager par tant d'indignités!

DOM GARCIE

Un cœur ne peut jamais outrager quand il aime;
Et ce que fait l'amour, il l'excuse lui-même.

DONE ELVIRE

L'amour n'excuse point de tels emportements.

DOM GARCIE

Tout ce qu'il a d'ardeur passe en ses mouvements;
Et plus il devient fort, plus il trouve de peine...

DONE ELVIRE

Non, ne m'en parlez point; vous méritez ma haine.

DOM GARCIE

Vous me haïssez donc?

DONE ELVIRE

        J'y veux tâcher, au moins;
Mais, hélas! je crains bien que j'y perde mes soins,
Et que tout le courroux qu'excite votre offense
Ne puisse jusque-là faire aller ma vengeance.

DOM GARCIE

D'un supplice si grand ne tentez point l'effort,
Puisque pour vous venger je vous offre ma mort;
Prononcez-en l'arrêt, et j'obéis sur l'heure.

DONE ELVIRE

Qui ne saurait haïr ne peut vouloir qu'on meure.

DOM GARCIE

Et moi, je ne puis vivre, à moins que vos bontés
Accordent un pardon à mes témérités.
Résolvez l'un des deux, de punir ou d'absoudre.

DONE ELVIRE

Hélas! j'ai trop fait voir ce que je puis résoudre.
Par l'aveu d'un pardon n'est-ce pas se trahir,
Que dire au criminel qu'on ne le peut haïr?

DOM GARCIE

Ah! c'en est trop; souffrez, adorable Princesse...

DONE ELVIRE

Laissez; je me veux mal d'une telle faiblesse.

Elle sort.

DOM GARCIE, *seul.*

Enfin je suis...

SCÈNE VII

DOM LOPE, DOM GARCIE

DOM LOPE

Seigneur, je viens vous informer
D'un secret dont vos feux ont droit de s'alarmer.

DOM GARCIE

Ne me viens point parler de secret ni d'alarme
Dans les doux mouvements du transport qui me charme.
Après ce qu'à mes yeux on vient de présenter,
Il n'est point de soupçons que je doive écouter,
Et d'un divin objet la bonté sans pareille
A tous ces vains rapports doit fermer mon oreille.
Ne m'en fais plus.

DOM LOPE

Seigneur, je veux ce qu'il vous plaît;
Mes soins en tout ceci n'ont que votre intérêt.
J'ai cru que le secret que je viens de surprendre
Méritait bien qu'en hâte on vous le vînt apprendre;
Mais puisque vous voulez que je n'en touche rien,
Je vous dirai, Seigneur, pour changer d'entretien,
Que déjà dans Léon on voit chaque famille
Lever le masque au bruit des troupes de Castille,
Et que surtout le peuple y fait pour son vrai Roi
Un éclat à donner au tyran de l'effroi.

DOM GARCIE

La Castille du moins n'aura pas la victoire.
Sans que nous essayions d'en partager la gloire;
Et nos troupes aussi peuvent être en état
D'imprimer quelque crainte au cœur de Mauregat.
Mais quel est ce secret dont tu voulais m'instruire?
Voyons un peu.

DOM LOPE

Seigneur, je n'ai rien à vous dire.

DOM GARCIE

Va, va, parle; mon cœur t'en donne le pouvoir.

DOM LOPE

Vos paroles, Seigneur, m'en ont trop fait savoir;
Et, puisque mes avis ont de quoi vous déplaire,
Je saurai désormais trouver l'art de me taire.

DOM GARCIE

Enfin, je veux savoir la chose absolument.

DOM LOPE

Je ne réplique point à ce commandement.
Mais, Seigneur, en ce lieu le devoir de mon zèle
Trahirait le secret d'une telle nouvelle.
Sortons pour vous l'apprendre, et, sans rien embrasser,
Vous-même vous verrez ce qu'on en doit penser.

ACTE III

SCÈNE PREMIÈRE

DONE ELVIRE, ÉLISE

DONE ELVIRE

Elise, que dis-tu de l'étrange faiblesse
Que vient de témoigner le cœur d'une princesse?
Que dis-tu de me voir tomber si promptement

De toute la chaleur de mon ressentiment,
Et, malgré tant d'éclat, relâcher mon courage
Au pardon trop honteux d'un si cruel outrage?

ÉLISE

Moi, je dis que d'un cœur que nous pouvons chérir
Une injure sans doute est bien dure à souffrir;
Mais que, s'il n'en est point qui davantage irrite,
Il n'en est point aussi qu'on pardonne si vite,
Et qu'un coupable aimé triomphe à nos genoux
De tous les prompts transports du plus bouillant courroux,
D'autant plus aisément, Madame, quand l'offense
Dans un excès d'amour peut trouver sa naissance.
Ainsi, quelque dépit que l'on vous ait causé,
Je ne m'étonne point de le voir apaisé;
Et je sais quel pouvoir, malgré votre menace,
A de pareils forfaits donnera toujours grâce.

DONE ELVIRE

Ah! sache, quelque ardeur qui m'impose des lois,
Que mon front a rougi pour la dernière fois,
Et que, si désormais on pousse ma colère,
Il n'est point de retour qu'il faille qu'on espère.
Quand je pourrais reprendre un tendre sentiment,
C'est assez contre lui que l'éclat d'un serment;
Car enfin un esprit qu'un peu d'orgueil inspire
Trouve beaucoup de honte à se pouvoir dédire,
Et souvent, aux dépens d'un pénible combat,
Fait sur ses propres vœux un illustre attentat,
S'obstine par honneur, et n'a rien qu'il n'immole
A la noble fierté de tenir sa parole.
Ainsi dans le pardon que l'on vient d'obtenir
Ne prends point de clartés pour régler l'avenir;
Et quoi qu'à mes destins la fortune prépare,
Crois que je ne puis être au prince de Navarre
Que de ces noirs accès qui troublent sa raison
Il n'ait fait éclater l'entière guérison,
Et réduit tout mon cœur, que ce mal persécute,
A n'en plus redouter l'affront d'une rechute.

ÉLISE

Mais quel affront nous fait le transport d'un jaloux?

DONE ELVIRE

En est-il un qui soit plus digne de courroux?
Et puisque notre cœur fait un effort extrême
Lorsqu'il se peut résoudre à confesser qu'il aime,
Puisque l'honneur du sexe, en tout temps rigoureux,
Oppose un fort obstacle à de pareils aveux,
L'amant qui voit pour lui franchir un tel obstacle
Doit-il impunément douter de cet oracle?
Et n'est-il pas coupable alors qu'il ne croit pas
Ce qu'on ne dit jamais qu'après de grands combats?

ÉLISE

Moi, je tiens que toujours un peu de défiance
En ces occasions n'a rien qui nous offense,
Et qu'il est dangereux qu'un cœur qu'on a charmé
Soit trop persuadé, Madame, d'être aimé
Si...

DONE ELVIRE

 N'en disputons plus; chacun a sa pensée.
C'est un scrupule enfin dont mon âme est blessée;
Et, contre mes désirs, je sens je ne sais quoi
Me prédire un éclat entre le prince et moi,
Qui malgré ce qu'on doit aux vertus dont il brille...
Mais, ô Ciel! en ces lieux Dom Sylve de Castille!
Ah! Seigneur, par quel sort vous vois-je maintenant?

SCÈNE II

DOM SYLVE, DONE ELVIRE, ÉLISE

DOM SYLVE

Je sais que mon abord, Madame, est surprenant,
Et qu'être sans éclat entré dans cette ville,
Dont l'ordre d'un rival rend l'accès difficile,
Qu'avoir pu me soustraire aux yeux de ses soldats,
C'est un événement que vous n'attendiez pas.
Mais si j'ai dans ces lieux franchi quelques obstacles,
L'ardeur de vous revoir peut bien d'autres miracles;
Tout mon cœur a senti par de trop rudes coups

Le rigoureux destin d'être éloigné de vous,
Et je n'ai pu nier au tourment qui le tue
Quelques moments secrets d'une si chère vue.
Je viens vous dire donc que je rends grâce aux Cieux
De vous voir hors des mains d'un tyran odieux.
Mais parmi les douceurs d'une telle aventure,
Ce qui m'est un sujet d'éternelle torture,
C'est de voir qu'à mon bras les rigueurs de mon sort
Ont envié l'honneur de cet illustre effort,
Et fait à mon rival, avec trop d'injustice,
Offrir les doux périls d'un si fameux service.
Oui, Madame, j'avais, pour rompre vos liens,
Des sentiments sans doute aussi beaux que les siens;
Et je pouvais pour vous gagner cette victoire,
Si le Ciel n'eût voulu m'en dérober la gloire.

DONE ELVIRE

Je sais, Seigneur, je sais que vous avez un cœur
Qui des plus grands périls vous peut rendre vainqueur;
Et je ne doute point que ce généreux zèle,
Dont la chaleur vous pousse à venger ma querelle,
N'eût, contre les efforts d'un indigne projet,
Pu faire en ma faveur tout ce qu'un autre a fait.
Mais, sans cette action dont vous étiez capable,
Mon sort à la Castille est assez redevable;
On sait ce qu'un ami plein d'ardeur et de foi
Le Comte votre père a fait pour le feu Roi.
Après l'avoir aidé jusqu'à l'heure dernière,
Il donne en ses Etats un asile à mon frère.
Quatre lustres entiers il y cache son sort
Aux barbares fureurs de quelque lâche effort,
Et, pour rendre à son front l'éclat d'une couronne,
Contre nos ravisseurs vous marchez en personne.
N'êtes-vous pas content? et ces soins généreux
Ne m'attachent-ils point par d'assez puissants nœuds?
Quoi! votre âme, Seigneur, serait-elle obstinée
A vouloir asservir toute ma destinée,
Et faut-il que jamais il ne tombe sur nous
L'ombre d'un seul bienfait, qu'il ne vienne de vous?
Ah! souffrez, dans les maux où mon destin m'expose,
Qu'aux soins d'un autre aussi je doive quelque chose;
Et ne vous plaignez point de voir un autre bras
Acquérir de la gloire où le vôtre n'est pas.

DOM SYLVE

Oui, Madame, mon cœur doit cesser de s'en plaindre;
Avec trop de raison vous voulez m'y contraindre,
Et c'est injustement qu'on se plaint d'un malheur,
Quand un autre plus grand s'offre à notre douleur.
Ce secours d'un rival m'est un cruel martyre;
Mais, hélas! de mes maux ce n'est pas là le pire :
Le coup, le rude coup dont je suis atterré,
C'est de me voir par vous ce rival préféré.
Oui, je ne vois que trop que ses feux pleins de gloire
Sur les miens dans votre âme emportent la victoire;
Et cette occasion de servir vos appas,
Cet avantage offert de signaler son bras,
Cet éclatant exploit qui vous fut salutaire,
N'est que le pur effet du bonheur de vous plaire,
Que le secret pouvoir d'un astre merveilleux,
Qui fait tomber la gloire où s'attachent vos vœux.
Ainsi tous mes efforts ne seront que fumée.
Contre vos fiers tyrans je conduis une armée;
Mais je marche en tremblant à cet illustre emploi,
Assuré que vos vœux ne seront pas pour moi,
Et que, s'ils sont suivis, la fortune prépare
L'heur des plus beaux succès aux soins de la Navarre.
Ah! Madame, faut-il me voir précipité
De l'espoir glorieux dont je m'étais flatté?
Et ne puis-je savoir quels crimes on m'impute,
Pour avoir mérité cette effroyable chute?

DONE ELVIRE

Ne me demandez rien avant que regarder
Ce qu'à mes sentiments vous devez demander,
Et sur cette froideur qui semble vous confondre
Répondez-vous, Seigneur, ce que je puis répondre;
Car enfin tous vos soins ne sauraient ignorer
Quels secrets de votre âme on m'a su déclarer;
Et je la crois, cette âme, et trop noble et trop haute,
Pour vouloir m'obliger à commettre une faute.
Vous-même, dites-vous s'il est de l'équité
De me voir couronner une infidélité,
Si vous pouviez m'offrir sans beaucoup d'injustice[7]
Un cœur à d'autres yeux offert en sacrifice,
Vous plaindre avec raison, et blâmer mes refus
Lorsqu'ils veulent d'un crime affranchir vos vertus.

Oui, Seigneur, c'est un crime; et les premières flammes
Ont des droits si sacrés sur les illustres âmes,
Qu'il faut perdre grandeurs et renoncer au jour
Plutôt que de pencher vers un second amour.
J'ai pour vous cette ardeur que peut prendre l'estime
Pour un courage haut, pour un cœur magnanime;
Mais n'exigez de moi que ce que je vous dois,
Et soutenez l'honneur de votre premier choix.
Malgré vos feux nouveaux, voyez quelle tendresse
Vous conserve le cœur de l'aimable Comtesse,
Ce que pour un ingrat (car vous l'êtes, Seigneur)
Elle a d'un choix constant refusé le bonheur,
Quel mépris généreux, dans son ardeur extrême,
Elle a fait de l'éclat que donne un diadème!
Voyez combien d'efforts pour vous elle a bravés,
Et rendez à son cœur ce que vous lui devez.

DOM SYLVE

Ah! Madame, à mes yeux n'offrez point son mérite :
Il n'est que trop présent à l'ingrat qui la quitte;
Et si mon cœur vous dit ce que pour elle il sent,
J'ai peur qu'il ne soit pas envers vous innocent.
Oui, ce cœur l'ose plaindre, et ne suit pas sans peine
L'impérieux effort de l'amour qui l'entraîne;
Aucun espoir pour vous n'a flatté mes désirs
Qui ne m'ait arraché pour elle des soupirs,
Qui n'ait dans ses douceurs fait jeter à mon âme
Quelques tristes regards vers sa première flamme,
Se reprocher l'effet de vos divins attraits,
Et mêler des remords à mes plus chers souhaits.
J'ai fait plus que cela, puisqu'il vous faut tout dire :
Oui, j'ai voulu sur moi vous ôter votre empire,
Sortir de votre chaîne et rejeter mon cœur
Sous le joug innocent de son premier vainqueur.
Mais, après mes efforts, ma constance abattue
Voit un cours nécessaire à ce mal qui me tue;
Et, dût être mon sort à jamais malheureux,
Je ne puis renoncer à l'espoir de mes vœux.
Je ne saurais souffrir l'épouvantable idée
De vous voir par un autre à mes yeux possédée;
Et le flambeau du jour, qui m'offre vos appas,
Doit avant cet hymen éclairer mon trépas.
Je sais que je trahis une Princesse aimable;
Mais, Madame, après tout, mon cœur est-il coupable?

Et le fort ascendant que prend votre beauté
Laisse-t-il aux esprits aucune liberté?
Hélas! je suis ici bien plus à plaindre qu'elle :
Son cœur, en me perdant, ne perd qu'un infidèle;
D'un pareil déplaisir on se peut consoler;
Mais moi, par un malheur qui ne peut s'égaler,
J'ai celui de quitter une aimable personne,
Et tous les maux encor que mon amour me donne.

DONE ELVIRE

Vous n'avez que les maux que vous voulez avoir,
Et toujours notre cœur est en notre pouvoir;
Il peut bien quelquefois montrer quelque faiblesse,
Mais enfin sur nos sens la raison, la maîtresse...

SCÈNE III

DOM GARCIE, DONE ELVIRE,
DOM SYLVE

DOM GARCIE

Madame, mon abord, comme je connais bien,
Assez mal à propos trouble votre entretien;
Et mes pas en ce lieu, s'il faut que je le die,
Ne croyaient pas trouver si bonne compagnie.

DONE ELVIRE

Cette vue, en effet, surprend au dernier point;
Et, de même que vous, je ne l'attendais point.

DOM GARCIE

Oui, Madame, je crois que de cette visite,
Comme vous l'assurez, vous n'étiez point instruite.

A Dom Sylve.

Mais, Seigneur, vous deviez nous faire au moins l'honneur
De nous donner avis de ce rare bonheur,
Et nous mettre en état, sans nous vouloir surprendre,
De vous rendre en ces lieux ce qu'on voudrait vous rendre.

DOM SYLVE

Les héroïques soins vous occupent si fort,
Que de vous en tirer, Seigneur, j'aurais eu tort;
Et des grands conquérants les sublimes pensées
Sont aux civilités avec peine abaissées.

DOM GARCIE

Mais les grands conquérants, dont on vante les soins,
Loin d'aimer le secret, affectent les témoins.
Leur âme, dès l'enfance à la gloire élevée,
Les fait dans leurs projets aller tête levée,
Et, s'appuyant toujours sur des hauts sentiments,
Ne s'abaisse jamais à des déguisements.
Ne commettez-vous point vos vertus héroïques
En passant dans ces lieux par des sourdes pratiques?
Et ne craignez-vous point qu'on puisse, aux yeux de tous,
Trouver cette action trop indigne de vous?

DOM SYLVE

Je ne sais si quelqu'un blâmera ma conduite,
Au secret que j'ai fait d'une telle visite;
Mais je sais qu'aux projets qui veulent la clarté,
Prince, je n'ai jamais cherché l'obscurité;
Et quand j'aurai sur vous à faire une entreprise,
Vous n'aurez pas sujet de blâmer la surprise :
Il ne tiendra qu'à vous de vous en garantir,
Et l'on prendra le soin de vous en avertir.
Cependant demeurons aux termes ordinaires,
Remettons nos débats après d'autres affaires,
Et, d'un sang un peu chaud réprimant les bouillons,
N'oublions pas tous deux devant qui nous parlons.

DONE ELVIRE, *à Dom Garcie.*

Prince, vous avez tort; et sa visite est telle
Que vous...

DOM GARCIE

       Ah! c'en est trop que prendre sa querelle,
Madame, et votre esprit devrait feindre un peu mieux,
Lorsqu'il veut ignorer sa venue en ces lieux.
Cette chaleur si prompte à vouloir la défendre
Persuade assez mal qu'elle ait pu vous surprendre.

DONE ELVIRE

Quoi que vous soupçonniez, il m'importe si peu
Que j'aurais du regret d'en faire un désaveu.

DOM GARCIE

Poussez donc jusqu'au bout cet orgueil héroïque,
Et que sans hésiter tout votre cœur s'explique :
C'est au déguisement donner trop de crédit.
Ne désavouez rien, puisque vous l'avez dit.
Tranchez, tranchez le mot, forcez toute contrainte,
Dites que de ses feux vous ressentez l'atteinte,
Que pour vous sa présence a des charmes si doux...

DONE ELVIRE

Et si je veux l'aimer, m'en empêcherez-vous ?
Avez-vous sur mon cœur quelque empire à prétendre ?
Et pour régler mes vœux, ai-je votre ordre à prendre ?
Sachez que trop d'orgueil a pu vous décevoir,
Si votre cœur sur moi s'est cru quelque pouvoir ;
Et que mes sentiments sont d'une âme trop grande,
Pour vouloir les cacher, lorsqu'on me les demande.
Je ne vous dirai point si le Comte est aimé ;
Mais apprenez de moi qu'il est fort estimé,
Que ses hautes vertus, pour qui je m'intéresse,
Méritent mieux que vous les vœux d'une Princesse,
Que je garde aux ardeurs, aux soins qu'il me fait voir,
Tout le ressentiment qu'une âme puisse avoir,
Et que, si des destins la fatale puissance
M'ôte la liberté d'être sa récompense,
Au moins est-il en moi de promettre à ses vœux
Qu'on ne me verra point le butin de vos feux ;
Et, sans vous amuser d'une attente frivole,
C'est à quoi je m'engage et je tiendrai parole.
Voilà mon cœur ouvert, puisque vous le voulez,
Et mes vrais sentiments à vos yeux étalés.
Etes-vous satisfait ? et mon âme attaquée
S'est-elle, à votre avis, assez bien expliquée ?
Voyez, pour vous ôter tout lieu de soupçonner,
S'il reste quelque jour encore à vous donner.

A Dom Sylve.

Cependant, si vos soins s'attachent à me plaire,
Songez que votre bras, Comte, m'est nécessaire,

Et d'un capricieux quels que soient les transports,
Qu'à punir nos tyrans il doit tous ses efforts.
Fermez l'oreille enfin à toute sa furie,
Et, pour vous y porter, c'est moi qui vous en prie.

SCÈNE IV

DOM GARCIE, DOM SYLVE

DOM GARCIE

Tout vous rit, et votre âme en cette occasion
Jouit superbement de ma confusion.
Il vous est doux de voir un aveu plein de gloire
Sur les feux d'un rival marquer votre victoire;
Mais c'est à votre joie un surcroît sans égal
D'en avoir pour témoins les yeux de ce rival,
Et mes prétentions hautement étouffées
A vos vœux triomphants sont d'illustres trophées.
Goûtez à pleins transports ce bonheur éclatant;
Mais sachez qu'on n'est pas encore où l'on prétend.
La fureur qui m'anime a de trop justes causes,
Et l'on verra peut-être arriver bien des choses :
Un désespoir va loin quand il est échappé,
Et tout est pardonnable à qui se voit trompé.
Si l'ingrate, à mes yeux, pour flatter votre flamme,
A jamais n'être à moi vient d'engager son âme,
Je saurai bien trouver, dans mon juste courroux,
Les moyens d'empêcher qu'elle ne soit à vous.

DOM SYLVE

Cet obstacle n'est pas ce qui me met en peine.
Nous verrons quelle attente en tout cas sera vaine;
Et chacun, de ses feux, pourra par sa valeur
Ou défendre la gloire, ou venger le malheur.
Mais comme, entre rivaux, l'âme la plus posée
A des termes d'aigreur trouve une pente aisée,
Et que je ne veux point qu'un pareil entretien
Puisse trop échauffer votre esprit et le mien,
Prince, affranchissez-moi d'une gêne secrète,
Et me donnez moyen de faire ma retraite.

DOM GARCIE

Non, non, ne craignez point qu'on pousse votre esprit
A violer ici l'ordre qu'on vous prescrit.
Quelque juste fureur qui me presse et vous flatte,
Je sais, Comte, je sais quand il faut qu'elle éclate.
Ces lieux vous sont ouverts ; oui, sortez-en, sortez
Glorieux des douceurs que vous en remportez ;
Mais, encore une fois, apprenez que ma tête
Peut seule dans vos mains mettre votre conquête.

DOM SYLVE

Quand nous en serons là, le sort en notre bras
De tous nos intérêts videra les débats.

ACTE IV

SCÈNE PREMIÈRE

DONE ELVIRE, DOM ALVAR

DONE ELVIRE

Retournez, Dom Alvar, et perdez l'espérance
De me persuader l'oubli de cette offense.
Cette plaie en mon cœur ne saurait se guérir,
Et les soins qu'on en prend ne font rien que l'aigrir
A quelques faux respects croit-il que je défère ?
Non, non : il a poussé trop avant ma colère ;
Et son vain repentir, qui porte ici vos pas,
Sollicite un pardon que vous n'obtiendrez pas.

DOM ALVAR

Madame, il fait pitié. Jamais cœur, que je pense,
Par un plus vif remords n'expia son offense ;
Et si dans sa douleur vous le considériez,
Il toucherait votre âme, et vous l'excuseriez.
On sait bien que le Prince est dans un âge à suivre
Les premiers mouvements où son âme se livre,

Et qu'en un sang bouillant toutes les passions
Ne laissent guère place à des réflexions.
Dom Lope, prévenu d'une fausse lumière,
De l'erreur de son maître a fourni la matière.
Un bruit assez confus, dont le zèle indiscret
A de l'abord du Comte éventé le secret,
Vous avait mise aussi de cette intelligence
Qui dans ces lieux gardés a donné sa présence.
Le Prince a cru l'avis, et son amour séduit,
Sur une fausse alarme, a fait tout ce grand bruit;
Mais d'une telle erreur son âme est revenue :
Votre innocence enfin lui vient d'être connue,
Et Dom Lope qu'il chasse est un visible effet
Du vif remords qu'il sent de l'éclat qu'il a fait.

DONE ELVIRE

Ah! c'est trop promptement qu'il croit mon innocence;
Il n'en a pas encore une entière assurance.
Dites-lui, dites-lui qu'il doit bien tout peser,
Et ne se hâter point, de peur de s'abuser.

DOM ALVAR

Madame, il sait trop bien...

DONE ELVIRE

                    Mais, Dom Alvar, de grâce,
N'étendons pas plus loin un discours qui me lasse :
Il réveille un chagrin qui vient à contre-temps
En troubler dans mon cœur d'autres plus importants.
Oui, d'un trop grand malheur la surprise me presse,
Et le bruit du trépas de l'illuste Comtesse
Doit s'emparer si bien de tout mon déplaisir,
Qu'aucun autre souci n'a droit de me saisir.

DOM ALVAR

Madame, ce peut être une fausse nouvelle;
Mais mon retour au Prince en porte une cruelle.

DONE ELVIRE

De quelque grand ennui qu'il puisse être agité,
Il en aura toujours moins qu'il n'a mérité.

SCÈNE II

DONE ELVIRE, ÉLISE

ÉLISE

J'attendais qu'il sortît, Madame, pour vous dire
Ce qu'il veut maintenant que votre âme respire,
Puisque votre chagrin, dans un moment d'ici,
Du sort de Done Ignès peut se voir éclairci.
Un inconnu, qui vient pour cette confidence,
Vous fait par un des siens demander audience.

DONE ELVIRE

Elise, il faut le voir; qu'il vienne promptement.

ÉLISE

Mais il veut n'être vu que de vous seulement,
Et par cet envoyé, Madame, il sollicite
Qu'il puisse sans témoins vous rendre sa visite.

DONE ELVIRE

Hé bien! nous serons seuls, et je vais l'ordonner,
Tandis que tu prendras le soin de l'amener.
Que mon impatience en ce moment est forte!
Ô destins! est-ce joie ou douleur qu'on m'apporte?

SCÈNE III

DOM PÈDRE, ÉLISE

ÉLISE

Où?...

DOM PÈDRE

Si vous me cherchez, Madame, me voici.

ÉLISE

En quel lieu votre maître?...

DOM PÈDRE

Il est proche d'ici;
Le ferai-je venir?

ÉLISE

Dites-lui qu'il s'avance,
Assuré qu'on l'attend avec impatience,
Et qu'il ne se verra d'aucuns yeux éclairé.

Seule.

Je ne sais quel secret en doit être auguré :
Tant de précautions qu'il affecte de prendre...
Mais le voici déjà.

SCÈNE IV

DONE IGNÈS, ÉLISE

ÉLISE

Seigneur, pour vous attendre
On a fait... Mais que vois-je? Ha! Madame, mes yeux...

DONE IGNÈS, *en habit de cavalier.*

Ne me découvrez point, Elise, dans ces lieux,
Et laissez respirer ma triste destinée
Sous une feinte mort que je me suis donnée.
C'est elle qui m'arrache à tous mes fiers tyrans,
Car je puis sous ce nom comprendre mes parents.
J'ai par elle évité cet hymen redoutable
Pour qui j'aurais souffert une mort véritable
Et, sous cet équipage et le bruit de ma mort,
Il faut cacher à tous le secret de mon sort,
Pour me voir à l'abri de l'injuste poursuite
Qui pourrait dans ces lieux persécuter ma fuite.

ÉLISE

Ma surprise en public eût trahi vos désirs;
Mais allez là-dedans étouffer des soupirs,
Et des charmants transports d'une pleine allégresse
Saisir à votre aspect le cœur de la Princesse.
Vous la trouverez seule : elle-même a pris soin
Que votre abord fût libre et n'eût aucun témoin.
Vois-je pas Dom Alvar?

SCÈNE V

DOM ALVAR, ÉLISE

DOM ALVAR

Le Prince me renvoie
Vous prier que pour lui votre crédit s'emploie.
De ses jours, belle Élise, on doit n'espérer rien,
S'il n'obtient par vos soins un moment d'entretien;
Son âme a des transports... Mais le voici lui-même.

SCÈNE VI

DOM GARCIE, DOM ALVAR,
ÉLISE

DOM GARCIE

Ah! sois un peu sensible à ma disgrâce extrême,
Élise, et prends pitié d'un cœur infortuné
Qu'aux plus vives douleurs tu vois abandonné.

ÉLISE

C'est avec d'autres yeux que ne fait la Princesse,
Seigneur, que je verrais le tourment qui vous presse;
Mais nous avons du Ciel, ou du tempérament,
Que nous jugeons de tout chacun diversement.
Et puisqu'elle vous blâme, et que sa fantaisie
Lui fait un monstre affreux de votre jalousie,
Je serais complaisante, et voudrais m'efforcer
De cacher à ses yeux ce qui peut les blesser.
Un amant suit sans doute une utile méthode,
S'il fait qu'à notre humeur la sienne s'accommode,
Et cent devoirs font moins que ces ajustements
Qui font croire en deux cœurs les mêmes sentiments.
L'art de ces deux rapports fortement les assemble,
Et nous n'aimons rien tant que ce qui nous ressemble.

DOM GARCIE

Je le sais; mais, hélas! les destins inhumains
S'opposent à l'effet de ces justes desseins,
Et, malgré tous mes soins, viennent toujours me tendre
Un piège dont mon cœur ne saurait se défendre.
Ce n'est pas que l'ingrate aux yeux de mon rival
N'ait fait contre mes feux un aveu trop fatal,
Et témoigné pour lui des excès de tendresse
Dont le cruel objet me reviendra sans cesse;
Mais comme trop d'ardeur enfin m'avait séduit
Quand j'ai cru qu'en ces lieux elle l'ait introduit,
D'un trop cuisant ennui je sentirais l'atteinte
A lui laisser sur moi quelque sujet de plainte.
Oui, je veux faire au moins, si je m'en vois quitté,
Que ce soit de son cœur pure infidélité,
Et, venant m'excuser d'un trait de promptitude,
Dérober tout prétexte à son ingratitude.

ÉLISE

Laissez un peu de temps à son ressentiment,
Et ne la voyez point, Seigneur, si promptement.

DOM GARCIE

Ah! si tu me chéris, obtiens que je la voie :
C'est une liberté qu'il faut qu'elle m'octroie;
Je ne pars point d'ici, qu'au moins son fier dédain...

ÉLISE

De grâce, différez l'effet de ce dessein.

DOM GARCIE

Non, ne m'oppose point une excuse frivole.

ÉLISE, *à part.*

Il faut que ce soit elle, avec une parole,
Qui trouve les moyens de le faire en aller.

A Dom Garcie.

Demeurez donc, Seigneur, je m'en vais lui parler.

DOM GARCIE

Dis-lui que j'ai d'abord banni de ma présence
Celui dont les avis ont causé mon offense,
Que Dom Lope jamais...

SCÈNE VII

DOM GARCIE, DOM ALVAR

DOM GARCIE, *regardant par la porte qu'Elise a laissée entrouverte.*

                    Que vois-je, ô justes Cieux!
Faut-il que je m'assure au rapport de mes yeux?
Ah! sans doute ils me sont des témoins trop fidèles.
Voilà le comble affreux de mes peines mortelles,
Voici le coup fatal qui devait m'accabler;
Et quand par des soupçons je me sentais troubler,
C'était, c'était le Ciel, dont la sourde menace
Présageait à mon cœur cette horrible disgrâce.

DOM ALVAR

Qu'avez-vous vu, Seigneur, qui vous puisse émouvoir?

DOM GARCIE

J'ai vu ce que mon âme a peine à concevoir[8];
Et le renversement de toute la nature
Ne m'étonnerait pas comme cette aventure.
C'en est fait... Le destin... Je ne saurais parler.

DOM ALVAR

Seigneur, que votre esprit tâche à se rappeler.

DOM GARCIE

J'ai vu... Vengeance, ô Ciel!

DOM ALVAR

                    Quelle atteinte soudaine...

DOM GARCIE

J'en mourrai, Dom Alvar, la chose est bien certaine.

DOM ALVAR

Mais, Seigneur, qui pourrait...

DOM GARCIE

Ah! tout est ruiné;
Je suis, je suis trahi, je suis assassiné;
Un homme... Sans mourir te le puis-je bien dire?
Un homme dans les bras de l'infidèle Elvire!

DOM ALVAR

Ah! Seigneur, la princesse est vertueuse au point...

DOM GARCIE

Ah! sur ce que j'ai vu ne me contestez point,
Dom Alvar; c'en est trop que soutenir sa gloire,
Lorsque mes yeux font foi d'une action si noire.

DOM ALVAR

Seigneur, nos passions nous font prendre souvent
Pour chose véritable un objet décevant;
Et de croire qu'une âme à la vertu nourrie
Se puisse...

DOM GARCIE

Dom Alvar, laissez-moi, je vous prie :
Un conseiller me choque en cette occasion,
Et je ne prends avis que de ma passion.

DOM ALVAR, *à part.*

Il ne faut rien répondre à cet esprit farouche.

DOM GARCIE

Ah! que sensiblement cette atteinte me touche!
Mais il faut voir qui c'est, et de ma main punir.
La voici. Ma fureur, te peux-tu retenir?

SCÈNE VIII

DONE ELVIRE, DOM GARCIE,
DOM ALVAR

DONE ELVIRE

Hé bien! que voulez-vous? Et quel espoir, de grâce,
Après vos procédés, peut flatter votre audace?
Osez-vous à mes yeux encor vous présenter[9]?
Et que me direz-vous que je doive écouter?

DOM GARCIE

Que toutes les horreurs dont une âme est capable
A vos déloyautés n'ont rien de comparable,
Que le sort, les démons, et le Ciel en courroux,
N'ont jamais rien produit de si méchant que vous.

DONE ELVIRE

Ah! vraiment, j'attendais l'excuse d'un outrage;
Mais, à ce que je vois, c'est un autre langage.

DOM GARCIE

Oui, oui, c'en est un autre; et vous n'attendiez pas
Que j'eusse découvert le traître dans vos bras,
Qu'un funeste hasard par la porte entrouverte
Eût offert à mes yeux votre honte et ma perte.
Est-ce l'heureux amant sur ses pas revenu,
Ou quelque autre rival qui m'était inconnu?
O Ciel! donne à mon cœur des forces suffisantes
Pour pouvoir supporter des douleurs si cuisantes!
Rougissez maintenant, vous en avez raison.
Et le masque est levé de votre trahison.
Voilà ce que marquaient les troubles de mon âme :
Ce n'était pas en vain que s'alarmait ma flamme;
Par ces fréquents soupçons qu'on trouvait odieux,
Je cherchais le malheur qu'ont rencontré mes yeux,
Et, malgré tous vos soins et votre adresse à feindre,
Mon astre me disait ce que j'avais à craindre.
Mais ne présumez pas que sans être vengé
Je souffre le dépit de me voir outragé.
Je sais que sur les vœux on n'a point de puissance,
Que l'amour veut partout naître sans dépendance,
Que jamais par la force on n'entra dans un cœur,
Et que toute âme est libre à nommer son vainqueur :
Aussi ne trouverais-je aucun sujet de plainte,
Si pour moi votre bouche avait parlé sans feinte;
Et, son arrêt livrant mon espoir à la mort,
Mon cœur n'aurait eu droit de s'en prendre qu'au sort.
Mais d'un aveu trompeur voir ma flamme applaudie,
C'est une trahison, c'est une perfidie
Qui ne saurait trouver de trop grands châtiments,
Et je puis tout permettre à mes ressentiments.
Non, non, n'espérez rien après un tel outrage :
Je ne suis plus à moi, je suis tout à la rage.

Veut sur ma seule foi croire mon innocence
Et de tous vos soupçons démentir le crédit
Pour croire aveuglément ce que mon cœur vous dit,
Cette soumission, cette marque d'estime,
Du passé dans ce cœur efface tout le crime ;
Je rétracte à l'instant ce qu'un juste courroux
M'a fait dans la chaleur prononcer contre vous ;
Et si je puis un jour choisir ma destinée
Sans choquer les devoirs du rang où je suis née,
Mon honneur, satisfait par ce respect soudain,
Promet à votre amour et mes vœux et ma main.
Mais prêtez bien l'oreille à ce que je vais dire :
Si cette offre sur vous obtient si peu d'empire
Que vous me refusiez de me faire entre nous
Un sacrifice entier de vos soupçons jaloux,
S'il ne vous suffit pas de toute l'assurance
Que vous peuvent donner mon cœur et ma naissance,
Et que de votre esprit les ombrages puissants
Forcent mon innocence à convaincre vos sens
Et porter à vos yeux l'éclatant témoignage
D'une vertu sincère à qui l'on fait outrage,
Je suis prête à le faire, et vous serez content ;
Mais il vous faut de moi détacher à l'instant,
A mes vœux pour jamais renoncer de vous-même ;
Et j'atteste du Ciel la puissance suprême
Que, quoi que le destin puisse ordonner de nous,
Je choisirai plutôt d'être à la mort qu'à vous.
Voilà dans ces deux choix de quoi vous satisfaire :
Avisez maintenant celui qui peut vous plaire.

DOM GARCIE

Juste Ciel ! jamais rien peut-il être inventé
Avec plus d'artifice et de déloyauté ?
Tout ce que des enfers la malice étudie
A-t-il rien de si noir que cette perfidie ?
Et peut-elle trouver dans toute sa rigueur
Un plus cruel moyen d'embarrasser un cœur ?
Ah ! que vous savez bien ici contre moi-même,
Ingrate, vous servir de ma faiblesse extrême,
Et ménager pour vous l'effort prodigieux
De ce fatal amour né de vos traîtres yeux !
Parce qu'on est surprise et qu'on manque d'excuse,
D'une offre de pardon on emprunte la ruse ;

Votre feinte douceur forge un amusement
Pour divertir l'effet de mon ressentiment,
Et, par le nœud subtil du choix qu'elle embarrasse,
Veut soustraire un perfide au coup qui le menace.
Oui, vos dextérités veulent me détourner
D'un éclaircissement qui vous doit condamner;
Et votre âme, feignant une innocence entière,
Ne s'offre à m'en donner une pleine lumière
Qu'à des conditions qu'après d'ardents souhaits
Vous pensez que mon cœur n'acceptera jamais.
Mais vous serez trompée en me croyant surprendre;
Oui, oui, je prétends voir ce qui doit vous défendre,
Et quel fameux prodige, accusant ma fureur,
Peut de ce que j'ai vu justifier l'horreur.

DONE ELVIRE

Songez que par ce choix vous allez vous prescrire
De ne plus rien prétendre au cœur de Done Elvire.

DOM GARCIE

Soit; je souscris à tout, et mes vœux aussi bien,
En l'état où je suis, ne prétendent plus rien.

DONE ELVIRE

Vous vous repentirez de l'éclat que vous faites.

DOM GARCIE

Non, non, tous ces discours sont de vaines défaites;
Et c'est moi bien plutôt qui dois vous avertir
Que quelque autre dans peu se pourra repentir.
Le traître, quel qu'il soit, n'aura pas l'avantage
De dérober sa vie à l'effort de ma rage.

DONE ELVIRE

Ah! c'est trop en souffrir et mon cœur irrité
Ne doit plus conserver une sotte bonté;
Abandonnons l'ingrat à son propre caprice,
Et puisqu'il veut périr, consentons qu'il périsse.

A Dom Garcie.

Élise... A cet éclat vous voulez me forcer;
Mais je vous apprendrai que c'est trop m'offenser.

Elise entre.

Faites un peu sortir la personne chérie...
Allez, vous m'entendez; dites que je l'en prie.

DOM GARCIE

Et je puis...

DONE ELVIRE

Attendez, vous serez satisfait.

ÉLISE, *à part, en sortant.*

Voici de son jaloux sans doute un nouveau trait.

DONE ELVIRE

Prenez garde qu'au moins cette noble colère
Dans la même fierté jusqu'au bout persévère;
Et surtout désormais songez bien à quel prix
Vous avez voulu voir vos soupçons éclaircis.

A Dom Garcie, en lui montrant Done Ignès.

Voici, grâces au Ciel, ce qui les a fait naître,
Ces soupçons obligeants que l'on me fait paraître;
Voyez bien ce visage, et si de Done Ignès
Vos yeux au même instant n'y connaissent les traits.

SCÈNE IX

DOM GARCIE, DONE ELVIRE, DONE IGNÈS,
DOM ALVAR, ÉLISE

DOM GARCIE

O. Ciel!

DONE ELVIRE

Si la fureur dont votre âme est émue
Vous trouble jusque-là l'usage de la vue,
Vous avez d'autres yeux à pouvoir consulter
Qui ne vous laisseront aucun lieu de douter.
Sa mort est une adresse au besoin inventée

Pour fuir l'autorité qui l'a persécutée;
Et sous un tel habit elle cachait son sort,
Pour mieux jouir du fruit de cette feinte mort.

A Done Ignès.

Madame, pardonnez, s'il faut que je consente
A trahir vos secrets et tromper votre attente :
Je me vois exposée à sa témérité;
Toutes mes actions n'ont plus de liberté,
Et mon honneur, en butte aux soupçons qu'il peut prendre
Est réduit à toute heure aux soins de se défendre.
Nos doux embrassements, qu'a surpris ce jaloux,
De cent indignités m'ont fait souffrir les coups.
Oui, voilà le sujet d'une fureur si prompte,
Et l'assuré témoin qu'on produit de ma honte.

A Dom Garcie.

Jouissez à cette heure en tyran absolu
De l'éclaircissement que vous avez voulu;
Mais sachez que j'aurai sans cesse la mémoire
De l'outrage sanglant qu'on a fait à ma gloire;
Et si je puis jamais oublier mes serments,
Tombent sur moi du Ciel les plus grands châtiments!
Qu'un tonnerre éclatant mette ma tête en poudre,
Lorsqu'à souffrir vos feux je pourrai me résoudre!

A Done Ignès.

Allons, Madame, allons, ôtons-nous de ces lieux,
Qu'infectent les regards d'un monstre furieux;
Fuyons-en promptement l'atteinte envenimée,
Evitons les effets de sa rage animée,
Et ne faisons des vœux, dans nos justes desseins,
Que pour nous voir bientôt affranchir de ses mains.

DONE IGNÈS, *à Dom Garcie.*

Seigneur, de vos soupçons l'injuste violence
A la même vertu vient de faire une offense.

Done Ignès et Done Elvire se retirent.

DOM GARCIE

Quelles tristes clartés dissipent mon erreur,
Enveloppent mes sens d'une profonde horreur,
Et ne laissent plus voir à mon âme abattue
Que l'effroyable objet d'un remords qui me tue!

Ah! Dom Alvar, je vois que vous avez raison;
Mais l'enfer dans mon cœur a soufflé son poison;
Et, par un trait fatal d'une rigueur extrême,
Mon plus grand ennemi se rencontre en moi-même.
Que me sert-il d'aimer du plus ardent amour
Qu'une âme consumée ait jamais mis au jour,
Si par ses mouvements, qui font toute ma peine,
Cet amour à tous coups se rend digne de haine?
Il faut, il faut venger par mon juste trépas
L'outrage que j'ai fait à ses divins appas;
Aussi bien quel conseil aujourd'hui puis-je suivre?
Ah! j'ai perdu l'objet pour qui j'aimais à vivre;
Si j'ai pu renoncer à l'espoir de ses vœux,
Renoncer à la vie est beaucoup moins fâcheux.

DOM ALVAR

Seigneur...

DOM GARCIE

            Non, Dom Alvar, ma mort est nécessaire;
Il n'est soins ni raisons qui m'en puissent distraire.
Mais il faut que mon sort, en se précipitant,
Rende à cette princesse un service éclatant;
Et je veux me chercher dans cette illustre envie
Les moyens glorieux de sortir de la vie,
Faire par un grand coup qui signale ma foi,
Qu'en expirant pour elle, elle ait regret à moi,
Et qu'elle puisse dire, en se voyant vengée :
« C'est par son trop d'amour qu'il m'avait outragée. »
Il faut que de ma main un illustre attentat
Porte une mort trop due au sein de Mauregat,
Que j'aille prévenir par une belle audace
Le coup dont la Castille avec bruit le menace;
Et j'aurai des douceurs, dans mon instant fatal,
De ravir cette gloire à l'espoir d'un rival.

DOM ALVAR

Un service, Seigneur, de cette conséquence
Aurait bien le pouvoir d'effacer votre offense;
Mais hasarder...

DOM GARCIE

            Allons, par un juste devoir,
Faire à ce noble effort servir mon désespoir.

ACTE V

SCÈNE PREMIÈRE

DOM ALVAR, ÉLISE

DOM ALVAR

Oui, jamais, il ne fut de si rude surprise :
Il venait de former cette haute entreprise ;
A l'avide désir d'immoler Mauregat
De son prompt désespoir il tournait tout l'éclat ;
Ses soins précipités voulaient à son courage
De cette juste mort assurer l'avantage,
Y chercher son pardon, et prévenir l'ennui
Qu'un rival partageât cette gloire avec lui.
Il sortait de ces murs, quand un bruit trop fidèle
Est venu lui porter la fâcheuse nouvelle
Que ce même rival, qu'il voulait prévenir,
A remporté l'honneur qu'il pensait obtenir,
L'a prévenu lui-même en immolant le traître,
Et pousse dans ce jour Dom Alphonse à paraître,
Qui d'un si prompt succès va goûter la douceur
Et vient prendre en ces lieux la princesse sa sœur.
Et, ce qui n'a pas peine à gagner la croyance,
On entend publier que c'est la récompense
Dont il prétend payer le service éclatant
Du bras qui lui fait jour au trône qui l'attend.

ÉLISE

Oui, Done Elvire a su ces nouvelles semées,
Et du vieux Dom Louis les trouve confirmées,
Qui vient de lui mander que Léon, dans ce jour,
De Dom Alphonse et d'elle attend l'heureux retour,
Et que c'est là qu'on doit, par un revers prospère,
Lui voir prendre un époux de la main de ce frère ;
Dans ce peu qu'il en dit, il donne assez à voir
Que Dom Sylve est l'époux qu'elle doit recevoir.

DOM ALVAR

Ce coup au cœur du Prince...

ÉLISE

                    Est sans doute bien rude,
Et je le trouve à plaindre en son inquiétude.
Son intérêt pourtant, si j'en ai bien jugé,
Est encor cher au cœur qu'il a tant outragé;
Et je n'ai point connu qu'à ce succès qu'on vante,
La Princesse ait fait voir une âme fort contente
De ce frère qui vient, et de la lettre aussi.
Mais...

SCÈNE II

DONE ELVIRE, DOM ALVAR, ÉLISE,
DONE IGNÈS, *déguisée en homme.*

DONE ELVIRE

Faites, Dom Alvar, venir le Prince ici.

A Done Ignès.

Souffrez que devant vous je lui parle, Madame,
Sur cet événement dont on surprend mon âme;
Et ne m'accusez point d'un trop prompt changement,
Si je perds contre lui tout mon ressentiment.
Sa disgrâce imprévue a pris droit de l'éteindre;
Sans lui laisser ma haine, il est assez à plaindre,
Et le Ciel, qui l'expose à ce trait de rigueur,
N'a que trop bien servi les serments de mon cœur :
Un éclatant arrêt de ma gloire outragée
A jamais n'être à lui me tenait engagée;
Mais quand par les destins il est exécuté,
J'y vois pour son amour trop de sévérité;
Et le triste succès de tout ce qu'il m'adresse
M'efface son offense et lui rend ma tendresse.
Oui, mon cœur, trop vengé par de si rudes coups,
Laisse à leur cruauté désarmer son courroux,
Et cherche maintenant, par un soin pitoyable,
A consoler le sort d'un amant misérable;

Et je crois que sa flamme a bien pu mériter
Cette compassion que je lui veux prêter.

DONE IGNÈS

Madame, on aurait tort de trouver à redire
Aux tendres sentiments qu'on voit qu'il vous inspire.
Ce qu'il a fait pour vous... Il vient, et sa pâleur
De ce coup surprenant marque assez la douleur.

SCÈNE III

DOM GARCIE, DONE ELVIRE,
DONE IGNÈS, *déguisée en homme*, ÉLISE

DOM GARCIE

Madame, avec quel front faut-il que je m'avance,
Quand je viens vous offrir l'odieuse présence...

DONE ELVIRE

Prince, ne parlons plus de mon ressentiment :
Votre sort dans mon âme a fait du changement,
Et, par le triste état où sa rigueur vous jette,
Ma colère est éteinte et notre paix est faite.
Oui, bien que votre amour ait mérité les coups
Que fait sur lui du Ciel éclater le courroux,
Bien que ses noirs soupçons aient offensé ma gloire
Par des indignités qu'on aurait peine à croire,
J'avouerai toutefois que je plains son malheur
Jusqu'à voir nos succès avec quelque douleur;
Que je hais les faveurs de ce fameux service
Lorsqu'on veut de mon cœur lui faire un sacrifice,
Et voudrais bien pouvoir racheter les moments
Où le sort contre vous n'armait que mes serments.
Mais enfin vous savez comme nos destinées
Aux intérêts publics sont toujours enchaînées,
Et que l'ordre des Cieux, pour disposer de moi,
Dans mon frère qui vient me va montrer mon Roi.
Cédez comme moi, Prince, à cette violence
Où la grandeur soumet celle de ma naissance;
Et si de votre amour les déplaisirs sont grands,

Qu'il se fasse un secours de la part que j'y prends,
Et ne se serve point contre un coup qui l'étonne
Du pouvoir qu'en ces lieux votre valeur vous donne.
Ce vous serait sans doute un indigne transport
De vouloir dans vos maux lutter contre le sort ;
Et lorsque c'est en vain qu'on s'oppose à sa rage,
La soumission prompte est grandeur de courage.
Ne résistez donc point à ses coups éclatants,
Ouvrez les murs d'Astorgue au frère que j'attends,
Laissez-moi rendre aux droits qu'il peut sur moi prétendre
Ce que mon triste cœur a résolu de rendre ;
Et ce fatal hommage, où mes vœux sont forcés,
Peut-être n'ira pas si loin que vous pensez.

DOM GARCIE

C'est faire voir, Madame, une bonté trop rare
Que vouloir adoucir le coup qu'on me prépare ;
Sur moi sans de tels soins vous pouvez laisser choir
Le foudre rigoureux de tout votre devoir.
En l'état où je suis je n'ai rien à vous dire ;
J'ai mérité du sort tout ce qu'il a de pire,
Et je sais, quelques maux qu'il me faille endurer,
Que je me suis ôté le droit d'en murmurer.
Par où pourrais-je, hélas ! dans ma vaste disgrâce,
Vers vous de quelque plainte autoriser l'audace ?
Mon amour s'est rendu mille fois odieux,
Il n'a fait qu'outrager vos attraits glorieux ;
Et lorsque par un juste et fameux sacrifice
Mon bras à votre sang cherche à rendre un service,
Mon astre m'abandonne au déplaisir fatal
De me voir prévenu par le bras d'un rival.
Madame, après cela je n'ai rien à prétendre ;
Je suis digne du coup que l'on me fait attendre,
Et je le vois venir sans oser contre lui
Tenter de votre cœur le favorable appui.
Ce qui peut me rester dans mon malheur extrême,
C'est de chercher alors mon remède en moi-même,
Et faire que ma mort, propice à mes désirs,
Affranchisse mon cœur de tous ses déplaisirs.
Oui, bientôt dans ces lieux Dom Alphonse doit être,
Et déjà mon rival commence de paraître ;
De Léon vers ces murs il semble avoir volé
Pour recevoir le prix du tyran immolé.

Ne craignez point du tout qu'aucune résistance
Fasse valoir ici ce que j'ai de puissance :
Il n'est effort humain que, pour vous conserver,
Si vous y consentiez, je ne pusse braver;
Mais ce n'est pas à moi, dont on hait la mémoire,
A pouvoir espérer cet aveu plein de gloire,
Et je ne voudrais pas, par des efforts trop vains,
Jeter le moindre obstacle à vos justes desseins.
Non, je ne contrains point vos sentiments, Madame;
Je vais en liberté laisser toute votre âme,
Ouvrir les murs d'Astorgue à cet heureux vainqueur,
Et subir de mon sort la dernière rigueur.

SCÈNE IV

DONE ELVIRE
DONE IGNÈS, *déguisée en homme*, ÉLISE

DONE ELVIRE

Madame, au désespoir où son destin l'expose
De tous mes déplaisirs n'imputez pas la cause :
Vous me rendrez justice en croyant que mon cœur
Fait de vos intérêts sa plus vive douleur,
Que bien plus que l'amour l'amitié m'est sensible,
Et que si je me plains d'une disgrâce horrible,
C'est de voir que du Ciel le funeste courroux
Ait pris chez moi les traits qu'il lance contre vous,
Et rendu mes regards coupables d'une flamme
Qui traite indignement les bontés de votre âme.

DONE IGNÈS

C'est un événement dont sans doute vos yeux
N'ont point pour moi, Madame, à quereller les Cieux.
Si les faibles attraits qu'étale mon visage
M'exposaient au destin de souffrir un volage,
Le Ciel ne pouvait mieux m'adoucir de tels coups,
Quand, pour m'ôter ce cœur, il s'est servi de vous;
Et mon front ne doit point rougir d'une inconstance
Qui de vos traits aux miens marque la différence.
Si pour ce changement je pousse des soupirs,

Ils viennent de le voir fatal à vos désirs ;
Et dans cette douleur que l'amitié m'excite
Je m'accuse pour vous de mon peu de mérite,
Qui n'a pu retenir un cœur dont les tributs
Causent un si grand trouble à vos vœux combattus.

DONE ELVIRE

Accusez-vous plutôt de l'injuste silence
Qui m'a de vos deux cœurs caché l'intelligence.
Ce secret, plus tôt su, peut-être à toutes deux
Nous aurait épargné des troubles si fâcheux ;
Et mes justes froideurs, des désirs d'un volage
Au point de leur naissance ayant banni l'hommage,
Eussent pu renvoyer...

DONE IGNÈS

Madame, le voici.

DONE ELVIRE

Sans rencontrer ses yeux vous pouvez être ici.
Ne sortez point, Madame, et, dans un tel martyre,
Veuillez être témoin de ce que je vais dire.

DONE IGNÈS

Madame, j'y consens, quoique je sache bien
Qu'on fuirait en ma place un pareil entretien.

DONE ELVIRE

Son succès, si le Ciel seconde ma pensée,
Madame, n'aura rien dont vous soyez blessée.

SCÈNE V

DOM SYLVE, DONE ELVIRE,
DONE IGNÈS, *déguisée en homme.*

DONE ELVIRE

Avant que vous parliez, je demande instamment
Que vous daigniez, Seigneur, m'écouter un moment.
Déjà la renommée a jusqu'à nos oreilles
Porté de votre bras les soudaines merveilles ;

Et j'admire avec tous comme en si peu de temps
Il donne à nos destins ces succès éclatants.
Je sais bien qu'un bienfait de cette conséquence
Ne saurait demander trop de reconnaissance,
Et qu'on doit toute chose à l'exploit immortel
Qui replace mon frère au trône paternel.
Mais quoi que de son cœur vous offrent les hommages,
Usez en généreux de tous vos avantages,
Et ne permettez pas que ce coup glorieux
Jette sur moi, Seigneur, un joug impérieux,
Que votre amour, qui sait quel intérêt m'anime,
S'obstine à triompher d'un refus légitime,
Et veuille que ce frère, où l'on va m'exposer,
Commence d'être Roi pour me tyranniser.
Léon a d'autres prix, dont, en cette occurrence,
Il peut mieux honorer votre haute vaillance;
Et c'est à vos vertus faire un présent trop bas
Que vous donner un cœur qui ne se donne pas.
Peut-on être jamais satisfait en soi-même
Lorsque par la contrainte on obtient ce qu'on aime?
C'est un triste avantage, et l'amant généreux
A ces conditions refuse d'être heureux;
Il ne veut rien devoir à cette violence
Qu'exercent sur nos cœurs les droits de la naissance,
Et pour l'objet qu'il aime est toujours trop zélé
Pour souffrir qu'en victime il lui soit immolé.
Ce n'est pas que ce cœur au mérite d'un autre
Prétende réserver ce qu'il refuse au vôtre :
Non, Seigneur, j'en réponds, et vous donne ma foi
Que personne jamais n'aura pouvoir sur moi,
Qu'une sainte retraite à toute autre poursuite...

DOM SYLVE

J'ai de votre discours assez souffert la suite,
Madame, et par deux mots je vous l'eusse épargné,
Si votre fausse alarme eût sur vous moins gagné.
Je sais qu'un bruit commun, qui partout se fait croire,
De la mort du tyran me veut donner la gloire;
Mais le seul peuple enfin, comme on nous fait savoir,
Laissant par Dom Louis échauffer son devoir,
A remporté l'honneur de cet acte héroïque
Dont mon nom est chargé par la rumeur publique;
Et ce qui d'un tel bruit a fourni le sujet

C'est que, pour appuyer son illustre projet,
Dom Louis fit semer, par une feinte utile,
Que, secondé des miens, j'avais saisi la ville;
Et par cette nouvelle il a poussé les bras
Qui d'un usurpateur ont hâté le trépas.
Par son zèle prudent il a su tout conduire,
Et c'est par un des siens qu'il vient de m'en instruire.
Mais dans le même instant un secret m'est appris,
Qui va vous étonner autant qu'il m'a surpris.
Vous attendez un frère, et Léon son vrai maître;
A vos yeux maintenant le Ciel le fait paraître :
Oui, je suis Dom Alphonse, et mon sort conservé,
Et sous le nom du sang de Castille élevé,
Est un fameux effet de l'amitié sincère
Qui fut entre son Prince et le Roi notre père.
Dom Louis du secret a toutes les clartés,
Et doit aux yeux de tous prouver ces vérités.
D'autres soins maintenant occupent ma pensée,
Non qu'à votre sujet elle soit traversée,
Que ma flamme querelle un tel événement
Et qu'en mon cœur le frère importune l'amant :
Mes feux par ce secret ont reçu sans murmure
Le changement qu'en eux a prescrit la nature;
Et le sang qui nous joint m'a si bien détaché
De l'amour dont pour vous mon cœur était touché,
Qu'il ne respire plus, pour faveur souveraine,
Que les chères douceurs de sa première chaîne
Et le moyen de rendre à l'adorable Ignès
Ce que de ses bontés a mérité l'excès.
Mais son sort incertain rend le mien misérable,
Et, si ce qu'on en dit se trouvait véritable,
En vain Léon m'appelle et le trône m'attend;
La couronne n'a rien à me rendre content,
Et je n'en veux l'éclat que pour goûter la joie
D'en couronner l'objet où le Ciel me renvoie,
Et pouvoir réparer par ces justes tributs
L'outrage que j'ai fait à ses rares vertus.
Madame, c'est de vous que j'ai raison d'attendre
Ce que de son destin mon âme peut apprendre;
Instruisez-m'en, de grâce, et par votre discours
Hâtez mon désespoir ou le bien de mes jours.

DONE ELVIRE

Ne vous étonnez pas si je tarde à répondre,

Seigneur : ces nouveautés ont droit de me confondre.
Je n'entreprendrai point de dire à votre amour
Si Done Ignès est morte ou respire le jour;
Mais par ce cavalier, l'un de ses plus fidèles,
Vous en pourrez sans doute apprendre des nouvelles.

DOM SYLVE *ou* DOM ALPHONSE,
reconnaissant Done Ignès.

Ah! Madame, il m'est doux en ces perplexités
De voir ici briller vos célestes beautés.
Mais vous, avec quels yeux verrez-vous un volage
Dont le crime...

DONE IGNÈS

       Ah! gardez de me faire un outrage,
Et de vous hasarder à dire que vers moi
Un cœur dont je fais cas ait pu manquer de foi.
J'en refuse l'idée, et l'excuse me blesse :
Rien n'a pu m'offenser auprès de la Princesse,
Et tout ce que d'ardeur elle vous a causé
Par un si haut mérite est assez excusé.
Cette flamme vers moi ne vous rend point coupable,
Et, dans le noble orgueil dont je me sens capable,
Sachez, si vous l'étiez, que ce serait en vain
Que vous présumeriez de fléchir mon dédain,
Et qu'il n'est repentir, ni suprême puissance,
Qui gagnât sur mon cœur d'oublier cette offense.

DONE ELVIRE

Mon frère (d'un tel nom souffrez-moi la douceur),
De quel ravissement comblez-vous une sœur!
Que j'aime votre choix et bénis l'aventure
Qui vous fait couronner une amitié si pure,
Et de deux nobles cœurs que j'aime tendrement...

SCÈNE VI

DOM GARCIE, DONE ELVIRE,
DONE IGNÈS, *déguisée en homme*,
DOM SYLVE, ÉLISE

DOM GARCIE

De grâce, cachez-moi votre contentement,
Madame, et me laissez mourir dans la croyance
Que le devoir vous fait un peu de violence.
Je sais que de vos vœux vous pouvez disposer,
Et mon dessein n'est pas de leur rien opposer :
Vous le voyez assez, et quelle obéissance
De vos commandements m'arrache la puissance.
Mais je vous avouerai que cette gayeté
Surprend au dépourvu toute ma fermeté,
Et qu'un pareil objet dans mon âme fait naître
Un transport dont j'ai peur que je ne sois pas maître;
Et je me punirais, s'il m'avait pu tirer
De ce respect soumis où je veux demeurer.
Oui, vos commandements ont prescrit à mon âme
De souffrir sans éclat le malheur de ma flamme;
Cet ordre sur mon cœur doit être tout-puissant,
Et je prétends mourir en vous obéissant.
Mais, encore une fois, la joie où je vous treuve,
M'expose à la rigueur d'une trop rude épreuve,
Et l'âme la plus sage, en ces occasions,
Répond malaisément de ces émotions.
Madame, épargnez-moi cette cruelle atteinte;
Donnez-moi, par pitié, deux moments de contrainte,
Et quoi que d'un rival vous inspirent les soins,
N'en rendez pas mes yeux les malheureux témoins.
C'est la moindre faveur qu'on peut, je crois, prétendre,
Lorsque dans ma disgrâce un amant peut descendre.
Je ne l'exige pas, Madame, pour longtemps,
Et bientôt mon départ rendra vos vœux contents.
Je vais où de ses feux mon âme consumée
N'apprendra votre hymen que par la renommée.
Ce n'est pas un spectacle où je doive courir;
Madame, sans le voir, j'en saurai bien mourir.

DONE IGNÈS

Seigneur, permettez-moi de blâmer votre plainte.
De vos maux la Princesse a su paraître atteinte,
Et cette joie encor, de quoi vous murmurez,
Ne lui vient que des biens qui vous sont préparés.
Elle goûte un succès à vos désirs prospère,
Et dans votre rival elle trouve son frère :
C'est Dom Alphonse enfin, dont on a tant parlé,
Et ce fameux secret vient d'être dévoilé.

DOM SYLVE *ou* DOM ALPHONSE

Mon cœur, grâces au Ciel, après un long martyre,
Seigneur, sans vous rien prendre, a tout ce qu'il désire,
Et goûte d'autant mieux son bonheur en ce jour
Qu'il se voit en état de servir votre amour.

DOM GARCIE

Hélas! cette bonté, Seigneur, doit me confondre;
A mes plus chers désirs elle daigne répondre.
Le coup que je craignais, le Ciel l'a détourné,
Et tout autre que moi se verrait fortuné;
Mais ces douces clartés d'un secret favorable
Vers l'objet adoré me découvrent coupable,
Et tombé de nouveau dans ces traîtres soupçons
Sur quoi l'on m'a tant fait d'inutiles leçons,
Et par qui mon ardeur, si souvent odieuse,
Doit perdre tout espoir d'être jamais heureuse.
Oui, l'on doit me haïr avec trop de raison;
Moi-même je me trouve indigne de pardon;
Et quelque heureux succès que le sort me présente,
La mort, la seule mort est toute mon attente.

DONE ELVIRE

Non, non, de ce transport le soumis mouvement,
Prince, jette en mon âme un plus doux sentiment.
Par lui de mes serments je me sens détachée;
Vos plaintes, vos respects, vos douleurs m'ont touchée.
J'y vois partout briller un excès d'amitié,
Et votre maladie est digne de pitié.
Je vois, Prince, je vois qu'on doit quelque indulgence
Aux défauts où du Ciel fait pencher l'influence;
Et pour tout dire enfin, jaloux ou non jaloux,
Mon Roi, sans me gêner, peut me donner à vous.

DOM GARCIE

Ciel, dans l'excès des biens que cet aveu m'octroie,
Rends capable mon cœur de supporter sa joie!

DOM SYLVE *ou* DOM ALPHONSE

Je veux que cet hymen, après nos vains débats,
Seigneur, joigne à jamais nos cœurs et nos États.
Mais ici le temps presse, et Léon nous appelle.
Allons dans nos plaisirs satisfaire son zèle,
Et par notre présence et nos soins différents
Donner le dernier coup au parti des tyrans.

L'ÉCOLE
DES MARIS

Comédie

représentée pour la première fois à Paris, sur le théâtre du
Palais-Royal, le 24ᵉ juin 1661, par la troupe de Monsieur,
frère unique du Roi.

LES PERSONNAGES

SGANARELLE, } frères.
ARISTE,

ISABELLE, } sœurs.
LÉONOR,

LISETTE, suivante de Léonor.

VALÈRE, amant d'Isabelle.

ERGASTE, valet de Valère.

LE COMMISSAIRE.

LE NOTAIRE.

DEUX LAQUAIS.

Molière.
L'Espy.
Mademoiselle de Brie.
Armande Béjart.
Madeleine Béjart.
La Grange.
Du Parc.
De Brie.

La scène est à Paris, dans une place publique.

ACTE PREMIER

SCÈNE PREMIÈRE

SGANARELLE, ARISTE

SGANARELLE

Mon frère, s'il vous plaît, ne discourons point tant,
Et que chacun de nous vive comme il l'entend.
Bien que sur moi des ans vous ayez l'avantage
Et soyez assez vieux pour devoir être sage,
Je vous dirai pourtant que mes intentions
Sont de ne prendre point de vos corrections,
Que j'ai pour tout conseil ma fantaisie à suivre
Et me trouve fort bien de ma façon de vivre.

ARISTE

Mais chacun la condamne.

SGANARELLE

      Oui, des fous comme vous,
Mon frère.

ARISTE

  Grand merci, le compliment est doux.

SGANARELLE

Je voudrais bien savoir, puisqu'il faut tout entendre,
Ce que ces beaux censeurs en moi peuvent reprendre.

ARISTE

Cette farouche humeur, dont la sévérité
Fuit toutes les douceurs de la société,
A tous vos procédés inspire un air bizarre,
Et, jusques à l'habit, vous rend chez vous barbare.

SGANARELLE

Il est vrai qu'à la mode il faut m'assujettir,
Et ce n'est pas pour moi que je me dois vêtir!
Ne voudriez-vous point, par vos belles sornettes,
Monsieur mon frère aîné (car, Dieu merci, vous l'êtes
D'une vingtaine d'ans, à ne vous rien celer,
Et cela ne vaut pas la peine d'en parler),
Ne voudriez-vous point, dis-je, sur ces matières,
De vos jeunes muguets m'inspirer les manières?
M'obliger à porter de ces petits chapeaux
Qui laissent éventer leurs débiles cerveaux,
Et de ces blonds cheveux de qui la vaste enflure
Des visages humains offusque la figure?
De ces petits pourpoints sous les bras se perdants,
Et de ces grands collets jusqu'au nombril pendants?
De ces manches qu'à table on voit tâter les sauces,
Et de ces cotillons appelés hauts-de-chausses?
De ces souliers mignons, de rubans revêtus,
Qui vous font ressembler à des pigeons pattus?
Et de ces grands canons où, comme en des entraves,
On met tous les matins ses deux jambes esclaves,
Et par qui nous voyons ces Messieurs les galants
Marcher écarquillés ainsi que des volants?
Je vous plairais, sans doute, équipé de la sorte;
Et je vous vois porter les sottises qu'on porte[1].

ARISTE

Toujours au plus grand nombre on doit s'accommoder,
Et jamais il ne faut se faire regarder.
L'un et l'autre excès choque, et tout homme bien sage
Doit faire des habits ainsi que du langage,
N'y rien trop affecter, et, sans empressement,
Suivre ce que l'usage y fait de changement.
Mon sentiment n'est pas qu'on prenne la méthode
De ceux qu'on voit toujours renchérir sur la mode,
Et qui dans ces excès, dont ils sont amoureux,
Seraient fâchés qu'un autre eût été plus loin qu'eux;
Mais je tiens qu'il est mal, sur quoi que l'on se fonde,
De fuir obstinément ce que suit tout le monde,
Et qu'il vaut mieux souffrir d'être au nombre des fous
Que du sage parti se voir seul contre tous.

SGANARELLE

Cela sent son vieillard, qui, pour en faire accroire,
Cache ses cheveux blancs d'une perruque noire.

ARISTE

C'est un étrange fait du soin que vous prenez
A me venir toujours jeter mon âge au nez,
Et qu'il faille qu'en moi sans cesse je vous voie
Blâmer l'ajustement aussi bien que la joie,
Comme si, condamnée à ne plus rien chérir,
La vieillesse devait ne songer qu'à mourir,
Et d'assez de laideur n'est pas accompagnée
Sans se tenir encor malpropre et rechignée.

SGANARELLE

Quoi qu'il en soit, je suis attaché fortement
A ne démordre point de mon habillement.
Je veux une coiffure, en dépit de la mode,
Sous qui toute ma tête ait un abri commode;
Un bon pourpoint bien long et fermé comme il faut,
Qui, pour bien digérer, tienne l'estomac chaud;
Un haut-de-chausses fait justement pour ma cuisse;
Des souliers où mes pieds ne soient point au supplice,
Ainsi qu'en ont usé sagement nos aïeux.
Et qui me trouve mal n'a qu'à fermer les yeux.

SCÈNE II

LÉONOR, ISABELLE, LISETTE,
ARISTE ET SGANARELLE,
parlant bas ensemble sur le devant du théâtre, sans être aperçus.

LÉONOR, *à Isabelle.*

Je me charge de tout, en cas que l'on vous gronde.

LISETTE, *à Isabelle.*

Toujours dans une chambre à ne point voir le monde?

ISABELLE

Il est ainsi bâti.

LÉONOR

Je vous en plains, ma sœur.

LISETTE, *à Isabelle.*

Bien vous prend que son frère ait toute une autre humeur,
Madame, et le destin vous fut bien favorable
En vous faisant tomber aux mains du raisonnable.

ISABELLE

C'est un miracle encor qu'il ne m'ait aujourd'hui
Enfermée à la clef ou menée avec lui.

LISETTE

Ma foi, je l'envoirais au diable avec sa fraise[2],
Et...

SGANARELLE, *heurté par Lisette.*

Où donc allez-vous, qu'il ne vous en déplaise?

LÉONOR

Nous ne savons encore, et je pressais ma sœur
De venir du beau temps respirer la douceur;
Mais...

SGANARELLE, *à Léonor.*

Pour vous, vous pouvez aller où bon vous semble;

Montrant Lisette.

Vous n'avez qu'à courir, vous voilà deux ensemble.

A Isabelle.

Mais vous, je vous défends, s'il vous plaît, de sortir.

ARISTE

Ah! laissez-les, mon frère, aller se divertir.

SGANARELLE

Je suis votre valet, mon frère.

ARISTE

La jeunesse

Veut...

SGANARELLE

La jeunesse est sotte, et parfois la vieillesse.

ARISTE

Croyez-vous qu'elle est mal d'être avec Léonor?

SGANARELLE

Non pas; mais avec moi je la crois mieux encor.

ARISTE

Mais...

SGANARELLE

    Mais ses actions de moi doivent dépendre,
Et je sais l'intérêt enfin que j'y dois prendre.

ARISTE

A celles de sa sœur ai-je un moindre intérêt?

SGANARELLE

Mon Dieu, chacun raisonne et fait comme il lui plaît.
Elles sont sans parents, et notre ami leur père
Nous commit leur conduite à son heure dernière,
Et, nous chargeant tous deux ou de les épouser
Ou, sur notre refus, un jour d'en disposer,
Sur elles, par contrat, nous sut, dès leur enfance,
Et de père et d'époux donner pleine puissance.
D'élever celle-là vous prîtes le souci,
Et moi, je me chargeai du soin de celle-ci;
Selon vos volontés vous gouvernez la vôtre :
Laissez-moi, je vous prie, à mon gré régir l'autre.

ARISTE

Il me semble...

SGANARELLE

       Il me semble, et je le dis tout haut,
Que sur un tel sujet c'est parler comme il faut.
Vous souffrez que la vôtre aille leste et pimpante :
Je le veux bien; qu'elle ait et laquais et suivante :
J'y consens; qu'elle coure, aime l'oisiveté,
Et soit des damoiseaux fleurée en liberté :

J'en suis fort satisfait. Mais j'entends que la mienne
Vive à ma fantaisie, et non pas à la sienne;
Que d'une serge[3] honnête elle ait son vêtement,
Et ne porte le noir[4] qu'aux bons jours seulement;
Qu'enfermée au logis, en personne bien sage,
Elle s'applique toute aux choses du ménage,
A recoudre mon linge aux heures du loisir,
Ou bien à tricoter quelque bas par plaisir;
Qu'aux discours des muguets elle ferme l'oreille,
Et ne sorte jamais sans avoir qui la veille.
Enfin la chair est faible, et j'entends tous les bruits;
Je ne veux point porter des cornes, si je puis;
Et, comme à m'épouser sa fortune l'appelle,
Je prétends corps pour corps pouvoir répondre d'elle.

ISABELLE

Vous n'avez pas sujet, que je crois...

SGANARELLE

     Taisez-vous;
Je vous apprendrai bien s'il faut sortir sans nous.

LÉONOR

Quoi donc, Monsieur?...

SGANARELLE

    Mon Dieu, Madame, sans langage
Je ne vous parle pas, car vous êtes trop sage.

LÉONOR

Voyez-vous Isabelle avec nous à regret?

SGANARELLE

Oui, vous me la gâtez, puisqu'il faut parler net.
Vos visites ici ne font que me déplaire,
Et vous m'obligerez de ne nous en plus faire.

LÉONOR

Voulez-vous que mon cœur vous parle net aussi?
J'ignore de quel œil elle voit tout ceci,
Mais je sais ce qu'en moi ferait la défiance;
Et quoiqu'un même sang nous ait donné naissance,
Nous sommes bien peu sœurs s'il faut que chaque jour
Vos manières d'agir lui donnent de l'amour.

LISETTE

En effet, tous ces soins sont des choses infâmes.
Sommes-nous chez les Turcs pour renfermer les femmes?
Car on dit qu'on les tient esclaves en ce lieu,
Et que c'est pour cela qu'ils sont maudits de Dieu.
Notre honneur est, Monsieur, bien sujet à faiblesse,
S'il faut qu'il ait besoin qu'on le garde sans cesse.
Pensez-vous, après tout, que ces précautions
Servent de quelque obstacle à nos intentions,
Et, quand nous nous mettons quelque chose à la tête,
Que l'homme le plus fin ne soit pas une bête?
Toutes ces gardes-là sont visions de fous;
Le plus sûr est, ma foi, de se fier en nous.
Qui nous gêne se met en un péril extrême,
Et toujours notre honneur veut se garder lui-même.
C'est nous inspirer presque un désir de pécher,
Que montrer tant de soins de nous en empêcher;
Et si par un mari je me voyais contrainte,
J'aurais fort grande pente à confirmer sa crainte.

SGANARELLE, *à Ariste.*

Voilà, beau précepteur, votre éducation,
Et vous souffrez cela sans nulle émotion?

ARISTE

Mon frère, son discours ne doit que faire rire;
Elle a quelque raison en ce qu'elle veut dire.
Leur sexe aime à jouir d'un peu de liberté;
On le retient fort mal par tant d'austérité;
Et les soins défiants, les verrous et les grilles
Ne font pas la vertu des femmes ni des filles :
C'est l'honneur qui les doit tenir dans le devoir,
Non la sévérité que nous leur faisons voir.
C'est une étrange chose, à vous parler sans feinte,
Qu'une femme qui n'est sage que par contrainte.
En vain sur tous ses pas nous prétendons régner,
Je trouve que le cœur est ce qu'il faut gagner;
Et je ne tiendrais, moi, quelque soin qu'on se donne,
Mon honneur guère sûr aux mains d'une personne
A qui, dans les désirs qui pourraient l'assaillir,
Il ne manquerait rien qu'un moyen de faillir.

SGANARELLE

Chansons que tout cela!

ARISTE

Soit; mais je tiens sans cesse
Qu'il nous faut en riant instruire la jeunesse,
Reprendre ses défauts avec grande douceur,
Et du nom de vertu ne lui point faire peur.
Mes soins pour Léonor ont suivi ces maximes :
Des moindres libertés je n'ai point fait des crimes,
A ses jeunes désirs j'ai toujours consenti,
Et je ne m'en suis point, grâce au Ciel, repenti.
J'ai souffert qu'elle ait vu les belles compagnies,
Les divertissements, les bals, les comédies :
Ce sont choses, pour moi, que je tiens de tout temps
Fort propres à former l'esprit des jeunes gens;
Et l'école du monde, en l'air dont il faut vivre
Instruit mieux, à mon gré, que ne fait aucun livre.
Elle aime dépenser en habits, linge et nœuds :
Que voulez-vous? Je tâche à contenter ses vœux;
Et ce sont des plaisirs qu'on peut, dans nos familles,
Lorsque l'on a du bien, permettre aux jeunes filles.
Un ordre paternel l'oblige à m'épouser;
Mais mon dessein n'est pas de la tyranniser.
Je sais bien que nos ans ne se rapportent guère,
Et je laisse à son choix liberté tout entière.
Si quatre mille écus de rente bien venants,
Une grande tendresse et des soins complaisants
Peuvent, à son avis, pour un tel mariage,
Réparer entre nous l'inégalité d'âge,
Elle peut m'épouser; sinon, choisir ailleurs.
Je consens que sans moi ses destins soient meilleurs;
Et j'aime mieux la voir sous un autre hyménée
Que si contre son gré sa main m'était donnée.

SGANARELLE

Hé! qu'il est doucereux! c'est tout sucre et tout miel.

ARISTE

Enfin, c'est mon humeur, et j'en rends grâce au Ciel.
Je ne suivrais jamais ces maximes sévères
Qui font que les enfants comptent les jours des pères.

SGANARELLE

Mais ce qu'en la jeunesse on prend de liberté
Ne se retranche pas avec facilité;
Et tous ses sentiments suivront mal votre envie,
Quand il faudra changer sa manière de vie.

ARISTE

Et pourquoi la changer?

SGANARELLE

Pourquoi?

ARISTE

Oui.

SGANARELLE

Je ne sai.

ARISTE

Y voit-on quelque chose où l'honneur soit blessé?

SGANARELLE

Quoi! si vous l'épousez, elle pourra prétendre
Les mêmes libertés que fille on lui voit prendre?

ARISTE

Pourquoi non?

SGANARELLE

Vos désirs lui seront complaisants
Jusques à lui laisser et mouches[5] et rubans?

ARISTE

Sans doute.

SGANARELLE

A lui souffrir, en cervelle troublée,
De courir tous les bals et les lieux d'assemblée?

ARISTE

Oui, vraiment.

SGANARELLE

Et chez vous iront les damoiseaux?

ARISTE

Et quoi donc?

SGANARELLE

Qui joueront et donneront cadeaux?

ARISTE

D'accord.

SGANARELLE

Et votre femme entendra les fleurettes?

ARISTE

Fort bien.

SGANARELLE

Et vous verrez ces visites muguettes
D'un œil à témoigner de n'en être point soû?

ARISTE

Cela s'entend.

SGANARELLE

Allez! vous êtes un vieux fou.

A Isabelle.

Rentrez, pour n'ouïr point cette pratique infâme.

ARISTE

Je veux m'abandonner à la foi de ma femme,
Et prétends toujours vivre ainsi que j'ai vécu.

SGANARELLE

Que j'aurai de plaisir quand il sera cocu!

ARISTE

J'ignore pour quel sort mon astre m'a fait naître;
Mais je sais que pour vous, si vous manquez de l'être,
On ne vous en doit point imputer le défaut,
Car vos soins pour cela font bien tout ce qu'il faut.

SGANARELLE

Riez donc, beau rieur! Oh! que cela doit plaire
De voir un goguenard presque sexagénaire!

LÉONOR

Du sort dont vous parlez, je le garantis, moi,
S'il faut que par l'hymen il reçoive ma foi.
Il s'en peut assurer; mais sachez que mon âme
Ne répondrait de rien, si j'étais votre femme.

LISETTE

C'est conscience à ceux qui s'assurent en nous;
Mais c'est pain bénit, certe, à des gens comme vous.

SGANARELLE

Allez, langue maudite, et des plus mal apprises.

ARISTE

Vous vous êtes, mon frère, attiré ces sottises.
Adieu. Changez d'humeur, et soyez averti
Que renfermer sa femme est un mauvais parti.
Je suis votre valet.

SGANARELLE

Je ne suis pas le vôtre.

Seul.

Oh! que les voilà bien tous formés l'un pour l'autre!
Quelle belle famille! Un vieillard insensé
Qui fait le dameret dans un corps tout cassé,
Une fille maîtresse et coquette suprême,
Des valets impudents : non, la sagesse même
N'en viendrait pas à bout, perdrait sens et raison
A vouloir corriger une telle maison.
Isabelle pourrait perdre dans ces hantises
Les semences d'honneur qu'avec nous elle a prises,
Et, pour l'en empêcher, dans peu nous prétendons
Lui faire aller revoir nos choux et nos dindons.

SCÈNE III

VALÈRE, ERGASTE, SGANARELLE

VALÈRE, *dans le fond du théâtre.*

Ergaste, le voilà cet Argus que j'abhorre,
Le sévère tuteur de celle que j'adore.

SGANARELLE, *se croyant seul.*

N'est-ce pas quelque chose enfin de surprenant
Que la corruption des mœurs de maintenant?

VALÈRE

Je voudrais l'accoster, s'il est en ma puissance,
Et tâcher de lier avec lui connaissance.

SGANARELLE, *se croyant seul.*

Au lieu de voir régner cette sévérité
Qui composait si bien l'ancienne honnêteté,
La jeunesse en ces lieux, libertine, absolue,
Ne prend...

Valère salue Sganarelle de loin.

VALÈRE

Il ne voit pas que c'est lui qu'on salue.

ERGASTE

Son mauvais œil peut-être est de ce côté-ci :
Passons du côté droit.

SGANARELLE, *se croyant seul.*

Il faut sortir d'ici.
Le séjour de la ville en moi ne peut produire
Que des...

VALÈRE, *en s'approchant peu à peu.*

Il faut chez lui tâcher de m'introduire.

SGANARELLE, *entendant quelque bruit.*

Heu! J'ai cru qu'on parlait.

Se croyant seul.

Aux champs, grâces aux Cieux,
Les sottises du temps ne blessent point mes yeux.

ERGASTE, *à Valère.*

Abordez-le.

SGANARELLE, *entendant encore du bruit.*

Plaît-il?

N'entendant plus rien.

Les oreilles me cornent.

Se croyant seul.

Là, tous les passe-temps de nos filles se bornent...

Il aperçoit Valère qui le salue.

Est-ce à nous?

ERGASTE, *à Valère.*

Approchez.

SGANARELLE, *sans prendre garde à Valère.*

Là, nul godelureau

Valère le salue encore.

Ne vient... Que diable!...

Il se retourne et voit Ergaste qui le salue de l'autre côté.

Encor? Que de coups de chapeau!

VALÈRE

Monsieur, un tel abord vous interrompt peut-être?

SGANARELLE

Cela se peut.

VALÈRE

Mais quoi! l'honneur de vous connaître
M'est un si grand bonheur, m'est un si doux plaisir,
Que de vous saluer j'avais un grand désir.

SGANARELLE

Soit.

VALÈRE

Et de vous venir, mais sans nul artifice,
Assurer que je suis tout à votre service.

SGANARELLE

Je le crois.

VALÈRE

J'ai le bien d'être de vos voisins,
Et j'en dois rendre grâce à mes heureux destins.

SGANARELLE

C'est bien fait.

VALÈRE

Mais, Monsieur, savez-vous les nouvelles
Que l'on dit à la cour, et qu'on tient pour fidèles?

SGANARELLE

Que m'importe?

VALÈRE

Il est vrai; mais pour les nouveautés
On peut avoir parfois des curiosités.
Vous irez voir, Monsieur, cette magnificence
Que de notre Dauphin prépare la naissance[6]?

SGANARELLE

Si je veux.

VALÈRE

Avouons que Paris nous fait part
De cent plaisirs charmants qu'on n'a point autre part;
Les provinces auprès sont des lieux solitaires.
A quoi donc passez-vous le temps?

SGANARELLE

A mes affaires.

VALÈRE

L'esprit veut du relâche, et succombe parfois
Par trop d'attachement aux sérieux emplois.
Que faites-vous les soirs avant qu'on se retire?

SGANARELLE

Ce qui me plaît.

VALÈRE

Sans doute, on ne peut pas mieux dire :
Cette réponse est juste, et le bon sens paraît
A ne vouloir jamais faire que ce qui plaît.
Si je ne vous croyais l'âme trop occupée,
J'irais parfois chez vous passer l'après-soupée.

SGANARELLE

Serviteur.

SCÈNE IV

VALÈRE, ERGASTE

VALÈRE

Que dis-tu de ce bizarre fou?

ERGASTE

Il a le repart brusque, et l'accueil loup-garou.

VALÈRE

Ah! j'enrage!

ERGASTE

Et de quoi?

VALÈRE

De quoi? C'est que j'enrage
De voir celle que j'aime au pouvoir d'un sauvage,
D'un dragon surveillant, dont la sévérité
Ne lui laisse jouir d'aucune liberté.

ERGASTE

C'est ce qui fait pour vous, et sur ces conséquences
Votre amour doit fonder de grandes espérances.
Apprenez, pour avoir votre esprit affermi,
Qu'une femme qu'on garde est gagnée à demi,
Et que les noirs chagrins des maris ou des pères
Ont toujours du galant avancé les affaires.
Je coquette fort peu, c'est mon moindre talent,
Et de profession je ne suis point galant;
Mais j'en ai servi vingt de ces chercheurs de proie,
Qui disaient fort souvent que leur plus grande joie
Était de rencontrer de ces maris fâcheux
Qui jamais sans gronder ne reviennent chez eux,
De ces brutaux fieffés qui, sans raison ni suite,
De leurs femmes en tout contrôlent la conduite,
Et, du nom de mari fièrement se parants,
Leur rompent en visière aux yeux des soupirants.
On en sait, disent-ils, prendre ses avantages;
Et l'aigreur de la dame à ces sortes d'outrages,
Dont la plaint doucement le complaisant témoin,

Est un champ à pousser les choses assez loin.
En un mot, ce vous est une attente assez belle
Que la sévérité du tuteur d'Isabelle.

VALÈRE

Mais depuis quatre mois que je l'aime ardemment,
Je n'ai pour lui parler pu trouver un moment.

ERGASTE

L'amour rend inventif; mais vous ne l'êtes guère,
Et si j'avais été...

VALÈRE

        Mais qu'aurais-tu pu faire,
Puisque sans ce brutal on ne la voit jamais,
Et qu'il n'est là-dedans servantes ni valets
Dont, par l'appât flatteur de quelque récompense,
Je puisse pour mes feux ménager l'assistance?

ERGASTE

Elle ne sait donc pas encor que vous l'aimez?

VALÈRE

C'est un point dont mes vœux ne sont pas informés.
Partout où ce farouche a conduit cette belle,
Elle m'a toujours vu comme une ombre après elle,
Et mes regards aux siens ont tâché chaque jour
De pouvoir expliquer l'excès de mon amour.
Mes yeux ont fort parlé; mais qui me peut apprendre
Si leur langage enfin a pu se faire entendre?

ERGASTE

Ce langage, il est vrai, peut être obscur parfois,
S'il n'a pour truchement l'écriture ou la voix.

VALÈRE

Que faire pour sortir de cette peine extrême,
Et savoir si la belle a connu que je l'aime?
Dis-m'en quelque moyen.

ERGASTE

        C'est ce qu'il faut trouver.
Entrons un peu chez vous afin d'y mieux rêver.

ACTE II

SCÈNE PREMIÈRE

ISABELLE, SGANARELLE

SGANARELLE

Va, je sais la maison et connais la personne
Aux marques seulement que ta bouche me donne.

ISABELLE, *à part.*

O Ciel! sois-moi propice, et seconde en ce jour
Le stratagème adroit d'une innocente amour.

SGANARELLE

Dis-tu pas qu'on t'a dit qu'il s'appelle Valère?

ISABELLE

Oui.

SGANARELLE

Va, sois en repos, rentre et me laisse faire;
Je vais parler sur l'heure à ce jeune étourdi.

ISABELLE, *en s'en allant.*

Je fais, pour une fille, un projet bien hardi;
Mais l'injuste rigueur dont envers moi l'on use
Dans tout esprit bien fait me servira d'excuse.

SCÈNE II

SGANARELLE, ERGASTE
VALÈRE

SGANARELLE, *seul.*

Ne perdons point de temps. C'est ici. Qui va là?
Bon, je rêve. Holà! dis-je, holà, quelqu'un! holà!
Je ne m'étonne pas, après cette lumière,
S'il y venait tantôt de si douce manière;
Mais je veux me hâter, et de son fol espoir...

Ergaste sort brusquement.

Peste soit du gros bœuf, qui pour me faire choir
Se vient devant mes pas planter comme une perche!

VALÈRE

Monsieur, j'ai du regret...

SGANARELLE

Ah! c'est vous que je cherche.

VALÈRE

Moi, Monsieur?

SGANARELLE

Vous. Valère est-il pas votre nom?

VALÈRE

Oui.

SGANARELLE

Je viens pour parler, si vous le trouvez bon.

VALÈRE

Puis-je être assez heureux pour vous rendre service?

SGANARELLE

Non. Mais je prétends, moi, vous rendre un bon office,
Et c'est ce qui chez vous prend droit de m'amener.

VALÈRE

Chez moi, Monsieur?

SGANARELLE

Chez vous. Faut-il tant s'étonner?

VALÈRE

J'en ai bien du sujet, et mon âme ravie
De l'honneur...

SGANARELLE

Laissons-là cet honneur, je vous prie.

VALÈRE

Voulez-vous pas entrer?

SGANARELLE

Il n'en est pas besoin.

VALÈRE

Monsieur, de grâce!

SGANARELLE

Non, je n'irai pas plus loin.

VALÈRE

Tant que vous serez là, je ne puis vous entendre.

SGANARELLE

Moi, je n'en veux bouger.

VALÈRE

Eh bien! il faut se rendre.
Vite, puisque Monsieur à cela se résout,
Donnez un siège ici.

SGANARELLE

Je veux parler debout.

VALÈRE

Vous souffrir de la sorte?...

SGANARELLE

Ah! contrainte effroyable!

VALÈRE

Cette incivilité serait trop condamnable.

SGANARELLE

C'en est une, que rien ne saurait égaler,
De n'ouïr pas les gens qui veulent nous parler.

VALÈRE

Je vous obéis donc.

SGANARELLE

Vous ne sauriez mieux faire.

Ils font de grandes cérémonies pour se couvrir.

Tant de cérémonie est fort peu nécessaire.
Voulez-vous m'écouter?

VALÈRE

Sans doute, et de grand cœur.

SGANARELLE

Savez-vous, dites-moi, que je suis le tuteur
D'une fille assez jeune et passablement belle,
Qui loge en ce quartier, et qu'on nomme Isabelle?

VALÈRE

Oui.

SGANARELLE

Si vous le savez, je ne vous l'apprends pas;
Mais, savez-vous aussi, lui trouvant des appas,
Qu'autrement qu'en tuteur sa personne me touche,
Et qu'elle est destinée à l'honneur de ma couche?

VALÈRE

Non.

SGANARELLE

Je vous l'apprends donc, et qu'il est à propos
Que vos feux, s'il vous plaît, la laissent en repos.

VALÈRE

Qui? moi, Monsieur?

SGANARELLE

Oui, vous. Mettons bas toute feinte.

VALÈRE

Qui vous a dit que j'ai pour elle l'âme atteinte?

SGANARELLE

Des gens à qui l'on peut donner quelque crédit.

VALÈRE

Mais encore?

SGANARELLE

Elle-même.

VALÈRE

Elle?

SGANARELLE

Elle. Est-ce assez dit?
Comme une fille honnête, et qui m'aime d'enfance,
Elle vient de m'en faire entière confidence,
Et de plus m'a chargé de vous donner avis
Que, depuis que par vous tous ses pas sont suivis,
Son cœur, qu'avec excès votre poursuite outrage,
N'a que trop de vos yeux entendu le langage;
Que vos secrets désirs lui sont assez connus,
Et que c'est vous donner des soucis superflus
De vouloir davantage expliquer une flamme
Qui choque l'amitié que me garde son âme.

VALÈRE

C'est elle, dites-vous, qui de sa part vous fait?...

SGANARELLE

Oui, vous venir donner cet avis franc et net;
Et qu'ayant vu l'ardeur dont votre âme est blessée,
Elle vous eût plus tôt fait savoir sa pensée,
Si son cœur avait eu, dans son émotion,
A qui pouvoir donner cette commission;
Mais qu'enfin la douleur d'une contrainte extrême
L'a réduite à vouloir se servir de moi-même,
Pour vous rendre averti, comme je vous ai dit,
Qu'à tout autre que moi son cœur est interdit,
Que vous avez assez joué de la prunelle,
Et que, si vous avez tant soit peu de cervelle,
Vous prendrez d'autres soins. Adieu, jusqu'au revoir.
Voilà ce que j'avais à vous faire savoir.

VALÈRE, *bas.*

Ergaste, que dis-tu d'une telle aventure?

SGANARELLE, *bas, à part.*

Le voilà bien surpris!

ERGASTE, *bas, à Valère.*

Selon ma conjecture,
Je tiens qu'elle n'a rien de déplaisant pour vous,
Qu'un mystère assez fin est caché là-dessous,
Et qu'enfin cet avis n'est pas d'une personne
Qui veuille voir cesser l'amour qu'elle vous donne.

SGANARELLE, *à part.*

Il en tient comme il faut.

VALÈRE, *bas, à Ergaste.*

Tu crois mystérieux...

ERGASTE, *bas.*

Oui... Mais il nous observe, ôtons-nous de ses yeux.

SGANARELLE, *seul.*

Que sa confusion paraît sur son visage!
Il ne s'attendait pas sans doute à ce message.
Appelons Isabelle. Elle montre le fruit
Que l'éducation dans une âme produit;
La vertu fait ses soins, et son cœur s'y consomme
Jusques à s'offenser des seuls regards d'un homme.

SCÈNE III

ISABELLE, SGANARELLE

ISABELLE, *bas, en entrant.*

J'ai peur que mon amant, plein de sa passion,
N'ait pas de mon avis compris l'intention;
Et je veux, dans les fers où je suis prisonnière,
Hasarder un qui parle avec plus de lumière.

SGANARELLE

Me voilà de retour.

ISABELLE

Eh bien?

SGANARELLE

Un plein effet
A suivi tes discours, et ton homme a son fait.
Il me voulait nier que son cœur fût malade;
Mais lorsque de ta part j'ai marqué l'ambassade,
Il est resté d'abord et muet et confus,
Et je ne pense pas qu'il y revienne plus.

ISABELLE

Ha! que me dites-vous? J'ai bien peur du contraire,
Et qu'il ne nous prépare encor plus d'une affaire.

SGANARELLE

Et sur quoi fondes-tu cette peur que tu dis?

ISABELLE

Vous n'avez pas été plus tôt hors du logis
Qu'ayant, pour prendre l'air, la tête à ma fenêtre,
J'ai vu dans ce détour un jeune homme paraître,
Qui d'abord, de la part de cet impertinent,
Est venu me donner un bonjour surprenant,
Et m'a droit dans ma chambre une boîte jetée
Qui renferme une lettre en poulet cachetée.
J'ai voulu sans tarder lui rejeter le tout;
Mais ses pas de la rue avaient gagné le bout,
Et je m'en sens le cœur tout gros de fâcherie.

SGANARELLE

Voyez un peu la ruse et la friponnerie!

ISABELLE

Il est de mon devoir de faire promptement
Reporter boîte et lettre à ce maudit amant;

Et j'aurais pour cela besoin d'une personne...
Car d'oser à vous-même...

SGANARELLE

Au contraire, mignonne,
C'est me faire mieux voir ton amour et ta foi,
Et mon cœur avec joie accepte cet emploi.
Tu m'obliges par là plus que je ne puis dire.

ISABELLE

Tenez donc.

SGANARELLE

Bon. Voyons ce qu'il a pu t'écrire.

ISABELLE

Ah! Ciel! gardez-vous bien de l'ouvrir.

SGANARELLE

Et pourquoi?

ISABELLE

Lui voulez-vous donner à croire que c'est moi?
Une fille d'honneur doit toujours se défendre
De lire les billets qu'un homme lui fait rendre.
La curiosité qu'on fait lors éclater
Marque un secret plaisir de s'en ouïr conter;
Et je trouve à propos que, toute cachetée,
Cette lettre lui soit promptement reportée,
Afin que d'autant mieux il connaisse aujourd'hui
Le mépris éclatant que mon cœur fait de lui,
Que ses feux désormais perdent toute espérance
Et n'entreprennent plus pareille extravagance.

SGANARELLE

Certes elle a raison lorsqu'elle parle ainsi.
Va, ta vertu me charme, et ta prudence aussi;
Je vois que mes leçons ont germé dans ton âme,
Et tu te montres digne enfin d'être ma femme.

ISABELLE

Je ne veux pas pourtant gêner votre désir :
La lettre est dans vos mains, et vous pouvez l'ouvrir.

SGANARELLE

Non, je n'ai garde; hélas! tes raisons sont trop bonnes,
Et je vais m'acquitter du soin que tu me donnes,
A quatre pas de là dire ensuite deux mots,
Et revenir ici te remettre en repos.

SCÈNE IV

SGANARELLE, ERGASTE

SGANARELLE, *seul.*

Dans quel ravissement est-ce que mon cœur nage,
Lorsque je vois en elle une fille si sage!
C'est un trésor d'honneur que j'ai dans ma maison.
Prendre un regard d'amour pour une trahison!
Recevoir un poulet comme une injure extrême,
Et le faire au galant reporter par moi-même!
Je voudrais bien savoir, en voyant tout ceci,
Si celle de mon frère en userait ainsi.
Ma foi! les filles sont ce que l'on les fait être.
Holà!

Il frappe à la porte de Valère.

ERGASTE

Qu'est-ce?

SGANARELLE

Tenez, dites à votre maître
Qu'il ne s'ingère pas d'oser écrire encor
Des lettres qu'il envoie avec des boîtes d'or,
Et qu'Isabelle en est puissamment irritée.
Voyez, on ne l'a pas au moins décachetée;
Il connaîtra l'état que l'on fait de ses feux,
Et quel heureux succès il doit espérer d'eux.

SCÈNE V

VALÈRE, ERGASTE

VALÈRE

Que vient de te donner cette farouche bête?

ERGASTE

Cette lettre, Monsieur, qu'avecque cette boëte
On prétend qu'ait reçue Isabelle de vous,
Et dont elle est, dit-il, en un fort grand courroux.
C'est sans vouloir l'ouvrir qu'elle vous la fait rendre :
Lisez vite, et voyons si je me puis méprendre.

VALÈRE *lit* :

« *Cette lettre vous surprendra sans doute, et l'on peut trouver bien hardi pour moi et le dessein de vous l'écrire et la manière de vous la faire tenir; mais je me vois dans un état à ne plus garder de mesures. La juste horreur d'un mariage dont je suis menacée dans six jours me fait hasarder toutes choses; et, dans la résolution de m'en affranchir par quelque voie que ce soit, j'ai cru que je devais plutôt vous choisir que le désespoir. Ne croyez pas pourtant que vous soyez redevable de tout à ma mauvaise destinée; ce n'est pas la contrainte où je me trouve qui a fait naître les sentiments que j'ai pour vous, mais c'est elle qui en précipite le témoignage, et qui me fait passer sur des formalités où la bienséance du sexe oblige. Il ne tiendra qu'à vous que je sois à vous bientôt, et j'attends seulement que vous m'ayez marqué les intentions de votre amour pour vous faire savoir la résolution que j'ai prise; mais surtout songez que le temps presse, et que deux cœurs qui s'aiment doivent s'entendre à demi-mot.* »

ERGASTE

Hé bien! Monsieur, le tour est-il d'original?
Pour une jeune fille, elle n'en sait pas mal!
De ces ruses d'amour la croirait-on capable?

VALÈRE

Ah! je la trouve là tout à fait adorable.
Ce trait de son esprit et de son amitié
Accroît pour elle encor mon amour de moitié;
Et joint aux sentiments que sa beauté m'inspire...

ERGASTE

La dupe vient; songez à ce qu'il vous faut dire.

SCÈNE VI

SGANARELLE, VALÈRE, ERGASTE

SGANARELLE, *se croyant seul.*

Oh! trois et quatre fois béni soit cet édit[7]
Par qui des vêtements le luxe est interdit!
Les peines des maris ne seront plus si grandes,
Et les femmes auront un frein à leurs demandes.
Oh! que je sais au Roi bon gré de ces décris[8]!
Et que, pour le repos de ces mêmes maris,

Je voudrais bien qu'on fît de la coquetterie
Comme de la guipure et de la broderie!
J'ai voulu l'acheter, l'édit expressément,
Afin que d'Isabelle il soit lu hautement;
Et ce sera tantôt, n'étant plus occupée,
Le divertissement de notre après-soupée.

Apercevant Valère.

Envoirez-vous encor, Monsieur aux blonds cheveux,
Avec des boîtes d'or des billets amoureux?
Vous pensiez bien trouver quelque jeune coquette,
Friande de l'intrigue et tendre à la fleurette?
Vous voyez de quel air on reçoit vos joyaux.
Croyez-moi, c'est tirer votre poudre aux moineaux.
Elle est sage, elle m'aime, et votre amour l'outrage :
Prenez visée ailleurs, et troussez-moi bagage.

VALÈRE

Oui, oui, votre mérite, à qui chacun se rend,
Est à mes vœux, Monsieur, un obstacle trop grand;
Et c'est folie à moi, dans mon ardeur fidèle,
De prétendre avec vous à l'amour d'Isabelle.

SGANARELLE

Il est vrai, c'est folie.

VALÈRE

                    Aussi n'aurais-je pas
Abandonné mon cœur à suivre ses appas,
Si j'avais pu prévoir que ce cœur misérable
Dût trouver un rival comme vous redoutable.

SGANARELLE

Je le crois.

VALÈRE

                    Je n'ai garde à présent d'espérer;
Je vous cède, Monsieur, et c'est sans murmurer.

SGANARELLE

Vous faites bien.

VALÈRE

                    Le droit de la sorte l'ordonne;
Et de tant de vertus brille votre personne
Que j'aurais tort de voir d'un regard de courroux
Les tendres sentiments qu'Isabelle a pour vous.

SGANARELLE

Cela s'entend.

VALÈRE

Oui, oui, je vous quitte la place;
Mais je vous prie au moins (et c'est la seule grâce,
Monsieur, que vous demande un misérable amant
Dont vous seul aujourd'hui causez tout le tourment),
Je vous conjure donc d'assurer Isabelle
Que, si depuis trois mois mon cœur brûle pour elle,
Cette amour est sans tache et n'a jamais pensé
A rien dont son honneur ait lieu d'être offensé.

SGANARELLE

Oui.

VALÈRE

Que, ne dépendant que du choix de mon âme,
Tous mes desseins étaient de l'obtenir pour femme,
Si les destins en vous, qui captivez son cœur,
N'opposaient un obstacle à cette juste ardeur.

SGANARELLE

Fort bien.

VALÈRE

Que, quoi qu'on fasse, il ne lui faut pas croire
Que jamais ses appas sortent de ma mémoire;
Que, quelque arrêt des Cieux qu'il me faille subir,
Mon sort est de l'aimer jusqu'au dernier soupir;
Et, que si quelque chose étouffe mes poursuites,
C'est le juste respect que j'ai pour vos mérites.

SGANARELLE

C'est parler sagement; et je vais de ce pas
Lui faire ce discours, qui ne la choque pas.
Mais, si vous me croyez, tâchez de faire en sorte
Que de votre cerveau cette passion sorte.
Adieu.

ERGASTE, *à Valère.*

La dupe est bonne.

SGANARELLE, *seul.*

Il me fait grand'pitié,
Ce pauvre malheureux tout rempli d'amitié;
Mais c'est un mal pour lui de s'être mis en tête
De vouloir prendre un fort qui se voit ma conquête.

Sganarelle heurte à sa porte.

SCÈNE VII

SGANARELLE, ISABELLE

SGANARELLE

Jamais amant n'a fait tant de trouble éclater,
Au poulet renvoyé sans le décacheter;
Il perd toute espérance enfin, et se retire.
Mais il m'a tendrement conjuré de te dire
Que du moins en t'aimant il n'a jamais pensé
À rien dont ton honneur ait lieu d'être offensé,
Et que, ne dépendant que du choix de son âme,
Tous ses désirs étaient de t'obtenir pour femme,
Si les destins en moi, qui captive ton cœur,
N'opposaient un obstacle à cette juste ardeur;
Que, quoi qu'on puisse faire, il ne te faut pas croire
Que jamais tes appas sortent de sa mémoire;
Que, quelque arrêt des Cieux qu'il lui faille subir,
Son sort est de t'aimer jusqu'au dernier soupir;
Et que, si quelque chose étouffe sa poursuite,
C'est le juste respect qu'il a pour mon mérite.
Ce sont ses propres mots; et, loin de le blâmer,
Je le trouve honnête homme, et le plains de t'aimer.

ISABELLE, *bas.*

Ses feux ne trompent point ma secrète croyance,
Et toujours ses regards m'en ont dit l'innocence.

SGANARELLE

Que dis-tu?

ISABELLE

          Qu'il m'est dur que vous vous plaigniez si fort
Un homme que je hais à l'égal de la mort;
Et que, si vous m'aimiez autant que vous le dites,
Vous sentiriez l'affront que me font ses poursuites.

SGANARELLE

Mais il ne savait pas tes inclinations;
Et, par l'honnêteté de ses intentions,
Son amour ne mérite...

ISABELLE

          Est-ce les avoir bonnes,
Dites-moi, de vouloir enlever les personnes?

Est-ce être homme d'honneur de former des desseins
Pour m'épouser de force en m'ôtant de vos mains?
Comme si j'étais fille à supporter la vie
Après qu'on m'aurait fait une telle infamie.

SGANARELLE

Comment?

ISABELLE

   Oui, oui; j'ai su que ce traître d'amant
Parle de m'obtenir par un enlèvement;
Et j'ignore, pour moi, les pratiques secrètes
Qui l'ont instruit sitôt du dessein que vous faites
De me donner la main dans huit jours au plus tard,
Puisque ce n'est que d'hier que vous m'en fîtes part;
Mais il veut prévenir, dit-on, cette journée
Qui doit à votre sort unir ma destinée.

SGANARELLE

Voilà qui ne vaut rien.
     Oh! que pardonnez-moi!

ISABELLE

C'est un fort honnête homme, et qui ne sent pour moi...

SGANARELLE

Il a tort, et ceci passe la raillerie.

ISABELLE

Allez, votre douceur entretient sa folie.
S'il vous eût vu tantôt lui parler vertement,
Il craindrait vos transports et mon ressentiment;
Car c'est encor depuis sa lettre méprisée
Qu'il a dit ce dessein qui m'a scandalisée;
Et son amour conserve, ainsi que je l'ai su,
La croyance qu'il est dans mon cœur bien reçu;
Que je fuis votre hymen, quoi que le monde en croie,
Et me verrais tirer de vos mains avec joie.

SGANARELLE

Il est fou.

ISABELLE

   Devant vous il sait se déguiser,
Et son intention est de vous amuser.
Croyez par ces beaux mots que le traître vous joue.

Je suis bien malheureuse, il faut que je l'avoue,
Qu'avecque tous mes soins pour vivre dans l'honneur
Et rebuter les vœux d'un lâche suborneur,
Il faille être exposée aux fâcheuses surprises
De voir faire sur moi d'infâmes entreprises!

SGANARELLE

Va, ne redoute rien.

ISABELLE

Pour moi, je vous le di,
Si vous n'éclatez fort contre un trait si hardi
Et ne trouvez bientôt moyen de me défaire
Des persécutions d'un pareil téméraire,
J'abandonnerai tout et renonce à l'ennui
De souffrir les affronts que je reçois de lui.

SGANARELLE

Ne t'afflige point tant; va, ma petite femme,
Je m'en vais le trouver et lui chanter sa gamme.

ISABELLE

Dites-lui bien au moins qu'il le nierait en vain,
Que c'est de bonne part qu'on m'a dit son dessein,
Et qu'après cet avis, quoi qu'il puisse entreprendre,
J'ose le défier de me pouvoir surprendre;
Enfin que, sans plus perdre et soupirs et moments,
Il doit savoir pour vous quels sont mes sentiments,
Et que, si d'un malheur il ne veut être cause,
Il ne se fasse pas deux fois dire une chose.

SGANARELLE

Je dirai ce qu'il faut.

ISABELLE

Mais tout cela d'un ton
Qui marque que mon cœur lui parle tout de bon.

SGANARELLE

Va, je n'oublierai rien, je t'en donne assurance.

ISABELLE

J'attends votre retour avec impatience;
Hâtez-le, s'il vous plaît, de tout votre pouvoir :
Je languis quand je suis un moment sans vous voir.

SGANARELLE

Va, pouponne, mon cœur, je reviens tout à l'heure.
(Seul.) Est-il une personne et plus sage et meilleure?
Ah! que je suis heureux! et que j'ai de plaisir
De trouver une femme au gré de mon désir!
Oui, voilà comme il faut que les femmes soient faites,
Et non comme j'en sais, de ces franches coquettes
Qui s'en laissent conter et font dans tout Paris
Montrer au bout du doigt leurs honnêtes maris.

> *Il frappe à la porte de Valère.*

Holà! notre galant aux belles entreprises!

SCÈNE VIII

VALÈRE, SGANARELLE, ERGASTE

VALÈRE

Monsieur, qui vous ramène en ce lieu?

SGANARELLE

Vos sottises.

VALÈRE

Comment?

SGANARELLE

Vous savez bien de quoi je veux parler.
Je vous croyais plus sage, à ne vous rien celer.
Vous venez m'amuser de vos belles paroles,
Et conservez sous main des espérances folles.
Voyez-vous, j'ai voulu doucement vous traiter,
Mais vous m'obligerez à la fin d'éclater.
N'avez-vous point de honte, étant ce que vous êtes,
De faire en votre esprit les projets que vous faites,
Et prétendre enlever une fille d'honneur,
Et troubler un hymen qui fait tout son bonheur?

VALÈRE

Qui vous a dit, Monsieur, cette étrange nouvelle?

SGANARELLE

Ne dissimulons point, je la tiens d'Isabelle,
Qui vous mande par moi, pour la dernière fois,
Qu'elle vous a fait voir assez quel est son choix,

Que son cœur, tout à moi, d'un tel projet s'offense,
Qu'elle mourrait plutôt qu'en souffrir l'insolence,
Et que vous causerez de terribles éclats
Si vous ne mettez fin à tout cet embarras.

VALÈRE

S'il est vrai qu'elle ait dit ce que je viens d'entendre,
J'avouerai que mes feux n'ont plus rien à prétendre;
Par ces mots assez clairs je vois tout terminé,
Et je dois révérer l'arrêt qu'elle a donné.

SGANARELLE

Si? Vous en doutez donc, et prenez pour des feintes
Tout ce que de sa part je vous ai fait de plaintes?
Voulez-vous qu'elle-même elle explique son cœur?
J'y consens volontiers pour vous tirer d'erreur.
Suivez-moi, vous verrez s'il est rien que j'avance,
Et si son jeune cœur entre nous deux balance.

Il va frapper à sa porte.

SCÈNE IX

ISABELLE, SGANARELLE, VALÈRE

ISABELLE

Quoi! vous me l'amenez! Quel est votre dessein?
Prenez-vous contre moi ses intérêts en main?
Et voulez-vous, charmé de ses rares mérites,
M'obliger à l'aimer et souffrir ses visites?

SGANARELLE

Non, m'amie, et ton cœur pour cela m'est trop cher.
Mais il prend mes avis pour des contes en l'air,
Croit que c'est moi qui parle et te fais, par adresse,
Pleine pour lui de haine, et pour moi de tendresse;
Et par toi-même enfin j'ai voulu, sans retour,
Le tirer d'une erreur qui nourrit son amour.

ISABELLE, à *Valère.*

Quoi! mon âme à vos yeux ne se montre pas toute,
Et de mes vœux encor vous pouvez être en doute?

VALÈRE

Oui, tout ce que Monsieur de votre part m'a dit,
Madame, a bien pouvoir de surprendre un esprit;
J'ai douté, je l'avoue; et cet arrêt suprême,
Qui décide du sort de mon amour extrême,
Doit m'être assez touchant pour ne pas s'offenser
Que mon cœur par deux fois le fasse prononcer.

ISABELLE

Non, non, un tel arrêt ne doit pas vous surprendre;
Ce sont mes sentiments qu'il vous a fait entendre,
Et je les tiens fondés sur assez d'équité,
Pour en faire éclater toute la vérité,
Oui, je veux bien qu'on sache, et j'en dois être crue,
Que le sort offre ici deux objets à ma vue
Qui, m'inspirant pour eux différents sentiments,
De mon cœur agité font tous les mouvements.
L'un, par un juste choix où l'honneur m'intéresse,
A toute mon estime et toute ma tendresse;
Et l'autre, pour le prix de son affection,
A toute ma colère et mon aversion.
La présence de l'un m'est agréable et chère,
J'en reçois dans mon âme une allégresse entière,
Et l'autre par sa vue inspire dans mon cœur
De secrets mouvements et de haine et d'horreur.
Me voir femme de l'un est toute mon envie;
Et plutôt qu'être à l'autre on m'ôterait la vie.
Mais c'est assez montrer mes justes sentiments,
Et trop longtemps languir dans ces rudes tourments;
Il faut que ce que j'aime, usant de diligence,
Fasse à ce que je hais perdre toute espérance,
Et qu'un heureux hymen affranchisse mon sort
D'un supplice pour moi plus affreux que la mort.

SGANARELLE

Oui, mignonne, je songe à remplir ton attente.

ISABELLE

C'est l'unique moyen de me rendre contente.

SGANARELLE

Tu le seras dans peu.

ISABELLE

                    Je sais qu'il est honteux
Aux filles d'expliquer si librement leurs vœux.

SGANARELLE

Point, point.

ISABELLE

                    Mais en l'état où sont mes destinées,
De telles libertés doivent m'être données;
Et je puis sans rougir faire un aveu si doux
A celui que déjà je regarde en époux.

SGANARELLE

Oui, ma pauvre fanfan, pouponne de mon âme.

ISABELLE

Qu'il songe donc, de grâce, à me prouver sa flamme.

SGANARELLE

Oui, tiens, baise ma main.

ISABELLE

                              Que, sans plus de soupirs,
Il conclue un hymen qui fait tous mes désirs,
Et reçoive en ce lieu la foi que je lui donne
De n'écouter jamais les vœux d'autre personne.

*Elle fait semblant d'embrasser Sganarelle, et donne sa main à baiser
    à Valère.*

SGANARELLE

Hay, Hay, mon petit nez, pauvre petit bouchon,
Tu ne languiras pas longtemps, je t'en répond.
Va, chut!

                                        A Valère.
          Vous le voyez, je ne lui fais pas dire,
Ce n'est qu'après moi seul que son âme respire.

VALÈRE

Eh bien! Madame, eh bien! c'est s'expliquer assez;
Je vois par ce discours de quoi vous me pressez,
Et je saurai dans peu vous ôter la présence
De celui qui vous fait si grande violence.

ISABELLE

Vous ne me sauriez faire un plus charmant plaisir;
Car enfin cette vue est fâcheuse à souffrir,
Elle m'est odieuse, et l'horreur est si forte...

SGANARELLE

Eh! eh!

ISABELLE

Vous offensé-je en parlant de la sorte?
Fais-je...

SGANARELLE

Mon Dieu, nenni, je ne dis pas cela;
Mais je plains, sans mentir, l'état où le voilà,
Et c'est trop hautement que ta haine se montre.

ISABELLE

Je n'en puis trop montrer en pareille rencontre.

VALÈRE

Oui, vous serez contente; et dans trois jours vos yeux
Ne verront plus l'objet qui vous est odieux.

ISABELLE

A la bonne heure. Adieu.

SGANARELLE, *à Valère.*

Je plains votre infortune;
Mais...

VALÈRE

Non, vous n'entendrez de mon cœur plainte aucune :
Madame assurément rend justice à tous deux,
Et je vais travailler à contenter ses vœux.
Adieu.

SGANARELLE

Pauvre garçon! sa douleur est extrême.
Venez, embrassez-moi : c'est une autre elle-même.

Il embrasse Valère.

SCÈNE X

ISABELLE, SGANARELLE

SGANARELLE

Je le tiens fort à plaindre.

ISABELLE

Allez, il ne l'est point.

SGANARELLE

Au reste, ton amour me touche au dernier point,
Mignonnette, et je veux qu'il ait sa récompense :

C'est trop que de huit jours pour ton impatience;
Dès demain je t'épouse, et n'y veux appeler...

ISABELLE

Dès demain?

SGANARELLE

Par pudeur tu feins d'y reculer;
Mais je sais bien la joie où ce discours te jette,
Et tu voudrais déjà que la chose fût faite.

ISABELLE

Mais...

SGANARELLE

Pour ce mariage allons tout préparer.

ISABELLE, *à part*.

O Ciel! inspirez-moi ce qui peut le parer!

ACTE III

SCÈNE PREMIÈRE

ISABELLE

Oui, le trépas cent fois me semble moins à craindre
Que cet hymen fatal où l'on veut me contraindre;
Et tout ce que je fais pour en fuir les rigueurs
Doit trouver quelque grâce auprès de mes censeurs.
Le temps presse, il fait nuit; allons, sans crainte aucune,
A la foi d'un amant commettre ma fortune.

SCÈNE II

SGANARELLE, ISABELLE

SGANARELLE, *parlant à ceux qui sont dans sa maison*.

Je reviens, et l'on va pour demain de ma part...

ISABELLE

O Ciel!

SGANARELLE

C'est toi, mignonne? Où vas-tu donc si tard?
Tu disais qu'en ta chambre, étant un peu lassée,
Tu t'allais renfermer, lorsque je t'ai laissée;
Et tu m'avais prié même que mon retour
T'y souffrît en repos jusques à demain jour.

ISABELLE

Il est vrai; mais...

SGANARELLE

Eh quoi?

ISABELLE

Vous me voyez confuse,
Et je ne sais comment vous en dire l'excuse.

SGANARELLE

Quoi donc? Que pourrait-ce être?

ISABELLE

Un secret surprenant :
C'est ma sœur qui m'oblige à sortir maintenant,
Et qui, pour un dessein dont je l'ai fort blâmée,
M'a demandé ma chambre, où je l'ai renfermée.

SGANARELLE

Comment?

ISABELLE

L'eût-on pu croire? Elle aime cet amant
Que nous avons banni.

SGANARELLE

Valère?

ISABELLE

Eperdument.
C'est un transport si grand qu'il n'en est point de même;
Et vous pouvez juger de sa puissance extrême,
Puisque seule, à cette heure, elle est venue ici
Me découvrir à moi son amoureux souci,
Me dire absolument qu'elle perdra la vie
Si son âme n'obtient l'effet de son envie,
Que depuis plus d'un an d'assez vives ardeurs

Dans un secret commerce entretenaient leurs cœurs,
Et que même ils s'étaient, leur flamme étant nouvelle,
Donné de s'épouser une foi mutuelle...

SGANARELLE

La vilaine!

ISABELLE

Qu'ayant appris le désespoir
Où j'ai précipité celui qu'elle aime à voir,
Elle vient me prier de souffrir que sa flamme
Puisse rompre un départ qui lui percerait l'âme,
Entretenir ce soir cet amant sous mon nom
Par la petite rue où ma chambre répond,
Lui peindre, d'une voix qui contrefait la mienne,
Quelques doux sentiments dont l'appât le retienne,
Et ménager enfin pour elle adroitement
Ce que pour moi l'on sait qu'il a d'attachement.

SGANARELLE

Et tu trouves cela...

ISABELLE

Moi? J'en suis courroucée.
« Quoi! ma sœur, ai-je dit, êtes-vous insensée?
Ne rougissez-vous point d'avoir pris tant d'amour
Pour ces sortes de gens qui changent chaque jour,
D'oublier votre sexe, et tromper l'espérance
D'un homme dont le Ciel vous donnait l'alliance? »

SGANARELLE

Il le mérite bien, et j'en suis fort ravi.

ISABELLE

Enfin de cent raisons mon dépit s'est servi
Pour lui bien reprocher des bassesses si grandes
Et pouvoir cette nuit rejeter ses demandes;
Mais elle m'a fait voir de si pressants désirs,
A tant versé de pleurs, tant poussé de soupirs,
Tant dit qu'au désespoir je porterais son âme
Si je lui refusais ce qu'exige sa flamme,
Qu'à céder malgré moi mon cœur s'est vu réduit;
Et, pour justifier cette intrigue de nuit
Où me faisait du sang relâcher la tendresse,

J'allais faire avec moi venir coucher Lucrèce,
Dont vous me vantez tant les vertus chaque jour;
Mais vous m'avez surprise avec ce prompt retour.

SGANARELLE

Non, non, je ne veux point chez moi tout ce mystère.
J'y pourrais consentir à l'égard de mon frère;
Mais on peut être vu de quelqu'un de dehors;
Et celle que je dois honorer de mon corps
Non seulement doit être et pudique et bien née,
Il ne faut pas que même elle soit soupçonnée.
Allons chasser l'infâme, et de sa passion...

ISABELLE

Ah! vous lui donneriez trop de confusion,
Et c'est avec raison qu'elle pourrait se plaindre
Du peu de retenue où j'ai su me contraindre,
Puisque de son dessein je dois me départir,
Attendez que du moins je la fasse sortir.

SGANARELLE

Eh bien! fais

ISABELLE

        Mais surtout cachez-vous, je vous prie,
Et sans lui dire rien daignez voir sa sortie.

SGANARELLE

Oui, pour l'amour de toi je retiens mes transports;
Mais, dès le même instant qu'elle sera dehors,
Je veux, sans différer, aller trouver mon frère :
J'aurai joie à courir lui dire cette affaire.

ISABELLE

Je vous conjure donc de ne me point nommer.
Bonsoir; car tout d'un temps je vais me renfermer.

SGANARELLE, *seul.*

Jusqu'à demain m'amie. En quelle impatience
Suis-je de voir mon frère et lui conter sa chance!
Il en tient, le bonhomme, avec tout son phébus,
Et je n'en voudrais pas tenir cent bons écus.

ISABELLE, *dans la maison.*

Oui, de vos déplaisirs l'atteinte m'est sensible;
Mais ce que vous voulez, ma sœur, m'est impossible;
Mon honneur, qui m'est cher, y court trop de hasard.
Adieu; retirez-vous avant qu'il soit plus tard.

SGANARELLE

La voilà qui, je crois, peste de belle sorte :
De peur qu'elle revînt, fermons à clef la porte.

ISABELLE, *en sortant.*

O Ciel! dans mes desseins ne m'abandonnez pas!

SGANARELLE, *à part.*

Où pourra-t-elle aller? Suivons un peu ses pas.

ISABELLE, *à part.*

Dans mon trouble, du moins la nuit me favorise.

SGANARELLE, *à part.*

Au logis du galant! Quelle est son entreprise?

SCÈNE III

VALÈRE, SGANARELLE, ISABELLE

VALÈRE, *sortant brusquement.*

Oui, oui, je veux tenter quelque effort cette nuit
Pour parler... Qui va là?

ISABELLE, *à Valère.*

                    Ne faites point de bruit,
Valère; on vous prévient, et je suis Isabelle.

SGANARELLE, *à part.*

Vous en avez menti, chienne, ce n'est pas elle;
De l'honneur que tu fuis elle suit trop les lois,
Et tu prends faussement et son nom et sa voix.

ISABELLE, *à Valère.*

Mais à moins de vous voir par un saint hyménée...

VALÈRE

Oui, c'est l'unique but où tend ma destinée;
Et je vous donne ici ma foi que dès demain
Je vais où vous voudrez recevoir votre main.

SGANARELLE, *à part.*

Pauvre sot qui s'abuse!

VALÈRE

Entrez en assurance :
De votre Argus dupé je brave la puissance ;
Et, devant qu'il vous pût ôter à mon ardeur,
Mon bras de mille coups lui percerait le cœur.

SGANARELLE, *seul.*

Ah! je te promets bien que je n'ai pas envie
De te l'ôter, l'infâme à ses feux asservie,
Que du don de ta foi je ne suis point jaloux,
Et que, si j'en suis cru, tu seras son époux.
Oui, faisons-le surprendre avec cette effrontée :
La mémoire du père, à bon droit respectée,
Jointe au grand intérêt que je prends à la sœur,
Veut que du moins on tâche à lui rendre l'honneur.
Holà!

Il frappe à la porte d'un commissaire.

SCÈNE IV

SGANARELLE, LE COMMISSAIRE,
NOTAIRE, *et Suite*

LE COMMISSAIRE

Qu'est-ce?

SGANARELLE

Salut, Monsieur le Commissaire,
Votre présence en robe est ici nécessaire;
Suivez-moi, s'il vous plaît, avec votre clarté.

LE COMMISSAIRE

Nous sortions...

SGANARELLE
Il s'agit d'un fait assez hâté.

LE COMMISSAIRE
Quoi?

SGANARELLE
D'aller là-dedans et d'y surprendre ensemble
Deux personnes qu'il faut qu'un bon hymen assemble :
C'est une fille à nous, que, sous un don de foi,
Un Valère a séduite et fait entrer chez soi.
Elle sort de famille et noble et vertueuse,
Mais...

LE COMMISSAIRE
Si c'est pour cela, la rencontre est heureuse,
Puisque ici nous avons un notaire.

SGANARELLE
Monsieur?

LE NOTAIRE
Oui, notaire royal.

LE COMMISSAIRE
De plus homme d'honneur.

SGANARELLE
Cela s'en va sans dire. Entrez dans cette porte,
Et, sans bruit, ayez l'œil que personne n'en sorte.
Vous serez pleinement contenté de vos soins;
Mais ne vous laissez pas graisser la patte, au moins.

LE COMMISSAIRE
Comment! vous croyez donc qu'un homme de justice...

SGANARELLE
Ce que j'en dis n'est pas pour taxer votre office.
Je vais faire venir mon frère promptement.
Faites que le flambeau m'éclaire seulement.

A part.

Je vais le réjouir, cet homme sans colère.
Holà!

Il frappe à la porte d'Ariste.

SCÈNE V

ARISTE, SGANARELLE

ARISTE

Qui frappe? Ah! ah! que voulez-vous, mon frère?

SGANARELLE

Venez, beau directeur, suranné damoiseau :
On veut vous faire voir quelque chose de beau.

ARISTE

Comment?

SGANARELLE

Je vous apporte une bonne nouvelle.

ARISTE

Quoi?

SGANARELLE

Votre Léonor, où, je vous prie, est-elle?

ARISTE

Pourquoi cette demande? Elle est, comme je croi,
Au bal chez son amie.

SGANARELLE

Eh! oui, oui; suivez-moi,
Vous verrez à quel bal la donzelle est allée.

ARISTE

Que voulez-vous conter?

SGANARELLE

Vous l'avez bien stylée :
« Il n'est pas bon de vivre en sévère censeur;
On gagne les esprits par beaucoup de douceur;
Et les soins défiants, les verrous et les grilles
Ne font pas la vertu des femmes ni des filles;
Nous les portons au mal par tant d'austérité,
Et leur sexe demande un peu de liberté. »
Vraiment, elle en a pris tout son soûl, la rusée,
Et la vertu chez elle est fort humanisée.

ARISTE

Où veut donc aboutir un pareil entretien?

SGANARELLE

Allez, mon frère aîné, cela vous sied fort bien;
Et je ne voudrais pas pour vingt bonnes pistoles
Que vous n'eussiez ce fruit de vos maximes folles.
On voit ce qu'en deux sœurs nos leçons ont produit :
L'une fuit les galants, et l'autre les poursuit.

ARISTE

Si vous ne me rendez cette énigme plus claire...

SGANARELLE

L'énigme est que son bal est chez Monsieur Valère,
Que de nuit je l'ai vue y conduire ses pas,
Et qu'à l'heure présente elle est entre ses bras.

ARISTE

Qui?

SGANARELLE

　　　Léonor.

ARISTE

　　　Cessons de railler, je vous prie.

SGANARELLE

Je raille? Il est fort bon avec sa raillerie!
Pauvre esprit, je vous dis et vous redis encor
Que Valère chez lui tient votre Léonor,
Et qu'ils s'étaient promis une foi mutuelle
Avant qu'il eût songé de poursuivre Isabelle.

ARISTE

Ce discours d'apparence est si fort dépourvu...

SGANARELLE

Il ne le croira pas encore en l'ayant vu.
J'enrage! Par ma foi, l'âge ne sert de guère
Quand on n'a pas cela.

　　　　　　　　　Il met le doigt sur son front.

ARISTE

　　　Quoi! voulez-vous, mon frère?...

SGANARELLE

Mon Dieu, je ne veux rien. Suivez-moi seulement ;
Votre esprit tout à l'heure aura contentement ;
Vous verrez si j'impose, et si leur foi donnée
N'avait pas joint leurs cœurs depuis plus d'une année.

ARISTE

L'apparence qu'ainsi, sans m'en faire avertir,
A cet engagement elle eût pu consentir,
Moi qui dans toute chose ai, depuis son enfance,
Montré toujours pour elle entière complaisance,
Et qui cent fois ai fait des protestations
De ne jamais gêner ses inclinations !

SGANARELLE

Enfin vos propres yeux jugeront de l'affaire.
J'ai fait venir déjà commissaire et notaire :
Nous avons intérêt que l'hymen prétendu
Répare sur-le-champ l'honneur qu'elle a perdu ;
Car je ne pense pas que vous soyez si lâche
De vouloir l'épouser avecque cette tache,
Si vous n'avez encor quelques raisonnements
Pour vous mettre au-dessus de tous les bernements.

ARISTE

Moi, je n'aurai jamais cette faiblesse extrême,
De vouloir posséder un cœur malgré lui-même ;
Mais je ne saurais croire enfin...

SGANARELLE

                                Que de discours !
Allons : ce procès-là continuerait toujours.

SCÈNE VI

LE COMMISSAIRE, LE NOTAIRE, SGANARELLE, ARISTE

LE COMMISSAIRE

Il ne faut mettre ici nulle force en usage,
Messieurs ; et si vos vœux ne vont qu'au mariage,
Vos transports en ce lieu se peuvent apaiser.
Tous deux également tendent à s'épouser ;
Et Valère déjà, sur ce qui vous regarde,
A signé que pour femme il tient celle qu'il garde.

ARISTE

La fille...

LE COMMISSAIRE

Est renfermée, et ne veut point sortir
Que vos désirs aux leurs ne veuillent consentir.

SCÈNE VII

LE COMMISSAIRE, VALÈRE, LE NOTAIRE,
SGANARELLE, ARISTE

VALÈRE, *à la fenêtre de sa maison.*

Non, Messieurs; et personne ici n'aura l'entrée
Que cette volonté ne m'ait été montrée.
Vous savez qui je suis, et j'ai fait mon devoir
En vous signant l'aveu qu'on peut vous faire voir.
Si c'est votre dessein d'approuver l'alliance,
Votre main peut aussi m'en signer l'assurance;
Sinon, faites état de m'arracher le jour
Plutôt que de m'ôter l'objet de mon amour.

SGANARELLE

Non, nous ne songeons pas à vous séparer d'elle.

Bas, à part.

Il ne s'est point encor détrompé d'Isabelle :
Profitons de l'erreur.

ARISTE, *à Valère.*

Mais est-ce Léonor?...

SGANARELLE, *à Ariste.*

Taisez-vous.

ARISTE

Mais...

SGANARELLE

Paix donc!

ARISTE

Je veux savoir...

SGANARELLE

Encor?

Vous tairez-vous, vous dis-je?

VALÈRE

Enfin, quoi qu'il avienne,
Isabelle a ma foi; j'ai de même la sienne,
Et ne suis point un choix, à tout examiner,
Que vous soyez reçus à faire condamner.

ARISTE, *à Sganarelle.*

Ce qu'il dit là n'est pas...

SGANARELLE

Taisez-vous, et pour cause :

A Valère.

Vous saurez le secret. Oui, sans dire autre chose,
Nous consentons tous deux que vous soyez l'époux
De celle qu'à présent on trouvera chez vous.

LE COMMISSAIRE

C'est dans ces termes-là que la chose est conçue,
Et le nom est en blanc, pour ne l'avoir point vue.
Signez. La fille après vous mettra tous d'accord.

VALÈRE

J'y consens de la sorte.

SGANARELLE

Et moi, je le veux fort.

A part.

Nous rirons bien tantôt. Là, signez donc mon frère :

Haut.

L'honneur vous appartient.

ARISTE

Mais quoi? tout ce mystère...

SGANARELLE

Diantre! que de façons! Signez, pauvre butor.

ARISTE

Il parle d'Isabelle, et vous de Léonor.

SGANARELLE

N'êtes-vous pas d'accord, mon frère, si c'est elle,
De les laisser tous deux à leur foi mutuelle?

ARISTE

Sans doute.

SGANARELLE

Signez donc; j'en fais de même aussi.

ARISTE

Soit; jé n'y comprends rien.

SGANARELLE

Vous serez éclairci.

LE COMMISSAIRE

Nous allons revenir.

SGANARELLE, *à Ariste*.

Or çà, je vais vous dire

La fin de cette intrigue.   *Ils se retirent dans le fond du théâtre.*

SCÈNE VIII

LÉONOR, LISETTE, SGANARELLE,
ARISTE

LÉONOR

O l'étrange martyre!

Que tous ces jeunes fous me paraissent fâcheux!

Je me suis dérobée au bal pour l'amour d'eux.

LISETTE

Chacun d'eux près de vous veut se rendre agréable.

LÉONOR

Et moi, je n'ai rien vu de plus insupportable;

Et je préférerais le plus simple entretien

A tous les contes bleus de ces discours de rien.

Ils croyent que tout cède à leur perruque blonde,

Et pensent avoir dit le meilleur mot du monde

Lorsqu'ils viennent, d'un ton de mauvais goguenard,

Vous railler sottement sur l'amour d'un vieillard;

Et moi, d'un tel vieillard je prise plus le zèle

Que tous les beaux transports d'une jeune cervelle.

Mais n'aperçois-je pas...

SGANARELLE, *à Ariste*.

Oui, l'affaire est ainsi.

Apercevant Léonor.

Ah! je la vois paraître, et la suivante aussi.

ARISTE

Léonor, sans courroux, j'ai sujet de me plaindre.
Vous savez si jamais j'ai voulu vous contraindre,
Et si plus de cent fois je n'ai pas protesté
De laisser à vos vœux leur pleine liberté;
Cependant votre cœur, méprisant mon suffrage,
De foi comme d'amour à mon insu s'engage.
Je ne me repens pas de mon doux traitement;
Mais votre procédé me touche assurément;
Et c'est une action que n'a pas méritée
Cette tendre amitié que je vous ai portée.

LÉONOR

Je ne sais pas sur quoi vous tenez ce discours;
Mais croyez que je suis la même que toujours,
Que rien ne peut pour vous altérer mon estime,
Que toute autre amitié me paraîtrait un crime
Et que, si vous voulez satisfaire mes vœux,
Un saint nœud dès demain nous unira tous deux.

ARISTE

Dessus quel fondement venez-vous donc, mon frère?...

SGANARELLE

Quoi! vous ne sortez pas du logis de Valère?
Vous n'avez point conté vos amours aujourd'hui?
Et vous ne brûlez pas depuis un an pour lui?

LÉONOR

Qui vous a fait de moi de si belles peintures
Et prend soin de forger de telles impostures?

SCÈNE IX

·ISABELLE, VALÈRE, LE COMMISSAIRE,
LE NOTAIRE, ERGASTE, LISETTE,
LÉONOR, SGANARELLE, ARISTE

ISABELLE

Ma sœur, je vous demande un généreux pardon,
Si de mes libertés j'ai taché votre nom.
Le pressant embarras d'une surprise extrême
M'a tantôt inspiré ce honteux stratagème.
Votre exemple condamne un tel emportement;
Mais le sort nous traita nous deux diversement.

A Sganarelle.

Pour vous, je ne veux point, Monsieur, vous faire excuse :
Je vous sers beaucoup plus que je ne vous abuse.
Le Ciel pour être joints ne nous fit pas tous deux :
Je me suis reconnue indigne de vos feux,
Et j'ai bien mieux aimé me voir aux mains d'un autre
Que ne pas mériter un cœur comme le vôtre.

VALÈRE, à Sganarelle.

Pour moi, je mets ma gloire et mon bien souverain
A la pouvoir, Monsieur, tenir de votre main.

ARISTE

Mon frère, doucement il faut boire la chose :
D'une telle action vos procédés sont cause;
Et je vois votre sort malheureux à ce point
Que, vous sachant dupé, l'on ne vous plaindra point.

LISETTE

Par ma foi, je lui sais bon gré de cette affaire;
Et ce prix de ses soins est un trait exemplaire.

LÉONOR

Je ne sais si ce trait se doit faire estimer,
Mais je sais bien qu'au moins je ne le puis blâmer.

ERGASTE

Au sort d'être cocu son ascendant l'expose,
Et ne l'être qu'en herbe est pour lui douce chose.

SGANARELLE, sortant de l'accablement dans lequel il était plongé.

Non, je ne puis sortir de mon étonnement.
Cette ruse d'enfer confond mon jugement;
Et je ne pense pas que Satan en personne
Puisse être si méchant qu'une telle friponne.
J'aurais pour elle au feu mis la main que voilà;
Malheureux qui se fie à femme après cela!
La meilleure est toujours en malice féconde;
C'est un sexe engendré pour damner tout le monde.
Je renonce à jamais à ce sexe trompeur,
Et je le donne tout au diable de bon cœur.

ERGASTE

Bon!

ARISTE

Allons tous chez moi. Venez, Seigneur Valère.
Nous tâcherons demain d'apaiser sa colère.

LISETTE, au parterre.

Vous, si vous connaissez des maris loups-garous,
Envoyez-les, au moins, à l'école chez nous.

LES FACHEUX

Comédie-Ballet

faite pour les divertissements du Roi, au mois d'août 1661,
et représentée pour la première fois en public à Paris, sur
le théâtre du Palais-Royal, le 4e novembre de cette même
année 1661, par la troupe de Monsieur, frère unique du Roi.

AVERTISSEMENT

Jamais entreprise au théâtre ne fut si précipitée que celle-ci; et c'est une chose, je crois, toute nouvelle, qu'une comédie ait été conçue, faite, apprise et représentée en quinze jours. Je ne dis pas cela pour me piquer de l'*impromptu*, et en prétendre de la gloire, mais seulement pour prévenir certaines gens qui pourraient trouver à redire que je n'aie pas mis ici toutes les espèces de fâcheux qui se trouvent. Je sais que le nombre en est grand, et à la cour et dans la ville, et que, sans épisodes, j'eusse bien pu en composer une comédie de cinq actes bien fournis, et avoir encore de la matière de reste. Mais, dans le peu de temps qui me fut donné, il m'était impossible de faire un grand dessein, et de rêver beaucoup sur le choix de mes personnages et sur la disposition de mon sujet. Je me réduisis donc à ne toucher qu'un petit nombre d'importuns, et je pris ceux qui s'offrirent d'abord à mon esprit, et que je crus les plus propres à réjouir les augustes personnes devant qui j'avais à paraître; et, pour lier promptement toutes ces choses ensemble, je me servis du premier nœud que je pus trouver. Ce n'est pas mon dessein d'examiner maintenant si tout cela pouvait être mieux, et si tous ceux qui s'y sont divertis ont ri selon les règles : le temps viendra de faire imprimer mes remarques sur les pièces que j'aurai faites, et je ne désespère pas de faire voir un jour, en grand auteur, que je puis citer Aristote et Horace. En attendant cet examen, qui peut-être ne viendra point, je m'en remets assez aux décisions de la multitude, et je tiens aussi difficile de combattre un ouvrage que le public approuve que d'en défendre un qu'il condamne.

Il n'y a personne qui ne sache pour quelle réjouissance la pièce fut composée, et cette fête a fait un tel éclat qu'il n'est pas nécessaire d'en parler; mais il ne sera pas hors de propos de dire deux paroles des ornements qu'on a mêlés avec la comédie.

Le dessein était de donner un ballet aussi; et, comme il n'y avait qu'un petit nombre choisi de danseurs excellents, on fut contraint de séparer les entrées de ce ballet, et l'avis fut de les jeter dans les entr'actes de la comédie, afin que ces intervalles donnassent temps aux mêmes

baladins de revenir sous d'autres habits. De sorte que,
pour ne point rompre aussi le fil de la pièce par ces manières d'intermèdes, on s'avisa de les coudre au sujet du
mieux que l'on put, et de ne faire qu'une seule chose du
ballet et de la comédie; mais, comme le temps était
fort précipité, et que tout cela ne fut pas réglé entièrement par une même tête, on trouvera peut-être quelques
endroits du ballet qui n'entrent pas dans la comédie aussi
naturellement que d'autres. Quoi qu'il en soit, c'est un mé-
lange qui est nouveau pour nos théâtres, et dont on
pourrait chercher quelques autorités dans l'antiquité; et,
comme tout le monde l'a trouvé agréable, il peut servir
d'idées à d'autres choses qui pourraient être méditées
avec plus de loisir.

D'abord que la toile fut levée, un des acteurs, comme
vous pourriez dire moi, parut sur le théâtre en habit de
ville, et, s'adressant au Roi avec le visage d'un homme
surpris, fit des excuses en désordre sur ce qu'il se trouvait
là seul, et manquait de temps et d'acteurs pour donner
à Sa Majesté le divertissement qu'elle semblait attendre.
En même temps, au milieu de vingt jets d'eau naturels,
s'ouvrit cette coquille que tout le monde a vue, et l'agréable naïade qui parut dedans s'avança au bord du théâtre,
et, d'un air héroïque, prononça les vers que Monsieur
Pellisson avait faits, et qui servent de prologue.

PROLOGUE

Le théâtre représente un jardin orné de termes et de plusieurs jets
d'eau.

UNE NAIADE SORTANT DES EAUX DANS UNE COQUILLE

Pour voir en ces beaux lieux le plus grand Roi du monde,
Mortels, je viens à vous de ma grotte profonde.
Faut-il, en sa faveur, que la Terre ou que l'Eau
Produisent à vos yeux un spectacle nouveau?
Qu'il parle ou qu'il souhaite, il n'est rien d'impossible :
Lui-même n'est-il pas un miracle visible?
Son règne, si fertile en miracles divers,
N'en demande-t-il pas à tout cet univers?
Jeune, victorieux, sage, vaillant, auguste,
Aussi doux que sévère, aussi puissant que juste,
Régler et ses Etats et ses propres désirs,
Joindre aux nobles travaux les plus nobles plaisirs,
En ses justes projets jamais ne se méprendre,
Agir incessamment, tout voir et tout entendre :
Qui peut cela, peut tout; il n'a qu'à tout oser,
Et le Ciel à ses vœux ne peut rien refuser.
Ces termes marcheront, et, si Louis l'ordonne,
Ces arbres parleront mieux que ceux de Dodone.
Hôtesses de leurs troncs, moindres divinités,
C'est Louis qui le veut, sortez, nymphes, sortez.

Plusieurs dryades, accompagnées de faunes et de satyres,
sortent des arbres et des termes.

Je vous montre l'exemple, il s'agit de lui plaire;
Quittez pour quelque temps votre forme ordinaire,
Et paraissons ensemble aux yeux des spectateurs,
Pour ce nouveau théâtre, autant de vrais acteurs.
Vous, soin de ses sujets, sa plus charmante étude,
Héroïque souci, royale inquiétude,
Laissez-le respirer, et souffrez qu'un moment
Son grand cœur s'abandonne au divertissement :
Vous le verrez demain, d'une force nouvelle,
Sous le fardeau pénible où votre voix l'appelle,
Faire obéir les lois, partager les bienfaits,

Par ses propres conseils prévenir nos souhaits,
Maintenir l'univers dans une paix profonde,
Et s'ôter le repos pour le donner au monde.
Qu'aujourd'hui tout lui plaise et semble consentir
À l'unique dessein de le bien divertir.
Fâcheux, retirez-vous : ou, s'il faut qu'il vous voie,
Que ce soit seulement pour exciter sa joie.

> La naïade emmène avec elle, pour la comédie, une partie des gens qu'elle a fait paraître, pendant que le reste se met à danser au son des haut-bois, qui se joignent aux violons.

LES PERSONNAGES

ÉRASTE, amoureux d'Orphise.   La Grange.
LA MONTAGNE, valet d'Eraste.
ORPHISE.   Mlle de Brie.
ALCIDOR, fâcheux ⎫
LYSANDRE,   ⎪
ALCANDRE,   ⎬   Molière.
ALCIPPE,   ⎪
ORANTE,   ⎭
CLIMÈNE,   Mlle du Parc.
DORANTE, fâcheux ⎫   Molière.
CARITIDÈS,   ⎬   Molière.
ORMIN,   ⎭
FILINTE,
DAMIS, tuteur d'Orphise.   L'Espy.
L'ESPINE, valet de Damis.   Du Parc.
LA RIVIÈRE ET DEUX CAMARADES.

La scène est à Paris.

ACTE PREMIER

SCÈNE PREMIÈRE

ÉRASTE, LA MONTAGNE

ÉRASTE

Sous quel astre, bon Dieu, faut-il que je sois né,
Pour être de fâcheux toujours assassiné!
Il semble que partout le sort me les adresse,
Et j'en vois chaque jour quelque nouvelle espèce.
Mais il n'est rien d'égal au fâcheux d'aujourd'hui;
J'ai cru n'être jamais débarrassé de lui,
Et cent fois j'ai maudit cette innocente envie
Qui m'a pris, à dîner, de voir la comédie,
Où, pensant m'égayer, j'ai misérablement
Trouvé de mes péchés le rude châtiment.
Il faut que je te fasse un récit de l'affaire,
Car je m'en sens encor, tout ému de colère.
J'étais sur le théâtre[1], en humeur d'écouter
La pièce qu'à plusieurs j'avais ouï vanter;
Les acteurs commençaient, chacun prêtait silence,
Lorsque, d'un air bruyant et plein d'extravagance,
Un homme à grands canons est entré brusquement
En criant : « Holà ho! un siège promptement! »
Et de son grand fracas surprenant l'assemblée,
Dans le plus bel endroit a la pièce troublée.
« Hé! mon Dieu! nos Français, si souvent redressés,
Ne prendront-ils jamais un air de gens sensés,
Ai-je dit, et faut-il, sur nos défauts extrêmes,
Qu'en théâtre public nous nous jouions nous-mêmes,
Et confirmions ainsi par des éclats de fous
Ce que chez nos voisins on dit partout de nous? »
Tandis que là-dessus je haussais les épaules,
Les acteurs ont voulu continuer leurs rôles;
Mais l'homme pour s'asseoir a fait nouveau fracas,
Et, traversant encor le théâtre à grands pas,
Bien que dans les côtés il pût être à son aise,
Au milieu du devant il a planté sa chaise

Et, de son large dos morguant les spectateurs,
Aux trois quarts du parterre a caché les acteurs.
Un bruit s'est élevé, dont un autre eût eu honte;
Mais lui, ferme et constant, n'en a fait aucun compte,
Et se serait tenu comme il s'était posé,
Si, pour mon infortune, il ne m'eût avisé.
« Ha! Marquis, m'a-t-il dit, prenant près de moi place,
Comment te portes-tu? Souffre que je t'embrasse[2]. »
Au visage, sur l'heure, un rouge m'est monté
Que l'on me vît connu d'un pareil éventé.
Je l'étais peu pourtant; mais on en voit paraître
De ces gens qui de rien veulent fort vous connaître,
Dont il faut au salut les baisers essuyer,
Et qui sont familiers jusqu'à vous tutoyer.
Il m'a fait à l'abord cent questions frivoles,
Plus haut que les acteurs élevant ses paroles.
Chacun le maudissait; et moi, pour l'arrêter :
« Je serais, ai-je dit, bien aise d'écouter.
— Tu n'as point vu ceci, Marquis? Ah! Dieu me damne,
Je le trouve assez drôle, et je n'y suis pas âne;
Je sais par quelles lois un ouvrage est parfait,
Et Corneille me vient lire tout ce qu'il fait[3]. »
Là-dessus, de la pièce il m'a fait un sommaire,
Scène à scène averti de ce qui s'allait faire,
Et jusques à des vers qu'il en savait par cœur,
Il me les récitait tout haut avant l'acteur.
J'avais beau m'en défendre, il a poussé sa chance,
Et s'est devers la fin levé longtemps d'avance;
Car les gens du bel air, pour agir galamment,
Se gardent bien surtout d'ouïr le dénouement.
Je rendais grâce au Ciel, et croyais, de justice,
Qu'avec la comédie eût fini mon supplice;
Mais, comme si c'en eût été trop bon marché,
Sur nouveaux frais mon homme à moi s'est attaché,
M'a conté ses exploits, ses vertus non communes,
Parlé de ses chevaux, de ses bonnes fortunes,
Et de ce qu'à la cour il avait de faveur,
Disant qu'à m'y servir il s'offrait de grand cœur.
Je le remerciais doucement de la tête,
Minutant à tous coups quelque retraite honnête;
Mais lui, pour le quitter me voyant ébranlé :
« Sortons, ce m'a-t-il dit, le monde est écoulé. »
Et, sortis de ce lieu, me la donnant plus sèche :
« Marquis, allons au Cours[4] faire voir ma galèche;

Elle est bien entendue, et plus d'un duc et pair
En fait à mon faiseur faire une du même air. »
Moi de lui rendre grâce et, pour mieux m'en défendre,
De dire que j'avais certain repas à rendre.
« Ah! parbleu! j'en veux être, étant de tes amis,
Et manque au maréchal, à qui j'avais promis.
— De la chère, ai-je dit, la dose est trop peu forte
Pour oser y prier des gens de votre sorte.
— Non, m'a-t-il répondu, je suis sans compliment,
Et j'y vais pour causer avec toi seulement;
Je suis des grands repas fatigué, je te jure.
— Mais si l'on vous attend, ai-je dit, c'est injure...
— Tu te moques, Marquis, nous nous connaissons tous,
Et je trouve avec toi des passe-temps plus doux. »
Je pestais contre moi, l'âme triste et confuse
Du funeste succès qu'avait eu mon excuse,
Et ne savais à quoi je devais recourir
Pour sortir d'une peine à me faire mourir,
Lorsqu'un carrosse fait de superbe manière,
Et comblé de laquais et devant et derrière,
S'est avec un grand bruit devant nous arrêté,
D'où sautant un jeune homme amplement ajusté,
Mon importun et lui courant à l'embrassade
Ont surpris les passants de leur brusque incartade;
Et, tandis que tous deux étaient précipités
Dans les convulsions de leurs civilités,
Je me suis doucement esquivé sans rien dire,
Non sans avoir longtemps gémi d'un tel martyre,
Et maudit ce fâcheux dont le zèle obstiné
M'ôtait au rendez-vous qui m'est ici donné.

LA MONTAGNE

Ce sont chagrins mêlés aux plaisirs de la vie.
Tout ne va pas, Monsieur, au gré de notre envie.
Le Ciel veut qu'ici-bas chacun ait ses fâcheux;
Et les hommes seraient, sans cela, trop heureux.

ÉRASTE

Mais de tous mes fâcheux le plus fâcheux encore
C'est Damis, le tuteur de celle que j'adore,
Qui rompt ce qu'à mes vœux elle donne d'espoir,
Et, malgré ses bontés, lui défend de me voir.
Je crains d'avoir déjà passé l'heure promise,
Et c'est dans cette allée où devait être Orphise.

LA MONTAGNE

L'heure d'un rendez-vous d'ordinaire s'étend,
Et n'est pas resserrée aux bornes d'un instant.

ÉRASTE

Il est vrai; mais je tremble, et mon amour extrême,
D'un rien se fait un crime envers celle que j'aime.

LA MONTAGNE

Si ce parfait amour, que vous prouvez si bien,
Se fait vers votre objet un grand crime de rien,
Ce que son cœur pour vous sent de feux légitimes,
En revanche, lui fait un rien de tous vos crimes.

ÉRASTE

Mais, tout de bon, crois-tu que je sois d'elle aimé?

LA MONTAGNE

Quoi! vous doutez encor d'un amour confirmé?

ÉRASTE

Ah! c'est malaisément qu'en pareille matière
Un cœur bien enflammé prend assurance entière.
Il craint de se flatter, et, dans ses divers soins,
Ce que plus il souhaite est ce qu'il croit le moins.
Mais songeons à trouver une beauté si rare.

LA MONTAGNE

Monsieur, votre rabat, par-devant se sépare.

ÉRASTE

N'importe.

LA MONTAGNE

Laissez-moi l'ajuster, s'il vous plaît.

ÉRASTE

Ouf! tu m'étrangles, fat; laisse-le comme il est.

LA MONTAGNE

Souffrez qu'on peigne un peu...

ÉRASTE

Sottise sans pareille!
Tu m'as d'un coup de dent presque emporté l'oreille.

LA MONTAGNE

Vos canons...

ÉRASTE

Laisse-les; tu prends trop de souci.

LA MONTAGNE

Ils sont tout chiffonnés.

ÉRASTE

Je veux qu'ils soient ainsi.

LA MONTAGNE

Accordez-moi du moins, par grâce singulière,
De frotter ce chapeau, qu'on voit plein de poussière.

ÉRASTE

Frotte donc, puisqu'il faut que j'en passe par là.

LA MONTAGNE

Le voulez-vous porter fait comme le voilà?

ÉRASTE

Mon Dieu! dépêche-toi.

LA MONTAGNE

Ce serait conscience.

ÉRASTE, *après avoir attendu.*

C'est assez.

LA MONTAGNE

Donnez-vous un peu de patience.

ÉRASTE

Il me tue!

LA MONTAGNE

En quel lieu vous êtes-vous fourré?

ÉRASTE

T'es-tu de ce chapeau pour toujours emparé?

LA MONTAGNE

C'est fait.

ÉRASTE

Donne-moi donc.

LA MONTAGNE, *laissant tomber le chapeau.*

Hay!

ÉRASTE

Le voilà par terre!
Je suis fort avancé! Que la fièvre te serre!

LA MONTAGNE

Permettez qu'en deux coups j'ôte...

ÉRASTE

Il ne me plaît pas.
Au diantre tout valet qui vous est sur les bras,
Qui fatigue son maître, et ne fait que déplaire
À force de vouloir trancher du nécessaire!

SCÈNE II

ORPHISE, ALCIDOR, ÉRASTE,
LA MONTAGNE

Orphise traverse le fond du théâtre, Alcidor lui donne la main.

ÉRASTE

Mais vois-je pas Orphise? Oui, c'est elle qui vient.
Où va-t-elle si vite, et quel homme la tient?

Il la salue comme elle passe, et elle, en passant, détourne la tête.

Quoi! me voir en ces lieux devant elle paraître,
Et passer en feignant de ne me pas connaître!
Que croire? qu'en dis-tu? Parle donc, si tu veux.

LA MONTAGNE

Monsieur, je ne dis rien, de peur d'être fâcheux.

ÉRASTE

Et c'est l'être, en effet, que de ne me rien dire
Dans les extrémités d'un si cruel martyre.
Fais donc quelque réponse à mon cœur abattu.
Que dois-je présumer? Parle, qu'en penses-tu?
Dis-moi ton sentiment.

LA MONTAGNE

      Monsieur, je veux me taire,
Et ne désire point trancher du nécessaire.

ÉRASTE

Peste l'impertinent! Va-t'en suivre leurs pas;
Vois ce qu'ils deviendront, et ne les quitte pas.

LA MONTAGNE, *revenant.*

Il faut suivre de loin?

ÉRASTE

      Oui.

LA MONTAGNE, *revenant.*

      Sans que l'on me voie
Ou faire aucun semblant qu'après eux on m'envoie?

ÉRASTE

Non, tu feras bien mieux de leur donner avis
Que par mon ordre exprès ils sont de toi suivis.

LA MONTAGNE, *revenant.*

Vous trouverai-je ici?

ÉRASTE

      Que le Ciel te confonde,
Homme, à mon sentiment, le plus fâcheux du monde!

      La Montagne s'en va.

Ah! que je sens de trouble, et qu'il m'eût été doux
Qu'on me l'eût fait manquer, ce fatal rendez-vous!
Je pensais y trouver toutes choses propices,
Et mes yeux pour mon cœur y trouvent des supplices.

SCÈNE III

LYSANDRE, ÉRASTE

LYSANDRE

Sous ces arbres, de loin, mes yeux t'ont reconnu,
Cher Marquis, et d'abord je suis à toi venu.
Comme à de mes amis, il faut que je te chante
Certain air, que j'ai fait, de petite courante,

Qui de toute la cour contente les experts,
Et sur qui plus de vingt ont déjà fait des vers.
J'ai le bien, la naissance, et quelque emploi passable,
Et fais figure en France assez considérable;
Mais je ne voudrais pas, pour tout ce que je suis,
N'avoir point fait cet air qu'ici je te produis.
La, la, hem, hem; écoute avec soin, je te prie.

Il chante sa courante.

N'est-elle pas belle?

ÉRASTE

Ah!

LYSANDRE

Cette fin est jolie.

Il rechante la fin quatre ou cinq fois de suite.

Comment la trouves-tu?

ÉRASTE

Fort belle assurément.

LYSANDRE

Les pas que j'en ai faits n'ont pas moins d'agrément,
Et surtout la figure a merveilleuse grâce.

*Il chante, parle et danse tout ensemble, et fait faire à Éraste les figures
    de la femme.*

Tiens, l'homme passe ainsi, puis la femme repasse;
Ensemble; puis on quitte, et la femme vient là.
Vois-tu ce petit trait de feinte que voilà?
Ce fleuret? ces coupés courant après la belle,
Dos à dos, face à face, en se pressant sur elle?

Après avoir achevé.

Que t'en semble, Marquis?

ÉRASTE

Tous ces pas-là sont fins.

LYSANDRE

Je me moque, pour moi, des maîtres baladins.

ÉRASTE

On le voit.

LYSANDRE

Les pas donc...

ÉRASTE

N'ont rien qui ne surprenne.

LYSANDRE

Veux-tu, par amitié, que je te les apprenne?

ÉRASTE

Ma foi, pour le présent, j'ai certain embarras...

LYSANDRE

Eh bien donc, ce sera lorsque tu le voudras.
Si j'avais dessus moi ces paroles nouvelles,
Nous les lirions ensemble, et verrions les plus belles.

ÉRASTE

Une autre fois.

LYSANDRE

Adieu, Baptiste le très cher
N'a point vu ma courante, et je le vais chercher.
Nous avons pour les airs de grandes sympathies,
Et je veux le prier d'y faire des parties.

Il s'en va chantant toujours.

ÉRASTE

Ciel! faut-il que le rang, dont on veut tout couvrir,
De cent sots tous les jours nous oblige à souffrir,
Et nous fasse abaisser jusques aux complaisances
D'applaudir bien souvent à leurs impertinences!

SCÈNE IV

LA MONTAGNE, ÉRASTE

LA MONTAGNE

Monsieur, Orphise est seule et vient de ce côté.

ÉRASTE

Ah! d'un trouble bien grand je me sens agité!
J'ai de l'amour encor pour la belle inhumaine,
Et ma raison voudrait que j'eusse de la haine.

LA MONTAGNE

Monsieur, votre raison ne sait ce qu'elle veut,
Ni ce que sur un cœur une maîtresse peut.
Bien que de s'emporter on ait de justes causes,
Une belle, d'un mot, rajuste bien des choses.

ÉRASTE

Hélas! je te l'avoue, et déjà cet aspect
A toute ma colère imprime le respect.

SCÈNE V

ORPHISE, ÉRASTE, LA MONTAGNE

ORPHISE

Votre front à mes yeux montre peu d'allégresse.
Serait-ce ma présence, Eraste, qui vous blesse?
Qu'est-ce donc? qu'avez-vous? et sur quels déplaisirs,
Lorsque vous me voyez, poussez-vous des soupirs?

ÉRASTE

Hélas! pouvez-vous bien me demander, cruelle,
Ce qui fait de mon cœur la tristesse mortelle?
Et d'un esprit méchant n'est-ce pas un effet
Que feindre d'ignorer ce que vous m'avez fait?
Celui dont l'entretien vous a fait, à ma vue,
Passer...

ORPHISE, *riant.*

C'est de cela que votre âme est émue?

ÉRASTE

Insultez, inhumaine, encore à mon malheur.
Allez, il vous sied mal de railler ma douleur
Et d'abuser, ingrate, à maltraiter ma flamme,
Du faible que pour vous vous savez qu'a mon âme.

ORPHISE

Certes il en faut rire, et confesser ici
Que vous êtes bien fou de vous troubler ainsi.
L'homme dont vous parlez, loin qu'il puisse me plaire,
Est un homme fâcheux dont j'ai su me défaire,
Un de ces importuns et sots officieux

Qui ne sauraient souffrir qu'on soit seule en des lieux,
Et viennent aussitôt, avec un doux langage,
Vous donner une main contre qui l'on enrage.
J'ai feint de m'en aller pour cacher mon dessein,
Et jusqu'à mon carrosse il m'a prêté la main.
Je m'en suis promptement défaite de la sorte,
Et j'ai, pour vous trouver, rentré par l'autre porte.

ÉRASTE

A vos discours, Orphise, ajouterai-je foi,
Et votre cœur est-il tout sincère pour moi?

ORPHISE

Je vous trouve fort bon de tenir ces paroles
Quand je me justifie à vos plaintes frivoles.
Je suis bien simple encore, et ma sotte bonté...

ÉRASTE

Ah! ne vous fâchez pas, trop sévère beauté.
Je veux croire en aveugle, étant sous votre empire,
Tout ce que vous aurez la bonté de me dire.
Trompez, si vous voulez, un malheureux amant :
J'aurai pour vous respect jusques au monument.
Maltraitez mon amour, refusez-moi le vôtre,
Exposez à mes yeux le triomphe d'un autre;
Oui, je souffrirai tout de vos divins appas :
J'en mourrai, mais enfin je ne m'en plaindrai pas.

ORPHISE

Quand de tels sentiments régneront dans votre âme,
Je saurai de ma part...

SCÈNE VI

ALCANDRE, ORPHISE, ÉRASTE,
LA MONTAGNE

ALCANDRE

A Orphise.

      Marquis, un mot. Madame,
De grâce, pardonnez si je suis indiscret
En osant, devant vous, lui parler en secret.

Orphise sort.

Avec peine, Marquis, je te fais la prière;
Mais un homme vient là de me rompre en visière,
Et je souhaite fort, pour ne rien reculer,
Qu'à l'heure de ma part tu l'ailles appeler.
Tu sais qu'en pareil cas ce serait avec joie
Que je te le rendrais en la même monnoie.

ÉRASTE, *après avoir un peu demeuré sans parler.*

Je ne veux point ici faire le capitan;
Mais on m'a vu soldat avant que courtisan.
J'ai servi quatorze ans, et je crois être en passe
De pouvoir d'un tel pas me tirer avec grâce,
Et de ne craindre point qu'à quelque lâcheté
Le refus de mon bras me puisse être imputé.
Un duel met les gens en mauvaise posture,
Et notre Roi n'est pas un monarque en peinture.
Il sait faire obéir les plus grands de l'Etat,
Et je trouve qu'il fait en digne potentat.
Quand il faut le servir, j'ai du cœur pour le faire;
Mais je ne m'en sens point quand il faut lui déplaire.
Je me fais de son ordre une suprême loi;
Pour lui désobéir, cherche un autre que moi.
Je te parle, Vicomte, avec franchise entière,
Et suis ton serviteur en toute autre matière.
Adieu. Cinquante fois au diable les fâcheux!
Où donc s'est retiré cet objet de mes vœux?

LA MONTAGNE

Je ne sais.

ÉRASTE

Pour savoir où la belle est allée,
Va-t'en chercher partout; j'attends dans cette allée.

BALLET DU PREMIER ACTE

PREMIÈRE ENTRÉE

*Des joueurs de mail, en criant gare, l'obligent à se retirer; et comme il
veut revenir lorsqu'ils ont fait,*

SECONDE ENTRÉE

*des curieux viennent, qui tournent autour de lui pour le connaître,
et font qu'il se retire encore pour un moment.*

ACTE II

SCÈNE PREMIÈRE

ÉRASTE

Mes fâcheux à la fin se sont-ils écartés?
Je pense qu'il en pleut ici de tous côtés.
Je les fuis, et les trouve; et, pour second martyre,
Je ne saurais trouver celle que je désire.
Le tonnerre et la pluie ont promptement passé,
Et n'ont point de ces lieux le beau monde chassé.
Plût au Ciel, dans les dons que ses soins y prodiguent,
Qu'ils en eussent chassé tous les gens qui fatiguent!
Le soleil baisse fort, et je suis étonné
Que mon valet encor ne soit point retourné.

SCÈNE II

ALCIPPE, ÉRASTE

ALCIPPE

Bonjour.

ÉRASTE, *à part.*
Eh quoi! toujours ma flamme divertie!

ALCIPPE

Console-moi, Marquis, d'une étrange partie
Qu'au piquet je perdis hier contre un Saint-Bouvain,
À qui je donnerais quinze points et la main.
C'est un coup enragé, qui depuis hier m'accable
Et qui ferait donner tous les joueurs au diable,
Un coup assurément à se pendre en public.
Il ne m'en faut que deux; l'autre a besoin d'un pic :
Je donne, il en prend six[5], et demande à refaire;
Moi, me voyant de tout, je n'en voulus rien faire.
Je porte l'as de trèfle (admire mon malheur),
L'as, le roi, le valet, le huit et dix de cœur,
Et quitte, comme au point allait la politique,

Dame et roi de carreau, dix et dame de pique,
Sur mes cinq cœurs portés la dame arrive encor,
Qui me fait justement une quinte major.
Mais mon homme avec l'as, non sans surprise extrême,
Des bas carreaux sur table étale une sixième.
J'en avais écarté la dame avec le roi;
Mais, lui fallant un pic, je sortis hors d'effroi,
Et croyais bien du moins faire deux points uniques.
Avec les sept carreaux il avait quatre piques,
Et, jetant le dernier, m'a mis dans l'embarras
De ne savoir lequel garder de mes deux as.
J'ai jeté l'as de cœur, avec raison me semble;
Mais il avait quitté quatre trèfles ensemble,
Et par un six de cœur je me suis vu capot,
Sans pouvoir, de dépit, proférer un seul mot.
Morbleu! fais-moi raison de ce coup effroyable.
A moins que l'avoir vu, peut-il être croyable?

ÉRASTE

C'est dans le jeu qu'on voit les plus grands coups du sort.

ALCIPPE

Parbleu! tu jugeras toi-même si j'ai tort,
Et si c'est sans raison que ce coup me transporte;
Car voici nos deux jeux, qu'exprès sur moi je porte.
Tiens, c'est ici mon port, comme je te l'ai dit,
Et voici...

ÉRASTE

         J'ai compris le tout par ton récit,
Et vois de la justice au transport qui t'agite;
Mais pour certaine affaire il faut que je te quitte :
Adieu; console-toi, pourtant, de ton malheur.

ALCIPPE

Qui, moi? J'aurai toujours ce coup-là sur le cœur,
Et c'est pour ma raison pis qu'un coup de tonnerre.
Je le veux faire, moi, voir à toute la terre.

       Il s'en va, et prêt à rentrer, il dit par réflexion :

Un six de cœur! deux points!

ÉRASTE, *seul.*

                En quel lieu sommes-nous?
De quelque part qu'on tourne, on ne voit que des fous.

            Apercevant La Montagne.

Ah! que tu fais languir ma juste impatience!

SCÈNE III

LA MONTAGNE, ÉRASTE

LA MONTAGNE

Monsieur, je n'ai pu faire une autre diligence.

ÉRASTE

Mais me rapportes-tu quelque nouvelle enfin?

LA MONTAGNE

Sans doute; et de l'objet qui fait votre destin
J'ai, par un ordre exprès, quelque chose à vous dire.

ÉRASTE

Et quoi? Déjà mon cœur après ce mot soupire.
Parle.

LA MONTAGNE

Souhaitez-vous de savoir ce que c'est?

ÉRASTE

Oui, dis vite.

LA MONTAGNE

Monsieur, attendez, s'il vous plaît.
Je me suis, à courir, presque mis hors d'haleine.

ÉRASTE

Prends-tu quelque plaisir à me tenir en peine?

LA MONTAGNE

Puisque vous désirez de savoir promptement
L'ordre que j'ai reçu de cet objet charmant,
Je vous dirai... Ma foi, sans vous vanter mon zèle.
J'ai bien fait du chemin pour trouver cette belle,
Et si...

ÉRASTE

Peste soit, fat, de tes digressions!

LA MONTAGNE

Ah! il faut modérer un peu ses passions,
Et Sénèque...

ÉRASTE

Sénèque est un sot dans ta bouche,
Puisqu'il ne me dit rien de tout ce qui me touche.
Dis-moi ton ordre, tôt.

LA MONTAGNE

Pour contenter vos vœux,
Votre Orphise... Une bête est là dans vos cheveux.

ÉRASTE

Laisse.

LA MONTAGNE

Cette beauté de sa part vous fait dire...

ÉRASTE

Quoi?

LA MONTAGNE

Devinez.

ÉRASTE

Sais-tu que je ne veux pas rire?

LA MONTAGNE

Son ordre est qu'en ce lieu vous devez vous tenir,
Assuré que dans peu vous l'y verrez venir,
Lorsqu'elle aura quitté quelques provinciales,
Aux personnes de cour fâcheuses animales.

ÉRASTE

Tenons-nous donc au lieu qu'elle a voulu choisir.
Mais, puisque l'ordre ici m'offre quelque loisir,
Laisse-moi méditer:

La Montagne sort.

J'ai dessein de lui faire
Quelques vers sur un air où je la vois se plaire.

Il se promène en rêvant.

SCÈNE IV

ORANTE, CLIMÈNE, ÉRASTE, *dans un coin
du théâtre sans être aperçu.*

ORANTE

Tout le monde sera de mon opinion.

CLIMÈNE

Croyez-vous l'emporter par obstination?

ORANTE

Je pense mes raisons meilleures que les vôtres.

CLIMÈNE

Je voudrais qu'on ouït les unes et les autres.

ORANTE, *apercevant Éraste.*

J'avise un homme ici qui n'est pas ignorant;
Il pourra nous juger sur notre différend.
Marquis, de grâce, un mot : souffrez qu'on vous appelle
Pour être, entre nous deux, juge d'une querelle,
D'un débat qu'ont ému nos divers sentiments
Sur ce qui peut marquer les plus parfaits amants.

ÉRASTE

C'est une question à vider difficile,
Et vous devez chercher un juge plus habile.

ORANTE

Non, vous nous dites là d'inutiles chansons.
Votre esprit fait du bruit, et nous vous connaissons;
Nous savons que chacun vous donne à juste titre...

ÉRASTE

Hé! de grâce...

ORANTE

En un mot, vous serez notre arbitre,
Et ce sont deux moments qu'il vous faut nous donner.

CLIMÈNE, *à Orante*.

Vous retenez ici qui vous doit condamner;
Car enfin, s'il est vrai ce que j'en ose croire,
Monsieur à mes raisons donnera la victoire.

ÉRASTE, *à part*.

Que ne puis-je à mon traître inspirer le souci
D'inventer quelque chose à me tirer d'ici!

ORANTE, *à Climène*.

Pour moi, de mon esprit j'ai trop bon témoignage,
Pour craindre qu'il prononce à mon désavantage.

A Éraste.

Enfin, ce grand débat qui s'allume entre nous
Est de savoir s'il faut qu'un amant soit jaloux.

CLIMÈNE

Ou, pour mieux expliquer ma pensée et la vôtre,
Lequel doit plaire plus d'un jaloux ou d'un autre.

ORANTE

Pour moi, sans contredit, je suis pour le dernier.

CLIMÈNE

Et, dans mon sentiment, je tiens pour le premier.

ORANTE

Je crois que notre cœur doit donner son suffrage
A qui fait éclater du respect davantage.

CLIMÈNE

Et moi, que, si nos vœux doivent paraître un jour,
C'est pour celui qui fait éclater plus d'amour.

ORANTE

Oui, mais on voit l'ardeur dont une âme est saisie
Bien mieux dans les respects que dans la jalousie.

CLIMÈNE

Et c'est mon sentiment, que qui s'attache à nous
Nous aime d'autant plus qu'il se montre jaloux.

ORANTE

Fi! ne me parlez point, pour être amants, Climène,
De ces gens dont l'amour est fait comme la haine,
Et qui, pour tous respects et toute offre de vœux,

Ne s'appliquent jamais qu'à se rendre fâcheux;
Dont l'âme, que sans cesse un noir transport anime,
Des moindres actions cherche à nous faire un crime,
En soumet l'innocence à son aveuglement,
Et veut sur un coup d'œil un éclaircissement;
Qui, de quelque chagrin nous voyant l'apparence,
Se plaignent aussitôt qu'il naît le leur présence,
Et, lorsque dans nos yeux brille un peu d'enjoûment,
Veulent que leurs rivaux en soient le fondement;
Enfin, qui, prenant droit des fureurs de leur zèle,
Ne vous parlent jamais que pour faire querelle,
Osent défendre à tous l'approche de nos cœurs,
Et se font les tyrans de leurs propres vainqueurs,
Moi, je veux des amants que le respect inspire,
Et leur soumission marque mieux notre empire.

CLIMÈNE

Fi! ne me parlez point, pour être vrais amants,
De ces gens qui pour nous n'ont nuls emportements;
De ces tièdes galants, de qui les cœurs paisibles
Tiennent déjà pour eux les choses infaillibles,
N'ont point peur de nous perdre, et laissent chaque jour
Sur trop de confiance endormir leur amour,
Sont avec leurs rivaux en bonne intelligence,
Et laissent un champ libre à leur persévérance.
Un amour si tranquille excite mon courroux :
C'est aimer froidement que n'être point jaloux;
Et je veux qu'un amant, pour me prouver sa flamme,
Sur d'éternels soupçons laisse flotter mon âme,
Et par de prompts transports donne un signe éclatant
De l'estime qu'il fait de celle qu'il prétend.
On s'applaudit alors de son inquiétude,
Et, s'il nous fait parfois un traitement trop rude,
Le plaisir de le voir, soumis à nos genoux,
S'excuser de l'éclat qu'il a fait contre nous,
Ses pleurs, son désespoir d'avoir pu nous déplaire,
Sont un charme à calmer toute notre colère.

ORANTE

Si pour vous plaire il faut beaucoup d'emportement,
Je sais qui vous pourrait donner contentement;
Et je connais des gens dans Paris plus de quatre
Qui, comme ils le font voir, aiment jusques à battre.

CLIMÈNE

Si pour vous plaire il faut n'être jamais jaloux,
Je sais certaines gens fort commodes pour vous,
Des hommes en amour d'une humeur si souffrante
Qu'ils vous verraient sans peine entre les bras de trente.

ORANTE

Enfin, par votre arrêt vous devez déclarer
Celui de qui l'amour vous semble à préférer.

*Orphise paraît dans le fond du théâtre, et voit Éraste entre Orante et
Climène.*

ÉRASTE

Puisqu'à moins d'un arrêt je ne m'en puis défaire,
Toutes deux à la fois je vous veux satisfaire;
Et, pour ne point blâmer ce qui plaît à vos yeux,
Le jaloux aime plus, et l'autre aime bien mieux.

CLIMÈNE

L'arrêt est plein d'esprit, mais...

ÉRASTE

                              Suffit, j'en suis quitte
Après ce que j'ai dit, souffrez que je vous quitte.

SCÈNE V

ORPHISE, ÉRASTE

ÉRASTE, *apercevant Orphise, et allant au-devant d'elle.*
Que vous tardez, Madame, et que j'éprouve bien...

ORPHISE

Non, non, ne quittez pas un si doux entretien.
A tort vous m'accusez d'être trop tard venue,

  Montrant Orante et Climène qui viennent de sortir.

Et vous avez de quoi vous passer de ma vue.

ÉRASTE

Sans sujet contre moi voulez-vous vous aigrir,
Et me reprochez-vous ce qu'on me fait souffrir?
Ha! de grâce, attendez...

ORPHISE

                    Laissez-moi, je vous prie,
Et courez vous rejoindre à votre compagnie.

Elle sort.

ÉRASTE

Ciel! faut-il qu'aujourd'hui fâcheuses et fâcheux
Conspirent à troubler les plus chers de mes vœux!
Mais allons sur ses pas, malgré sa résistance,
Et faisons à ses yeux briller notre innocence.

SCÈNE VI

DORANTE, ÉRASTE

DORANTE

Ha! Marquis, que l'on voit de fâcheux tous les jours
Venir de nos plaisirs interrompre le cours!
Tu me vois enragé d'une assez belle chasse,
Qu'un fat... C'est un récit qu'il faut que je te fasse.

ÉRASTE

Je cherche ici quelqu'un, et ne puis m'arrêter.

DORANTE, *le retenant.*

Parbleu! chemin faisant, je te le veux conter.
Nous étions une troupe assez bien assortie
Qui, pour courir un cerf, avions hier fait partie,
Et nous fûmes coucher sur le pays exprès,
C'est-à-dire, mon cher, en fin fond de forêts.
Comme cet exercice est mon plaisir suprême,
Je voulus, pour bien faire, aller au bois moi-même;
Et nous conclûmes tous d'attacher nos efforts
Sur un cerf qu'un chacun nous disait cerf dix-cors.
Mais moi, mon jugement, sans qu'aux marques j'arrête,
Fut qu'il n'était que cerf à sa seconde tête[6].
Nous avions, comme il faut, séparé nos relais,
Et déjeunions en hâte avec quelques œufs frais,
Lorsqu'un franc campagnard, avec longue rapière,
Montant superbement sa jument poulinière,
Qu'il honorait du nom de sa bonne jument,
S'en est venu nous faire un mauvais compliment,
Nous présentant aussi, pour surcroît de colère,

Un grand benêt de fils aussi sot que son père.
Il s'est dit grand chasseur, et nous a priés tous
Qu'il pût avoir le bien de courir avec nous.
Dieu préserve, en chassant, toute sage personne
D'un porteur de huchet qui mal à propos sonne,
De ces gens qui, suivis de dix hourets[7] galeux,
Disent : « Ma meute », et font les chasseurs merveilleux!
Sa demande reçue et ses vertus prisées,
Nous avons été tous frapper à nos brisées.
A trois longueurs de trait, tayaut! voilà d'abord
Le cerf donné aux chiens. J'appuie, et sonne fort.
Mon cerf débuche et passe une assez longue plaine,
Et mes chiens après lui, mais si bien en haleine,
Qu'on les aurait couverts tous d'un seul justaucorps.
Il vient à la forêt. Nous lui donnons alors
La vieille meute, et moi, je prends en diligence
Mon cheval alezan. Tu l'as vu?

ÉRASTE

Non, je pense.

DORANTE

Comment! C'est un cheval aussi bon qu'il est beau,
Et que, ces jours passés, j'achetai de Gaveau[8].
Je te laisse à penser si, sur cette matière,
Il voudrait me tromper, lui qui me considère :
Aussi je m'en contente; et jamais, en effet,
Il n'a vendu cheval ni meilleur ni mieux fait.
Une tête de barbe, avec l'étoile[9] nette;
L'encolure d'un cygne, effilée et bien droite;
Point d'épaules non plus qu'un lièvre; court-jointé,
Et qui fait dans son port voir sa vivacité;
Des pieds, morbleu, des pieds! le rein double : à vrai dire,
J'ai trouvé le moyen, moi seul, de le réduire,
Et sur lui, quoique aux yeux il montrât beau semblant,
Petit-Jean de Gaveau ne montait qu'en tremblant.
Une croupe en largeur à nulle autre pareille;
Et des gigots, Dieu sait! Bref, c'est une merveille,
Et j'en ai refusé cent pistoles, crois-moi,
Au retour d'un cheval amené pour le Roi.
Je monte donc dessus, et ma joie était pleine
De voir filer de loin les coupeurs dans la plaine;
Je pousse, et je me trouve en un fort à l'écart,
A la queue de nos chiens, moi seul avec Drécar[10].

Une heure là-dedans notre cerf se fait battre.
J'appuie alors mes chiens, et fais le diable à quatre;
Enfin jamais chasseur ne se vit plus joyeux.
Je le relance seul, et tout allait des mieux,
Lorsque d'un jeune cerf s'accompagne le nôtre :
Une part de mes chiens se sépare de l'autre,
Et je les vois, Marquis, comme tu peux penser,
Chasser tous avec crainte, et Finaut balancer.
Il se rabat soudain, dont j'eus l'âme ravie;
Il empaume la voie, et moi, je sonne et crie :
« A Finaut! à Finaut! » J'en revois à plaisir
Sur une taupinière, et résonne à loisir.
Quelques chiens revenaient à moi, quand, pour disgrâce,
Le jeune cerf, Marquis, à mon campagnard passe.
Mon étourdi se met à sonner comme il faut,
Et crie à pleine voix : « Tayaut! tayaut! tayaut! »
Mes chiens me quittent tous, et vont à ma pécore;
J'y pousse, et j'en revois dans le chemin encore;
Mais à terre, mon cher, je n'eus pas jeté l'œil,
Que je connus le change, et sentis un grand deuil.
J'ai beau lui faire voir toutes les différences
Des pinces de mon cerf et de ses connaissances,
Il me soutient toujours, en chasseur ignorant,
Que c'est le cerf de meute; et par ce différend
Il donne temps aux chiens d'aller loin : j'en enrage,
Et, pestant de bon cœur contre le personnage,
Je pousse mon cheval, et par haut, et par bas,
Qui pliait des gaulis aussi gros que les bras.
Je ramène les chiens à ma première voie,
Qui vont, en me donnant une excessive joie,
Requérir notre cerf, comme s'ils l'eussent vu :
Ils le relancent; mais ce coup est-il prévu?
A te dire le vrai, cher Marquis, il m'assomme.
Notre cerf, relancé, va passer à notre homme,
Qui, croyant faire un trait de chasseur fort vanté,
D'un pistolet d'arçon qu'il avait apporté
Lui donne justement au milieu de la tête,
Et de fort loin me crie : « Ah! j'ai mis bas la bête! »
A-t-on jamais parlé de pistolets, bon Dieu!
Pour courre un cerf? Pour moi, venant dessus le lieu,
J'ai trouvé l'action tellement hors d'usage
Que j'ai donné des deux à mon cheval, de rage,
Et m'en suis revenu chez moi toujours courant,
Sans vouloir dire un mot à ce sot ignorant.

ÉRASTE

Tu ne pouvais mieux faire, et ta prudence est rare :
C'est ainsi des fâcheux qu'il faut qu'on se sépare.
Adieu.

DORANTE

Quand tu voudras, nous irons quelque part
Où nous ne craindrons point de chasseur campagnard.

ÉRASTE, *seul*.

Fort bien. Je crois qu'enfin je perdrai patience.
Cherchons à m'excuser avecque diligence.

BALLET DU SECOND ACTE

PREMIÈRE ENTRÉE

Des joueurs de boule l'arrêtent pour mesurer un coup dont ils sont en dispute. Il se défait d'eux avec peine, et leur laisse danser un pas composé de toutes les postures qui sont ordinaires à ce jeu.

DEUXIÈME ENTRÉE

De petits frondeurs le viennent interrompre, qui sont chassés ensuite,

TROISIÈME ENTRÉE

par dès savetiers et des savetières, leurs pères, et autres, qui sont aussi chassés à leur tour,

QUATRIÈME ENTRÉE

par un jardinier qui danse seul, et se retire pour faire place au troisième acte.

ACTE III

SCÈNE PREMIÈRE

ÉRASTE, LA MONTAGNE

ÉRASTE

Il est vrai, d'un côté mes soins ont réussi :
Cet adorable objet enfin s'est adouci ;
Mais d'un autre on m'accable, et les astres sévères
Ont contre mon amour redoublé leurs colères.
Oui, Damis, son tuteur, mon plus rude fâcheux,
Tout de nouveau s'oppose aux plus doux de mes vœux,
A son aimable nièce a défendu ma vue,
Et veut d'un autre époux la voir demain pourvue.
Orphise toutefois, malgré son désaveu,
Daigne accorder ce soir une grâce à mon feu ;
Et j'ai fait consentir l'esprit de cette belle
A souffrir qu'en secret je la visse chez elle.
L'amour aime surtout les secrètes faveurs :
Dans l'obstacle qu'on force il trouve des douceurs,
Et le moindre entretien de la beauté qu'on aime,
Lorsqu'il est défendu, devient grâce suprême.
Je vais au rendez-vous : c'en est l'heure à peu près ;
Puis je veux m'y trouver plutôt avant qu'après.

LA MONTAGNE

Suivrai-je vos pas ?

ÉRASTE

                    Non ; je craindrais que peut-être
A quelques yeux suspects tu me fisses connaître.

LA MONTAGNE

Mais...

ÉRASTE

  Je ne le veux pas.

LA MONTAGNE

Je dois suivre vos lois;
Mais au moins, de si loin...

ÉRASTE

Te tairas-tu, vingt fois?
Et ne veux-tu jamais quitter cette méthode
De te rendre à toute heure un valet incommode?

SCÈNE II

CARITIDÈS, ÉRASTE

CARITIDÈS

Monsieur, le temps répugne à l'honneur de vous voir;
Le matin est plus propre à rendre un tel devoir.
Mais de vous rencontrer il n'est pas bien facile,
Car vous dormez toujours, ou vous êtes en ville;
Au moins, Messieurs vos gens me l'assurent ainsi;
Et j'ai, pour vous trouver, pris l'heure que voici.
Encore est-ce un grand heur dont le destin m'honore,
Car, deux moments plus tard, je vous manquais encore.

ÉRASTE

Monsieur, souhaitez-vous quelque chose de moi?

CARITIDÈS

Je m'acquitte, Monsieur, de ce que je vous doi,
Et vous vient... Excusez l'audace qui m'inspire,
Si...

ÉRASTE

Sans tant de façons, qu'avez-vous à me dire?

CARITIDÈS

Comme le rang, l'esprit, la générosité,
Que chacun vante en vous...

ÉRASTE

Oui, je suis fort vanté.
Passons, Monsieur.

CARITIDÈS

Monsieur, c'est une peine extrême
Lorsqu'il faut à quelqu'un se produire soi-même,
Et toujours près des grands on doit être introduit
Par des gens qui de nous fassent un peu de bruit,
Dont la bouche écoutée avecque poids débite
Ce qui peut faire voir notre petit mérite;
Pour moi j'aurais voulu que des gens bien instruits
Vous eussent pu, Monsieur, dire ce que je suis.

ÉRASTE

Je vois assez, Monsieur, ce que vous pouvez être,
Et votre seul abord le peut faire connaître.

CARITIDÈS

Oui, je suis un savant charmé de vos vertus;
Non pas de ces savants dont le nom n'est qu'en *us* :
Il n'est rien si commun qu'un nom à la latine,
Ceux qu'on habille en grec ont bien meilleure mine;
Et, pour en avoir un qui se termine en *ès*,
Je me fais appeler Monsieur Caritidès.

ÉRASTE

Monsieur Caritidès, soit. Qu'avez-vous à dire?

CARITIDÈS

C'est un placet, Monsieur, que je voudrais vous lire,
Et que, dans la posture où vous met votre emploi,
J'ose vous conjurer de présenter au Roi.

ÉRASTE

-Hé! Monsieur, vous pouvez le présenter vous-même.

CARITIDÈS

Il est vrai que le Roi fait cette grâce extrême;
Mais, par ce même excès de ses rares bontés,
Tant de méchants placets, Monsieur, sont présentés
Qu'ils étouffent les bons; et l'espoir où je fonde
Est qu'on donne le mien quand le Prince est sans monde.

ÉRASTE

Eh bien! vous le pouvez, et prendre votre temps.

CARITIDÈS

Ah! Monsieur, les huissiers sont de terribles gens!
Ils traitent les savants de faquins à nasardes,
Et je n'en puis venir qu'à la salle des gardes.
Les mauvais traitements qu'il me faut endurer
Pour jamais de la cour me feraient retirer,
Si je n'avais conçu l'espérance certaine
Qu'auprès de notre Roi vous serez mon Mécène.
Oui, votre crédit m'est un moyen assuré...

ÉRASTE

Eh bien! donnez-moi donc, je le présenterai.

CARITIDÈS

Le voici; mais au moins oyez-en la lecture.

ÉRASTE

Non...

CARITIDÈS

C'est pour être instruit, Monsieur, je vous conjure.

PLACET AU ROI

SIRE,

Votre très humble, très obéissant, très fidèle et très savant sujet et serviteur Caritidès, Français de nation, Grec de profession, ayant considéré les grands et notables abus qui se commettent aux inscriptions des enseignes des maisons, boutiques, cabarets, jeux de boule et autres lieux de votre bonne ville de Paris, en ce que certains ignorants compositeurs desdites inscriptions renversent, par une barbare, pernicieuse et détestable orthographe, toute sorte de sens et de raison, sans aucun égard d'étymologie, analogie, énergie ni allégorie quelconque, au grand scandale de la république des lettres et de la nation française, qui se décrie et déshonore par lesdits abus et fautes grossières envers les étrangers, et notamment envers les Allemands, curieux lecteurs et spectateurs desdites inscriptions...

ÉRASTE

Ce placet est fort long, et pourrait bien fâcher...

CARITIDÈS

Ah! Monsieur, pas un mot ne s'en peut retrancher.

ÉRASTE

Achevez promptement.

CARITIDÈS *continue* :

... supplie humblement VOTRE MAJESTÉ de créer,
pour le bien de son État et la gloire de son empire, une charge
de contrôleur, intendant, correcteur, réviseur et restaurateur
général desdites inscriptions, et d'icelle honorer le suppliant
tant en considération de son rare et éminent savoir que des
grands et signalés services qu'il a rendus à l'État et à
VOTRE MAJESTÉ en faisant l'anagramme de VOTRE
DITE MAJESTÉ en français, latin, grec, hébreu, syriaque,
chaldéen, arabe...

ÉRASTE, *l'interrompant.*

Fort bien ; donnez-le vite, et faites la retraite :
Il sera vu du Roi, c'est une affaire faite.

CARITIDÈS

Hélas ! Monsieur, c'est tout que montrer mon placet.
Si le Roi le peut voir, je suis sûr de mon fait ;
Car, comme sa justice en toute chose est grande,
Il ne pourra jamais refuser ma demande..
Au reste, pour porter au Ciel votre renom,
Donnez-moi par écrit votre nom et surnom :
J'en veux faire un poème en forme d'acrostiche
Dans les deux bouts du vers et dans chaque hémistiche.

ÉRASTE

Oui, vous l'aurez demain, Monsieur Caritidès.

Seul.

Ma foi, de tels savants sont des ânes bien faits.
J'aurais, dans d'autres temps, bien ri de sa sottise.

SCÈNE III

ORMIN, ÉRASTE

ORMIN

Bien qu'une grande affaire en ce lieu me conduise,
J'ai voulu qu'il sortît avant que vous parler.

ÉRASTE

Fort bien ; mais dépêchons, car je veux m'en aller.

ORMIN

Je me doute à peu près que l'homme qui vous quitte
Vous a fort ennuyé, Monsieur, par sa visite.
C'est un vieux importun, qui n'a pas l'esprit sain,
Et pour qui j'ai toujours quelque défaite en main.
Au Mail[11], au Luxembourg et dans les Tuileries,
Il fatigue le monde avec ses rêveries;
Et des gens comme vous doivent fuir l'entretien
De tous ces savantas qui ne sont bons à rien.
Pour moi, je ne crains pas que je vous importune,
Puisque je viens, Monsieur, faire votre fortune.

ÉRASTE, *bas, à part.*

Voici quelque souffleur, de ces gens qui n'ont rien,
Et nous viennent toujours promettre tant de bien.

Haut.

Vous avez fait, Monsieur, cette bénite pierre
Qui peut seule enrichir tous les rois de la terre?

ORMIN

La plaisante pensée, hélas! où vous voilà!
Dieu me garde, Monsieur, d'être de ces fous-là!
Je ne me repais point de visions frivoles,
Et je vous porte ici les solides paroles
D'un avis que pour vous je veux donner au Roi,
Et que tout cacheté je conserve sur moi,
Non de ces sots projets, de ces chimères vaines,
Dont les surintendants ont les oreilles pleines;
Non de ces gueux d'avis, dont les prétentions
Ne parlent que de vingt ou trente millions;
Mais un qui, tous les ans, à si peu qu'on le monte,
En peut donner au Roi quatre cents, de bon compte,
Avec facilité sans risque ni soupçon,
Et sans fouler le peuple en aucune façon.
Enfin, c'est un avis d'un gain inconcevable,
Et que du premier mot on trouvera faisable.
Oui, pourvu que par vous je puisse être poussé...

ÉRASTE

Soit, nous en parlerons; je suis un peu pressé.

ORMIN

Si vous me promettiez de garder le silence,
Je vous découvrirais cet avis d'importance.

ÉRASTE

Non, non, je ne veux point savoir votre secret.

ORMIN

Monsieur, pour le trahir je vous crois trop discret,
Et veux avec franchise en deux mots vous l'apprendre.
Il faut voir si quelqu'un ne peut point nous entendre.

*Après avoir regardé si personne ne l'écoute, il s'approche de l'oreille
d'Éraste.*

Cet avis merveilleux, dont je suis l'inventeur,
Est que...

ÉRASTE

D'un peu plus loin, et pour cause, Monsieur.

ORMIN

Vous voyez le grand gain, sans qu'il faille le dire,
Que de ses ports de mer le Roi tous les ans tire.
Or l'avis, dont encor nul ne s'est avisé,
Est qu'il faut de la France, et c'est un coup aisé,
En fameux ports de mer mettre toutes les côtes.
Ce serait pour monter à des sommes très hautes,
Et si...

ÉRASTE

L'avis est bon, et plaira fort au Roi.
Adieu; nous nous verrons.

ORMIN

Au moins appuyez-moi
Pour en avoir ouvert les premières paroles.

ÉRASTE

Oui, oui.

ORMIN

Si vous vouliez me prêter deux pistoles,
Que vous reprendriez sur le droit de l'avis,
Monsieur...

ÉRASTE

Il donne deux louis à Ormin.

Oui, volontiers.

Seul.

Plût à Dieu qu'à ce prix
De tous les importuns je pusse me voir quitte!
Voyez quel contretemps prend ici leur visite!
Je pense qu'à la fin je pourrai bien sortir.
Viendra-t-il point quelqu'un encor me divertir?

SCÈNE IV

FILINTE, ÉRASTE

FILINTE

Marquis, je viens d'apprendre une étrange nouvelle.

ÉRASTE

Quoi?

FILINTE

Qu'un homme tantôt t'a fait une querelle.

ÉRASTE

A moi?

FILINTE

Que te sert-il de le dissimuler?
Je sais de bonne part qu'on t'a fait appeler,
Et, comme ton ami, quoi qu'il en réussisse,
Je te viens contre tous faire offre de service.

ÉRASTE

Je te suis obligé; mais crois que tu me fais...

FILINTE

Tu ne l'avoueras pas, mais tu sors sans valets.
Demeure dans la ville ou gagne la campagne,
Tu n'iras nulle part que je ne t'accompagne.

ÉRASTE, *à part.*

Ah! j'enrage.

FILINTE

A quoi bon de te cacher de moi?

ÉRASTE

Je te jure, Marquis, qu'on s'est moqué de toi.

FILINTE

En vain tu t'en défends.

ÉRASTE

Que le ciel me foudroie
Si d'aucun démêlé!...

FILINTE

Tu penses qu'on te croie?

ÉRASTE

Eh! mon Dieu! je te dis, et ne déguise point,
Que...

FILINTE

Ne me crois pas dupe et crédule à ce point.

ÉRASTE

Veux-tu m'obliger?

FILINTE

Non.

ÉRASTE

Laisse-moi, je te prie.

FILINTE

Point d'affaire, Marquis.

ÉRASTE

Une galanterie,
En certain lieu, ce soir...

FILINTE

Je ne te quitte pas :
En quel lieu que ce soit, je veux suivre tes pas.

ÉRASTE

Parbleu! puisque tu veux que j'aie une querelle,
Je consens à l'avoir pour contenter ton zèle :
Ce sera contre toi, qui me fais enrager,
Et dont je ne me puis par douceur dégager.

FILINTE

C'est fort mal d'un ami recevoir le service;
Mais puisque je vous rends un si mauvais office,
Adieu : videz sans moi tout ce que vous aurez.

                         ÉRASTE

Vous serez mon ami quand vous me quitterez.

                                              Seul.

Mais voyez quels malheurs suivent ma destinée!
Ils m'auront fait passer l'heure qu'on m'a donnée.

                        SCÈNE V

           DAMIS, L'ESPINE, ÉRASTE,
           LA RIVIÈRE, *et ses compagnons.*

                  DAMIS, *à l'Espine.*

Quoi! malgré moi le traître espère l'obtenir!
Ah! mon juste courroux le saura prévenir.

                  ÉRASTE, *à part.*

J'entrevois là quelqu'un sur la porte d'Orphise.
Quoi! toujours quelque obstacle aux feux qu'elle autorise!

                  DAMIS, *à l'Espine.*

Oui, j'ai su que ma nièce, en dépit de mes soins,
Doit voir ce soir chez elle Eraste sans témoins.

                  LA RIVIÈRE, *à ses compagnons.*

Qu'entends-je à ces gens-là dire de notre maître?
Approchons doucement, sans nous faire connaître.

                  DAMIS, *à l'Espine.*

Mais avant qu'il ait lieu d'achever son dessein,
Il faut de mille coups percer son traître sein.
Va-t'en faire venir ceux que je viens de dire,
Pour les mettre en embûche aux lieux que je désire,
Afin qu'au nom d'Eraste on soit prêt à venger
Mon honneur, que ses feux ont l'orgueil d'outrager,
A rompre un rendez-vous qui dans ce lieu l'appelle,
Et noyer dans son sang sa flamme criminelle.

                  LA RIVIÈRE, *l'attaquant avec ses compagnons.*

Avant qu'à tes fureurs on puisse l'immoler,
Traître, tu trouveras en nous à qui parler.

ÉRASTE, *mettant l'épée à la main.*

Bien qu'il m'ait voulu perdre, un point d'honneur me
De secourir ici l'oncle de ma maîtresse.   [presse

A Damis.

Je suis à vous, Monsieur.

DAMIS, *après leur fuite.*

O Ciel! par quel secours
D'un trépas assuré vois-je sauver mes jours?
A qui suis-je obligé d'un si rare service?

ÉRASTE, *revenant.*

Je n'ai fait, vous servant, qu'un acte de justice.

DAMIS

Ciel! puis-je à mon oreille ajouter quelque foi?
Est-ce la main d'Eraste...?

ÉRASTE

Oui, oui, Monsieur, c'est moi:
Trop heureux que ma main vous ait tiré de peine,
Trop malheureux d'avoir mérité votre haine.

DAMIS

Quoi! celui dont j'avais résolu le trépas
Est celui qui pour moi vient d'employer son bras!
Ah! c'en est trop, mon cœur est contraint de se rendre,
Et, quoi que votre amour ce soir ait pu prétendre,
Ce trait si surprenant de générosité
Doit étouffer en moi toute animosité.
Je rougis de ma faute, et blâme mon caprice;
Ma haine trop longtemps vous a fait injustice,
Et, pour la condamner par un éclat fameux,
Je vous joins, dès ce soir, à l'objet de vos vœux.

SCÈNE VI

ORPHISE, DAMIS, ÉRASTE,
suite.

ORPHISE, *venant avec un flambeau d'argent à la main.*

Monsieur, quelle aventure a d'un trouble effroyable...

DAMIS

Ma nièce, elle n'a rien que de très agréable,
Puisque après tant de vœux que j'ai blâmés en vous,

C'est elle qui vous donne Eraste pour époux.
Son bras a repoussé le trépas que j'évite,
Et je veux envers lui que votre main m'acquitte.

ORPHISE

Si c'est pour lui payer ce que vous lui devez,
J'y consens devant tout aux jours qu'il a sauvés.

ÉRASTE

Mon cœur est si surpris d'une telle merveille,
Qu'en ce ravissement je doute si je veille.

DAMIS

Célébrons l'heureux sort dont vous allez jouir,
Et que nos violons viennent nous réjouir.

Comme les violons veulent jouer, on frappe à la porte.

ÉRASTE

Qui frappe là si fort?

L'ESPINE

Monsieur, ce sont des masques
Qui portent des crincrins et des tambours de Basques.

Les masques entrent, qui occupent toute la place.

ÉRASTE

Quoi! toujours des fâcheux! Holà! suisses, ici!
Qu'on me fasse sortir ces gredins que voici.

BALLET DU TROISIÈME ACTE

PREMIÈRE ENTRÉE

*Des suisses avec des hallebardes chassent tous les masques fâcheux,
et se retirent ensuite pour laisser danser à leur aise.*

DERNIÈRE ENTRÉE

*Quatre bergers et une bergère qui, au sentiment de tous ceux qui l'ont
vue, ferme le divertissement d'assez bonne grâce.*

PRÉFACE DE 1682

1. Cette édition est l'œuvre de Vinot, l'ami de Molière, et de La Grange, l'un des meilleurs acteurs de sa troupe. Elle parut en huit volumes in-12 chez Thierry.

2. Les sept comédies en question sont : *Dom Garcie de Navarre, Dom Juan, L'Impromptu de Versailles, Les Amants magnifiques, La Comtesse d'Escarbagnas, Le Malade imaginaire* et *Mélicerte.*

3. L'acte de baptême est du samedi 15 janvier 1622.

4. Ce collège occupait l'emplacement de l'actuel lycée Louis-le-Grand.

5. Au vrai, Conti était de sept ans plus jeune que Molière.

6. Allusion aux maîtres «libertins» de Molière : Gassendi et Bernier.

7. *L'Illustre Théâtre* fut fondé, le 16 juin 1643, par les Béjart, Molière et six autres comédiens et comédiennes.

8. Allusion aux échecs de la troupe au *Jeu de paume des Métayers,* rue Mazarine (1644) et au *Jeu de paume de la Croix Noire,* port Saint-Paul (1645).

9. Pendant quatorze ans on trouve la trace de Molière et de sa troupe à Agen, Toulouse, Albi, Carcassonne, Nantes, Toulouse (2e fois), Narbonne, Agen (2e fois), Pézenas, Vienne, Carcassonne (2e fois), Grenoble, Lyon, Montpellier, Lyon (2e fois), Montpellier (2e fois), Lyon (3e fois), Avignon, Pézenas (2e fois), Narbonne (2e fois), Bordeaux, Béziers, Lyon (4e fois), Dijon, Avignon (2e fois), Lyon (5e fois), Grenoble (2e fois), Rouen et Paris.

10. Au château de la Grange-aux-Prés, non loin de Pézenas.

11. Au mois de décembre 1656.

12. C'étaient alors les quatre Béjart, les deux De Prie, les deux Du Parc, Croisac et Dufresne.

13. « Les grands comédiens » : Montfleury, Floridor, etc.

14. Des farces dont deux sont conservées : *La Jalousie du Barbouillé* et *Le Médecin volant,* et dont une autre, *Le Docteur amoureux,* est perdue.

15. Près de Saint-Germain-l'Auxerrois.

16. La troupe de Trivelin et de Scaramouche.

17. Quinze sols.

18. Elle avait été inaugurée le 14 janvier 1641.

19. De 6000 seulement jusqu'en 1671.

20. Lucilius, le « vieux poète malveillant ».

21. Dans la maison qui occupait le n° 40 de la rue de Richelieu actuelle.

22. Ces vers latins de Bachot, médecin du roi, ont été paraphrasés ainsi dans le *Mercure* de janvier 1736 :

> Cette urne est le dépôt des cendres de Molière,
> Il se faisait un jeu de jouer les humains;
> Mais en jouant la Mort, il passa par ses mains :
> La cruelle, à l'instant, lui ravit la lumière.

23. L'actuelle rue Mazarine, dite anciennement des Fossés-de-Nesles.

24. Ce fut la fondation de la Comédie-Française.

25. A de rares exceptions près.

LA JALOUSIE DU BARBOUILLÉ

Molière a tiré cette farce, car c'en est une, d'une plaisante nouvelle du *Décaméron*, *Le Jaloux corrigé*; et le *Barbouillé* n'est autre
que le Pierrot de la comédie italienne, un « enfariné » dont la femme,
ironiquement nommée Angélique, se chamaille du matin au soir
avec lui et le trompe avec un certain Valère. Comment la punira-
t-il? Le Docteur, consulté, ne se prononce pas; Gorgibus, père d'Angélique, ne réussit point à apaiser une querelle qui s'exaspère. Des
scènes bouffonnes se succèdent : Angélique, partie pour le bal,
trouve la porte de sa maison close et fait semblant de vouloir se
tuer; le Barbouillé descend, sa chandelle à la main, mais la rusée,
par la porte ouverte, se glisse dans la maison et ferme à son tour
la porte à son benêt de mari, qui pousse les hauts cris. Surviennent
Gorgibus et le Docteur, à qui la pendarde fait croire que son époux
est ivre et vient de courir les mauvais lieux. Le jaloux rentre enfin,
corrigé, couvert des plaisanteries, assez grosses, du Docteur.

Dans cette farce, qui est une première esquisse de *George Dandin*,
et où l'on retrouve aussi des bribes du *Mariage forcé* (sc. IV), sans
parler d'une réplique de Martine dans *Les Femmes savantes*, apparaît déjà le génie de Molière, qui a su toujours prendre son bien où
il le trouvait, même dans ses propres œuvres.

1. *La Jalousie du Barbouillé*, que La Grange appelle, dans son
Registre, *Gros-René jaloux*, parce que l'acteur de ce nom en tenait
le personnage principal, a été jouée par Molière en province, puis
sept fois à Paris de 1660 à 1664.

2. « La convenance du lieu, du temps et de la personne ».

3. « Salut ou Bonne santé, Docteur, le plus savant des docteurs! »

4. *Quatuorque* pour *quaterque* : « O trois et quatre fois heureux! »

5. Envoyer quelqu'un des Gémeaux en Capricorne c'est, par
calembour sur ce dernier mot, lui faire porter des cornes [de bouc].

6. « Dis-toi que la première vertu est de retenir sa langue. »
(Distique de Denys Caton).

7. « Le variable avec l'invariable », début d'une règle de la gram-
maire latine de Despautère.

8. « Parce qu'il se compose d'une longue et de deux brèves. »

9. « Écoute, je t'en prie! »

10. Calembour sur Cicéron.

11. « Arrière, Satan! »

12. Ce cheval du nain Pacolet, héros d'un roman de chevalerie,
passait pour courir plus vite que l'oiseau vole.

13. « En latin, bonne nuit! »

LE MÉDECIN VOLANT

Une farce italienne, *Il Medico volante*, inspira tour à tour Molière, qui la rapporta de province et la joua à Paris pour la première fois au Louvre le 18 avril 1659, et le médiocre Boursault, qui en tira une pièce en vers, jouée en novembre 1661 à l'Hôtel de Bourgogne. Dans l'une et l'autre adaptation, *volant* signifie *sauteur* et s'applique aux sauts et tours de force que le valet Sganarelle exécute dans chaque pièce.

Dans la farce de Molière on voit le grigou Gorgibus, chargé d'ans et naïf, tenter de donner sa fille Lucile en mariage au vieux Villebrequin. Mais Lucile, qui voudrait épouser le jeune Valère dont elle est amoureuse, fait semblant d'être malade. Il s'agit de trouver un médecin qui, trompant Gorgibus, permette aux deux jeunes gens de se marier. Ce médecin sera Sganarelle, qui s'affuble en docteur et ordonne de transporter Lucile dans un pavillon sis au fond de son jardin, car elle a fort besoin de grand air. Surpris en habit de valet par Gorgibus, Sganarelle inventif se tire d'affaire en se créant de toutes pièces un frère jumeau, qui serait son sosie. Mais Valère et Lucile réussiront à attendrir Gorgibus et le mariage des deux amoureux sert de dénouement à la farce.

De cette farce qui plut au roi, Molière a tiré des éléments d'intrigue qui lui serviront dans *L'Amour médecin* et *Le Médecin malgré lui*.

1. Célèbres médecins grecs qui faisaient encore autorité au temps de Molière.

2. La carbure — on dit aujourd'hui : la garbure — est une soupe de Gascogne où entrent du jambon, du confit d'oie, du lard et des légumes.

3. Un mot arabe répété qui signifie : « La paix soit avec vous ! », un demi-vers du *Cid*, deux mots italiens, deux mots espagnols et du latin d'église : « A travers tous les siècles des siècles », composent un jargon qui impose aux naïfs.

4. « La vie est courte, l'art est long, l'occasion abrupte, l'expérience dangereuse, le jugement difficile. » Hippocrate, *Aphorismes*, début.

5. Mots dépourvus de sens.

6. « L'expérience instruit des choses », est un adage d'Erasme, article *Experientia*.

7. « Le mal est plus fort parfois que l'art et que la science » : citation d'Ovide, *Pontiques*, l. I, él. III, v. 18.

8. Le *cautère royal* est la marque que le bourreau appliquait au fer chaud sur l'épaule des condamnés.

9. La *fraise* est une collerette tuyautée en forme de roue, mise à la mode sous Henri III.

10. L'*etc.* prouve qu'à cet endroit l'acteur improvisait, à la mode italienne, les farces n'étant que de simples canevas.

L'ÉTOURDI

Rapportée de province par Molière, cette comédie en cinq actes et en vers, qui fut jouée pour la première fois à Lyon en 1655, obtint à Paris en 1658 un succès qu'on peut qualifier, sans jeu de mots, d'« étourdissant », et où Molière qui y tint avec un brio « fracassant » le rôle du valet Mascarille contribua grandement, comme acteur, au triomphe d'une pièce qui est une libre et franche adaptation de l'*Inavvertito* (« le Malavisé ») de l'Italien Beltramo. Cette comédie de deux mille vers étincelants ou pimpants produisit 70 pistoles pour chaque acteur et consacra Molière.

Elle a pour sous-titre *Les Contretemps* et mérite bien ce sous-titre par les contretemps successifs qui retardent jusqu'au dénouement le mariage de l'étourdi Lélie, fils du grigou Pandolfe, avec la charmante Célie, vendue par des Bohémiens à Trufaldin, qui exige pour la rendre une assez forte rançon. Mascarille a beau s'ingénier, et il est fertile en ruses de toute sorte, Lélie, sans le vouloir, contrecarre le succès de ses machinations : Mascarille a-t-il ramassé une bourse perdue? Lélie *étourdiment* la rend au vieil Anselme, un ami de Pandolfe; a-t-il inventé un stratagème pour ramener Célie? Lélie *étourdiment* le révèle à Trufaldin. Mascarille et Lélie, vêtus en Arméniens, s'introduisent-ils chez Trufaldin? Lélie parlant *étourdiment* trop haut se fait reconnaître sous son déguisement, etc. La vieille Egyptienne, qui jadis avait enlevé Célie, confesse enfin que Trufaldin est le père de celle-ci, et Pandolfe consent au mariage de son *étourdi* de fils avec celle qu'il aime.

1. Les *âmes en peine*, d'après la croyance populaire, étaient celles des morts non reçus au paradis, qui erraient autour des vivants en leur demandant des prières.

2. « Vive Mascarille, empereur des fourbes! » *Fourbum* est du latin moliéresque.

3. Le *soleil* ornant les pièces d'or frappées depuis Charles IX.

4. L'*Olibrius*, gouverneur des Gaules sous l'empereur Dèce, qui fit périr « l'innocente » sainte Reine, coupable d'avoir repoussé sa flamme.

5. Le *teston* à l'effigie de Louis XII qui valait au XVIᵉ siècle dix sols tournois.

6. On appelait *momon* une somme d'argent jouée aux dés par des masques.

7. Le *paraguante* (espagnol *para guantes* « pour les gants ») est l'équivalent de notre pourboire (« pour boire »).

8. Cet ancien mot de *bissêtre* (*bis sextus*), équivaut à « malheur », le jour ajouté aux années *bissextiles* étant réputé comme néfaste.

LE DÉPIT AMOUREUX

L'original italien de cette comédie en vers est *L'Interesse* (« La Cupidité ») de Nicolo Secchi. Albert a deux filles : Lucile et Dorothée; mais, pour se conserver un héritage d'importance, celui d'un oncle qui ne peut aller qu'à un enfant mâle, il échange Dorothée pour un garçon, Ascagne, qui meurt âgé de dix mois. La femme d'Albert, profitant de l'absence de son mari, échange alors l'enfant mort pour sa vraie fille Dorothée, mais fait croire à son mari, à son retour, que Dorothée est morte, qui est sous le nom d'Ascagne élevée dans sa maison. Une douzaine d'années plus tard, la femme d'Albert meurt, emportant son secret avec elle, et toute la maisonnée continue de prendre pour un garçon la fillette Dorothée-Ascagne. Dorothée grandit, s'éprend de Valère, lui-même épris de Lucile qui ne l'aime pas. Une nuit, Dorothée se substitue à Lucile, avoue à Valère son amour et lui permet de venir la voir devant témoin, — la nuit, car, à l'aurore, elle redevient Ascagne. Un couple, celui du Gros-René, valet d'Eraste, et de Marinette, suivante de Lucile, fait pendant à la paire Eraste-Lucile, qu'il parodie en des scènes piquantes.

Cette comédie en cinq actes et en vers a été abrégée en deux actes, en 1773, par un acteur de la Comédie-Française, Valville, et depuis 1821, c'est dans ce texte abrégé qu'on a coutume de jouer cette pièce au Théâtre-Français. Mais, comme on en a supprimé toute l'intrigue romanesque, les spectateurs comprennent mal pourquoi Eraste et Lucile sont brouillés, et pourquoi le valet Mascarille fait entendre que Valère son maître est marié secrètement avec Lucile. Le charme et la vérité des scènes du « dépit amoureux » que l'on a conservées sont tels que les spectateurs oublient l'obscurité de la situation première.

Parsemé de traits empruntés aux Anciens et à Lope de Vega, à Beltramo, à Cyrano de Bergerac, à Rotrou et à d'autres, *Le Dépit amoureux* fut joué pour la première fois à Béziers en 1656, et repris à Paris, en décembre 1658, sur la scène du Petit-Bourbon, avec un succès égal, nous dit La Grange, à celui de *L'Etourdi*.

L'édition originale (1663) fut publiée avec un privilège de la même date que celui de *L'Etourdi* : 31 mai 1660, et un achevé d'imprimer de trois jours postérieur.

1. Allusion à l'embonpoint de Du Parc qui jouait le rôle de Gros-René.

2. Les Lestrygons, dont nous parle Homère (*Odyssée*, X, 81-132), étaient un peuple « anthropophage » de la Campanie.

3. C'est le mot latin *matrimonium*, « mariage », francisé, à la façon de *dictum*, devenu *dicton*.

4. « Je vous ignore. »

5. « J'exécute ton mandat avec diligence. »

6. Métaphraste fait un jeu de mots sur *magister* qui signifie « maître », mais en décomposant le mot *magis ter* « plus [grand] trois fois ».

7. « On ne peut à un fils préférer qu'un fils. »

8. Cicéron qui avait pour prénom Marcus (Marc) et pour nom Tullius (Tulle), et qui parle dans ses lettres de son frère Quintus.

9. « Immortel » (en grec).

10. « En latin, une retraite. »

11. « Il est dans une retraite un lieu... » (Citation de Virgile, *Enéide*, I, 159.)

12. « Imite, en vivant, les gens de bien, et, en écrivant, les bons auteurs. » Règle de Despautère.

13. « Par Jupiter! » (juron latin).

14. On appelait alors *galant de neige* un nœud ou une cocarde faite avec une dentelle nommée « neige », et *nonpareille* le ruban servant à l'attacher.

15. Le *blanc* valait cinq deniers.

16. Ferragus est le fameux et terrible héros du *Roland furieux* de L'Arioste.

LES PRÉCIEUSES RIDICULES

Fort de l'appui du roi, Molière avait loué aux Italiens la salle du Petit-Bourbon sise entre le vieux Louvre et l'église de Saint-Germain-l'Auxerrois, et c'est là qu'il donna, le 18 novembre 1659, un spectacle composé du *Cinna* de Corneille et d'une farce en prose qu'il venait d'écrire, *Les Précieuses ridicules*. Le succès fut considérable. La recette atteignit la somme, fabuleuse pour l'époque, de 533 livres, et la pièce fut jouée quarante-quatre fois en moins d'un an. Le 6 décembre, dans une *Lettre* aux versiculets faciles, Loret observe :

> Cette troupe de comédiens
> Que Monsieur avoue être siens,
> Représentant sur leur théâtre
> Une action assez folâtre,
> Autrement un sujet plaisant,
> A rire sans cesse induisant
> Par des choses facétieuses,
> Intitulé *les Précieuses*,
> Ont été si fort visités
> Par gens de toutes qualités,
> Qu'on n'en vit jamais tant ensemble
> Que ces jours passés, ce me semble,
> Dans l'hôtel du Petit-Bourbon,
> Pour ce sujet mauvais ou bon.
> Ce n'est qu'un sujet chimérique,
> Mais si bouffon et si comique,
> Que jamais les pièces du Ryer,
> Qui fut si digne du larmier...
> N'eurent une vogue si grande,
> Tant la pièce semble friande,

et l'on peut lire dans le *Ménagiana* qu'au sortir d'une représentation,
Ménage, prenant Chapelain par la main, lui aurait dit : « Monsieur,
nous approuvions , vous et moi, toutes les sottises qui viennent
d'être critiquées si finement et avec tant de bon sens; mais, croyez-
moi, il nous faudra brûler ce que nous avons adoré, et adorer ce que
nous avons brûlé. »

Louis XIV, qui tint à l'entendre à son retour des Pyrénées, assista
le 29 juillet 1660 à une grande représentation où il rit et applaudit
de bon cœur, et, incognito, le 26 octobre 1660, à la première des
deux représentations données chez Mazarin.

A qui s'en prenait donc Molière dans cette farce immortelle?

L'analyse en est simple : un bon bourgeois, du nom de Gorgibus,
a avec lui sa fille Magdelon et sa nièce Cathos, arrivées depuis peu
de province : ce sont deux sottes à la tête farcie de mauvais romans
et qui croient du dernier fin de donner dans la préciosité. Elles
éconduisent, les trouvant trop simples, frugaux d'ajustement, secs
de conversation, deux honnêtes gentilshommes prétendant à leur
main, La Grange et Du Croisy. Ces gentilshommes ainsi évincés
jouent aux deux précieuses un tour cruel : leurs valets, déguisés
en marquis de Mascarille et vicomte de Jodelet, font visite à Magdelon et Cathos, les éblouissent par leur étalage d'esprit et de
prouesses guerrières, dont elles n'aperçoivent pas le ridicule. Un bal
s'organise, mais au beau milieu du bal surgissent La Grange et
Du Croisy, qui bâtonnent leurs valets, les dépouillent de leurs beaux
vêtements et les laissent en souquenille et en veste, en révélant aux
deux péronnelles qu'elles venaient de danser avec leurs valets.
La fureur et le désarroi des deux sottes sont à leur comble, et Gorgibus les tance sévèrement.

Farce et caricature qui sont la première manifestation de la
nouvelle école, celle du naturel et de la nature, contre la préciosité
du langage et des mœurs, et qui sont par là même une date.

La pièce avait été imprimée au début de février 1660 à la fois
chez Guillaume de Luyne « libraire-juré au Palais », chez Charles
de Sercey et chez Claude Barbin.

1. « On dit proverbialement : *Cette femme est belle à la chandelle,
mais le jour gâte tout*, pour dire que la grande lumière fait aisément
découvrir ses défauts » Furetière, (*Dict.*, 1690).

2. Le Docteur (un pédant solennel), le Capitan (un bravache),
Trivelin (un Arlequin scélérat), sont les personnages classiques de
la comédie italienne.

3. La Grange, Du Croisy, Jodelet sont les noms mêmes des acteurs
de la troupe de Molière, qui dissimule sous les noms de Magdelon,
de Cathos et de Marotte, ceux de *Madeleine* Béjart, *Catherine* de
Brie et *Marie* Raguenau. On a déjà vu le nom de Gorgibus dans
Le Barbouillé et *Le Médecin volant*, celui de Mascarille dans *L'Etourdi*.
Quant à Almanzor, que jouait De Brie, il a le nom d'un héros de
Gomberville dans le roman de *Polexandre*.

4. Cyrus et Mandane sont des personnages du *Grand Cyrus*,
Aronce et Clélie, de *Clélie*, romans précieux, en dix volumes chacun,
de Mlle de Scudéry.

5. *La carte de Tendre* était un divertissement de société imaginé par Mlle de Scudéry, qui l'inséra ensuite dans sa *Clélie* : « Clélie a imaginé qu'on peut avoir de la tendresse pour trois causes différentes..., elle fait qu'on dit *Tendre-sur-Inclination*, *Tendre-sur-Estime*, *Tendre-sur-Reconnaissance*. *Billets-doux*, *Billets-galants*, *Jolis-vers* sont « d'agréables villages » sur la route qui part de *Nouvelle-Amitié* vers *Tendre-sur-Estime*, tandis que *Petits-Soins* est sur la route de *Tendre-sur-Reconnaissance*. »

6. Polyxène est le nom d'une fille de Priam et d'Hécube, et *La Polixène* celui d'un roman du sieur de Molier paru sous Louis XIII, Aminthe une héroïne pastorale du Tasse et aussi de Gomberville, déjà cité, dans le roman de *Polexandre*; Mme de Rambouillet se faisait appeler Arthénice, Mlle de Scudéry était Sapho.

7. L'âme [enfoncée] dans le corps : ce sont termes de la philosophie scolastique.

8. Personnage de *Clélie*, cf. n. 4.

9. Le recueil intitulé : *Poésies choisies de MM. Corneille, Benserade, de Scudéry, Bois-Robert et de plusieurs autres.*

10. Mises à la mode par l'abbé Cotin.

11. Les « fameux comédiens », dont Molière, dans *L'Impromptu de Versailles*, raillera l'emphase et les tremolos.

12. Le mercier alors en vogue.

13. Un quart d'aune.

14. Le cerveau.

15. Allusion au visage, enfariné ou barbouillé, de Jodelet.

16. Allusion au siège de 1654 que Condé fut contraint de lever devant l'armée de Turenne.

17. Allusion à la prise de Gravelines, en 1658, par le maréchal de La Ferté.

18. Les violons.

19. Danse alors à la mode.

20. Jeu de mots, au dire de Tallemant, déjà fait par Malherbe.

SGANARELLE OU LE COCU IMAGINAIRE

Les Précieuses ridicules avaient attiré au Petit-Bourbon et la cour et la ville; Molière tenta de retenir ce double public par une petite comédie en un acte et en vers, *Sganarelle ou le Cocu imaginaire*, et effectivement il l'y retint. La première eut lieu le 28 mai 1660 et fut suivie, dans sa nouveauté, de vingt-cinq autres représentations. On dit que Molière bénéficia de l'affluence que le mariage du roi, célébré le 9 juin, avait amenée dans la capitale; mais il faut remarquer que jusqu'en 1673, date de la mort de Molière, *Sganarelle* ne cessa d'être joué et atteignit le total de cent vingt-deux représentations, qui est un chiffre record. Même après la mort de l'auteur cette comédie fut jouée sans interruption jusque vers 1748.

Sganarelle n'était pourtant qu'une vieille farce que Molière s'était plu à versifier, fort brillamment d'ailleurs. Mais le type du personnage principal, moins conventionnel, moins caricatural que celui de Mascarille, plus humain, plus réel, — et que Molière reprendra dans *Le Mariage forcé*, dans *Dom Juan*, dans *Le Médecin malgré lui*, tantôt en en faisant un bourgeois bourru et imbécile, tantôt un valet poltron et gourmand, tantôt un paysan madré, mais ivrogne et brutal, et qui deviendra plus tard Harpagon et Argan, était de nature à plaire à un vaste public qui goûtait le grand rire pessimiste de l'auteur,

> Cette mâle gaîté si triste et si profonde
> Que lorsqu'on vient d'en rire on devrait en pleurer.

Traitant d'une façon « farcesque » et parodique l'un des thèmes à la mode sur le théâtre d'alors, celui des « fausses apparences » cher à Scarron et à Boisrobert, Molière montre en Sganarelle un bon bourgeois de Paris qui croit que sa femme le trompe, parce qu'il l'a trouvée baisant une miniature qui représente Lélie, amant de la jeune Célie, fille de Gorgibus. Lélie, de son côté, voyant son portrait entre les mains de Sganarelle, s'imagine que le bonhomme le tient de Célie. Ces fausses apparences s'évanouissent lorsqu'à la fin de l'acte Lélie et Célie se marient et que Sganarelle tire la morale de l'histoire :

> A-t-on mieux cru jamais être cocu que moi?
> Vous voyez qu'en ce fait la plus forte apparence
> Peut jeter dans l'esprit une fausse créance.

Le jeu de Molière, sa mimique étonnante, la façon dont il savait mêler le grotesque à l'humain, avait d'ailleurs été pour beaucoup dans le succès d'une comédie qui fut jouée trois fois à Vincennes, quand le roi fut de retour, et une fois, pour Monsieur, au Louvre.

1. Le célèbre roman de Mlle de Scudéry.
2. Guy du Faur de Pibrac, ami de Montaigne, avait écrit 126 *Quatrains* qui obtinrent un succès éclatant et auxquels les éditeurs du XVIIᵉ siècle ajoutèrent les *Tablettes de la Vie et de la Mort* du conseiller et historiographe du roi Pierre Matthieu (1563-1621).
3. Ce *Guide des Pécheurs* était un ouvrage du dominicain espagnol Louis de Grenade (1505-1588) dont le conseiller du roi Girard venait de donner une traduction (1658) qui faisait florès.
4. *Corneillius* « porteur de cornes ».

DOM GARCIE DE NAVARRE

Comme M. de Rabaton, surintendant des bâtiments du Roi, avait dû, le 2 octobre 1660, s'emparer, pour le démolir, du Petit-Bourbon, sur l'emplacement duquel on s'apprêtait à construire la colonnade du Louvre de Perrault, Monsieur obtint de son frère que la troupe de Molière s'installât au Palais-Royal, et Molière inaugura son nouveau théâtre le 20 janvier 1661, avec des reprises de son répertoire : tragédies accompagnées des *Précieuses* ou de

Sganarelle, puis il y donna, le 4 février 1661, une « comédie héroïque », *Dom Garcie de Navarre ou le Prince Jaloux*, que depuis plus de deux ans il tenait en réserve.

La « tragi-comédie galante », dont l'Espagne avait fourni tant de modèles à Rotrou et aux deux Corneille, était un genre à la mode, mais qui différait trop de la farce ou de la comédie proprement dite pour que Molière y remportât le succès qu'il espérait. Le rôle du prince jaloux ne seyait guère à celui qui, l'année précédente, avait tant diverti les connaisseurs sous l'habit de Mascarille et de Sganarelle. « Un comédien habitué à exceller dans les rôles sérieux, a observé Despois, et qui se risque par exception dans les rôles comiques, n'est exposé qu'à l'inconvénient de paraître froid et peu plaisant ; l'acteur comique qui s'élève aux rôles sérieux s'expose à un danger beaucoup plus grave, celui de paraître ridicule. Que devient le prestige de son personnage si une infonation malheureuse vient rappeler trop aisément aux auditeurs le succès qu'il a obtenu dans un autre genre ? »

Le parterre, qui avait applaudi Molière en Mascarille, ne le retrouva plus dans ce rôle de prince chimérique qui promène à travers la pièce sa jalousie gratuite et sa mauvaise humeur trop souvent puérile. Le rôle de Dom Garcie était aussi mauvais que le jeu de Molière, la pièce aussi médiocre que ce rôle. Quand doña Elvire pardonne à son « jaloux » par pitié, nous avons peine à imiter sa clémence, tant dom Garcie nous a ennuyés.

La pièce n'était pas imitée pour rien du *Gelosie fortunato del principe Rodrigo* de l'Italien André Cicognini, imité lui-même d'un modèle espagnol. Elle n'eut que sept représentations au cours desquelles la recette tomba de 600 livres à 70. Molière eut beau la redonner « pour le Roi » le 29 septembre 1662, pour Condé à Chantilly en septembre 1663, et deux fois encore, en octobre, à Versailles, il ne l'afficha plus que deux fois au Palais-Royal, les 4 et 6 novembre 1663 ; et, rebuté par ce dur échec, il renonça à publier l'ouvrage, dont la première édition fut donnée en 1682 par Vinot et La Grange, mais il en utilisa des scènes et des fragments dans *Le Misanthrope*, dans *Le Tartuffe*, dans *Amphitryon* et dans *Les Femmes savantes*.

1. Vers repris dans *Le Misanthrope*, IV, 3.
2. Cf. *Le Misanthrope*, IV, 3.
3. Cf. *Le Misanthrope*, II, 4.
4. Cf. *Le Misanthrope*, VI, 3.
5. Cf. *Le Tartuffe*, IV, 5.
6. *Amphitryon*, II, 6.
7. Cf. *Les Femmes Savantes*, IV, 2.
8. Cf. *Le Misanthrope*, IV, 2.
9. Cf. *Le Misanthrope*, *passim*.

L'ÉCOLE DES MARIS

Molière ne se découragea pas. Si pénible que fût pour lui l'erreur — une double erreur d'auteur et d'acteur — qui avait causé l'échec de *Dom Garcie*, il s'empressa de terminer et de produire sur la scène du Palais-Royal une comédie de trois actes et en vers, une comédie qui traitait sous une forme presque bouffonne un sujet sérieux : *L'Ecole des Maris*. La première en eut lieu le 24 juin 1661. Que signifie ce titre d'*Ecole*, donné pour la première fois à une pièce de théâtre et qui devait connaître une telle fortune, de 1661 à nos jours? Le sens en est de « pièce où l'on s'instruit ». Pareillement pour l'*Ecole des mères* de Marivaux, pour l'*Ecole des bourgeois* de Dallainval, pour l'*Ecole des vieillards* de Delavigne, pour l'*Ecole des cocottes* d'Armont et Gerbidon. Et l'on y peut joindre, en l'entendant ironiquement, *L'Ecole des Femmes* de notre même auteur.

Que voit-on en effet dans *L'Ecole des Maris*? On y voit deux frères, l'un d'humeur sévère et tyrannique, Sganarelle, l'autre, de tempérament doux et facile, Ariste, adopter chacun une orpheline, qu'ils veulent épouser, Sganarelle traitant Isabelle en esclave, Ariste étant pour Léonor l'Indulgence personnifiée. Le résultat de ces éducations contraires est que, si Léonor consent à épouser le sage Ariste, Isabelle abandonne Sganarelle et invente mille ruses pour se rapprocher du jeune Valère. Ne réussit-elle pas à convaincre Sganarelle que c'est Léonor qui est chez Valère? Sganarelle dupé court chercher son frère pour jouir de sa déconvenue, mais se trouve conduit par mégarde à signer un contrat qui est celui d'Isabelle et de Valère. Il enrage, cependant qu'Ariste, modestement, triomphe, et que la servante Lisette dit au parterre :

Vous, si vous connaissez des maris loups-garous,
Envoyez-les au moins *à l'école* chez nous.

Certes, les sources de la pièce sont multiples, mais Molière a su prendre son bien avec un rare bonheur et le fondre avec une aisance où déjà sa maîtrise s'affirme. *Les Adelphes* de Térence lui ont fourni le cadre général : le poète latin avait, lui, imaginé deux frères, l'un marié et père de deux fils, Déméa, qui est fort sévère, qui traite sans aménité l'un de ses fils, l'autre célibataire indulgent, Micion, qui élève avec bonhomie le second des deux fils que lui confie son frère. Chez Térence, comme chez Molière, c'est l'éducation indulgente qui triomphe. Molière a, en outre, lu de très près Larivey, l'auteur des *Esprits*, où s'opposent également deux frères, Séverin, le bourru, Hilaire, le bienveillant. Il a aussi emprunté à Dorimon, l'auteur de *la Femme industrieuse*, la majeure partie du second acte; tiré certains traits de *la Discreta enamorada*, de Lope de Vega, que Boisrobert avait adaptée sous le titre *Le Comble de l'imposture*, et à un conte de Boccace le stratagème qu'emploie Isabelle pour avouer à Valère l'amour qu'elle a pour lui. Tout cela est d'ailleurs fondu avec adresse, et *L'Ecole des Maris* reste si personnelle que certains ont voulu, à tort, voir dans Ariste le portrait de Molière lui-même, sur le point de se fiancer avec Armande Béjart.

Jouée pour la première fois avec *Le Tyran d'Egypte*, de Gilbert, la comédie de Molière obtint un vif succès, et, dit Loret, « charma tout Paris ». Trente-huit représentations en furent données pendant l'été, et cinq autres « en visite », dont l'une à Fontainebleau, devant le roi. La recette, qui avait été de 410 livres à la première représentation, atteignit plus de 1130 livres à la septième et à la huitième. La première édition porte achevé d'imprimer du 20 août et elle est dédiée à Monsieur, « frère unique du Roi ».

1. Cette tirade de Sganarelle est une plaisante critique des modes du temps. Les *muguets* ou jeunes élégants, qui tiraient leur nom de leur parfum préféré (comme plus tard les *muscadins* tireront le leur du musc), portaient de petits chapeaux et non les chapeaux larges dont on avait coutume de se coiffer sous Louis XIII, des cheveux *blonds* et faux ajoutés aux cheveux naturels; des pourpoints très courts laissant passer aux manches et à la ceinture la chemise bouffante; d'immenses *collets*, des *hauts-de-chausses* très larges, des *canons* garnis de dentelles, attachés à la culotte au-dessous du genou et descendant à mi-jambes.

2. Sganarelle, vêtu à l'ancienne mode, portait un collet de linge plissé, nommé *fraise*, « à cause de sa ressemblance avec la fraise de veau ».

3. La *serge* était alors une étoffe *commune* de laine croisée.

4. La couleur noire était alors le fin du fin.

5. La *mouche* était une petite rondelle de taffetas noir qui, collée sur la peau, en relevait la blancheur ou l'éclat.

6. Le bon ton était de ne point mettre en doute que la reine, dont les couches étaient attendues, mettrait au monde un fils.

7. Allusion à l'édit du 27 novembre 1660 contre le luxe « des habits et des équipages » et qui en bannissait les « broderies ».

8. On nommait *décri* l'ordonnance interdisant de fabriquer, de vendre, de porter certaines dentelles d'or et d'argent, ainsi que des étoffes de haut luxe.

LES FACHEUX

Le 11 juillet 1661, Molière ayant joué, en « visite » chez le surintendant Fouquet, son *Ecole des Maris* devant Monsieur, Madame et la reine d'Angleterre, s'entendit commander par le fastueux châtelain de Vaux un « divertissement » pour la fête magnifique que Fouquet devait donner à Louis XIV cinq semaines plus tard, le 17 août. Avec une rapidité surprenante, il composa une comédie-ballet en trois actes, *Les Fâcheux*, et tint à souligner lui-même cette sorte de virtuosité dans l'*Avis au lecteur* imprimé en 1662 : « Jamais, écrit-il, entreprise au théâtre ne fut si précipitée que celle-ci; et c'est une chose, je crois, toute nouvelle, qu'une comédie ait été conçue, faite, apprise et représentée en quinze jours... »

A supposer même que Molière tînt en réserve certaines scènes préparées, et que d'autres aient été écrites par lui depuis son arrivée à Paris, il n'en est pas moins vrai qu'il improvisa brillamment une comédie à tiroirs, pleine de verve, où défilent les fâcheux et grotesques du temps, un marquis ridicule, un danseur, un duelliste, un joueur de cartes, deux précieuses, un chasseur (dont on a dit que Louis XIV avait désigné lui-même le type à Molière en la personne de son veneur, le marquis de Soyecourt), le pédant Caritidès (dont Chapelle aurait fourni la scène à Molière) et un extravagant du nom d'Ormin qui expose à Eraste le projet qu'il a conçu pour mettre toutes les côtes de France en ports de mer. Défilé qui retarde Eraste, amoureux d'Orphise, et qui a rendez-vous avec elle, pour trouver ensemble le moyen de rompre l'opposition de Damis, tuteur de la belle, à leur mariage, consenti à la fin de la pièce.

Commandés par le surintendant, *Les Fâcheux* furent, après sa disgrâce, dédiés au roi, comme à celui qui en avait fait le succès.

A Vaux comme à Paris, où elle fut reprise en novembre, cette comédie-ballet, dont les « agréments » consistaient en intermèdes de danses, connut le plus grand succès. Le goût de Louis XIV pour la danse, la création toute récente de l'Académie royale de danse, donnaient une véritable actualité à un genre que Molière, à la demande du roi, renouvela souvent par la suite.

Pour la première représentation au château de Vaux, le 17 août 1661, Pellisson avait composé un prologue d'une quarantaine de vers. Molière lui-même, dans son *Avis au lecteur*, nous dit comment ce prologue était amené : « D'abord que la toile fut levée, un des acteurs, comme vous pourriez dire moi, parut sur le théâtre en habit de ville, et s'adressant au Roi, avec le visage d'un homme surpris, fit des excuses en désordre sur ce qu'il se trouvait là seul, et manquait de temps et d'acteurs pour donner à Sa Majesté le divertissement qu'elle semblait attendre. En même temps, au milieu de vingt jets d'eau naturels, s'ouvrit cette coquille que tout le monde a vue, et l'agréable Naïade qui parut dedans s'avança au bord du théâtre, et d'un air héroïque prononça les vers que M. Pellisson avait faits et qui servent de prologue. » La Naïade dit que, à défaut d'acteurs, les *termes* et les arbres parleront et marcheront; en effet, à sa voix, des Dryades, des Faunes et des Satyres sautent des arbres et des *termes*. A la fin du prologue, « la Naïade emmène avec elle, pour la comédie, une partie des gens qu'elle a fait paraître, pendant que le reste se met à danser au son des hautbois, qui se joignent aux violons. »

La distribution des rôles était intéressante. Dans le prologue (joué seulement à Vaux), le rôle de la Nymphe était joué par Madeleine Béjart, celui d'Eraste, par La Grange. Quant à Molière, il incarnait successivement plusieurs types de fâcheux : le marquis Lysandre, le duelliste Alcandre, le joueur Alcippe, le chasseur Dorante, le pédant Caritidès... Ce devait être une des *attractions* de la pièce que ces transformations du meilleur acteur de la troupe qui s'ingéniait à varier ses costumes et son débit.

A la beauté du spectacle la vérité des peintures s'ajoutait, qui fit écrire à La Fontaine dans une épître à son ami Maucroix :

> Nous avons changé de méthode;
> Jodelet n'est plus à la mode
> Et maintenant il ne faut pas
> Quitter la nature d'un pas.

Le 25 août, Molière redonna la comédie à Fontainebleau pour la fête du roi, et en y ajoutant à la demande de Sa Majesté la scène du chasseur dont on a parlé plus haut et qui fut écrite en vingt-quatre heures. Jusqu'à la mort de l'auteur, la comédie-ballet fut jouée 106 fois.

1. Jusqu'en 1759 les places réservées aux hommes de qualité étaient sur la scène même, des deux côtés des acteurs.

2. Molière, dans *Le Misanthrope*, signale cette « fureur d'embrassements » qui était alors de mode, ainsi que le tutoiement entre gens du même monde.

3. Cette année même Corneille faisait jouer au Marais *La Toison d'Or*.

4. Le Cours-la-Reine (près des Champs-Elysées actuels) ou le Cours Saint-Antoine (près de l'actuelle place de la Bastille).

5. L'ancien piquet se jouait avec les *six*, donc avec un jeu de trente-six cartes.

6. Un cerf à sa seconde tête est un cerf de trois ans à qui il pousse sur les cornes deux ou trois andouillers.

7. On appelait *houret* un mauvais chien.

8. Ce Gaveau était un marchand de chevaux célèbre à la cour.

9. L'*étoile* est la marque blanche du front d'un cheval *barbe*.

10. Ce Petit Jean était un piqueur au service de Gaveau, et Drécar un autre piqueur renommé.

11. Le *Mail* était à l'Arsenal.

BRODARD ET TAUPIN — IMPRIMEUR - RELIEUR

Paris-Coulommiers. — France.
60162-I-10-8458. Dép. lég. n° 3159, 4e trim. 1963.
LE LIVRE DE POCHE 4, rue de Galliera — Paris.